LA FEMME DU Vᵉ

DU MÊME AUTEUR

Cul-de-sac, Série noire/Gallimard (Folio policier n° 421), 2006
L'homme qui voulait vivre sa vie, Belfond, 1998, rééd. 2005,
   et Pocket, 1999
Les Désarrois de Ned Allen, Belfond, 1999, rééd. 2005,
   et Pocket, 2000
La Poursuite du bonheur, Belfond, 2001, et Pocket, 2003
Rien ne va plus, Belfond, 2002, et Pocket, 2004
Une relation dangereuse, Belfond, 2003, et Pocket, 2005
Au pays de Dieu, Belfond, 2004, et Pocket, 2006
Les Charmes discrets de la vie conjugale, Belfond, 2005,
   et Pocket, 2007

Vous pouvez consulter le site de l'auteur à l'adresse suivante :
www.douglas-kennedy.com

DOUGLAS KENNEDY

LA FEMME DU Ve

*Traduit de l'américain
par Bernard Cohen*

EDITIONS DE NOYELLES

Titre original :
THE WOMAN IN THE FIFTH
publié par Hutchinson, Londres.

Editions de Noyelles
123, boulevard de Grenelle, Paris
www.franceloisirs.com
Une édition du Club France Loisirs, Paris
réalisée avec l'autorisation des Editions Belfond.

ISBN : 978-2-298-00220-1
Et pour la traduction française
© Belfond, un département de place des éditeurs, 2007

À Frank Kelcz

Tout ce qu'elle avait dit au commissaire était vrai, mais il arrive que rien ne soit plus faux que la vérité.

Georges SIMENON, *La Fuite de monsieur Monde*

1

C'EST ARRIVÉ L'ANNÉE OÙ MON EXISTENCE S'EST ÉCROULÉE. L'année où je suis venu vivre à Paris.

J'avais débarqué quelques jours après Noël, par un matin gris et humide. Le ciel avait une couleur de craie sale et la pluie était une brume envahissante lorsque mon avion s'était posé, à l'aube. Je n'avais pas fermé l'œil durant toutes ces longues heures au-dessus de l'Atlantique, un épisode insomniaque qui venait s'ajouter à la succession de nuits sans sommeil par laquelle je venais de passer.

En retrouvant la terre ferme, j'ai soudain basculé dans un état de désarroi complet, et j'ai perdu tous mes moyens devant le flic du contrôle des passeports qui me demandait combien de temps je comptais rester en France.

— J'sais pas exactement, ai-je marmonné sans réfléchir.

Il m'a observé avec d'autant plus d'attention que je m'étais exprimé en français.

— Quoi, vous savez pas ?

— Quinze jours, me suis-je hâté de lancer.

— Vous avez un billet de retour pour les États-Unis ? – J'ai hoché la tête. – Montrez-le-moi, s'il vous plaît.

Je le lui ai tendu. Il a cherché des yeux la date de mon vol dans l'autre sens : 10 janvier.

— Comment pouvez-vous ne pas savoir, puisque vous avez une preuve ?

— J'ai répondu bêtement, ai-je dit d'un ton penaud.

— Ouais…

Le tampon s'est abattu sur mon passeport, qu'il a poussé vers moi sans un mot de plus avant de faire signe au voyageur suivant d'avancer. Il en avait terminé avec moi.

Je me suis dirigé vers le tapis à bagages en me maudissant d'avoir attiré une attention officielle sur le flou de mes intentions. J'avais dit la vérité, pourtant : j'ignorais combien de temps j'allais rester en France. Mon billet d'avion, acheté à la dernière minute sur un site Internet qui offrait des vols bon marché pour un séjour de deux semaines, finirait à la poubelle dès que la date du 10 janvier serait passée. Je ne prévoyais pas de retourner aux États-Unis avant longtemps, très longtemps.

« Comment pouvez-vous ne pas savoir, puisque vous avez une preuve ? »

Et depuis quand une preuve offre-t-elle la moindre certitude ?

Après avoir récupéré ma valise, j'ai résisté à la tentation de me payer un taxi jusqu'à Paris, mon budget trop serré excluant ce genre d'extravagance. Je me suis donc rabattu sur le RER, à sept euros le ticket aller simple. Le wagon était sale, le plancher couvert de détritus, les sièges tout collants sentaient la bière répandue la nuit précédente. Pour arriver dans la capitale, il fallait traverser une série de banlieues industrielles sinistres hérissées de tours HLM décrépites. J'ai fermé les yeux et je me suis assoupi pour me réveiller en sursaut quand la rame s'est arrêtée gare du Nord. Suivant les instructions que l'hôtel m'avait envoyées par e-mail, j'ai changé de quai et j'ai pris le métro pour un trajet interminable jusqu'à la station qui répond au nom délicieusement aromatique de « Jasmin ».

Je suis ressorti dans le matin cafardeux, traînant ma valise à roulettes dans une longue rue étroite. La pluie s'acharnait sur la ville, maintenant. La tête baissée, j'ai hâté le pas en m'engageant sur la gauche, rue La Fontaine, puis à droite, rue François Millet. L'hôtel – le Select – était à l'autre bout. Il m'avait été recommandé par un collègue du modeste campus où j'enseignais dans le temps… Le seul qui acceptait encore de m'adresser la parole. Il m'avait assuré que le Select était un établissement sans prétention, propre et bon marché. Ce qu'il ne m'avait pas dit, c'est que l'employé qui serait de service à la réception le matin de mon arrivée serait un tel connard.

— Bonjour. Je suis Harry Ricks, j'ai une réservation pour…

— Sept jours, a-t-il complété, en levant les yeux de son écran d'ordinateur, avant d'ajouter avec un débit tellement rapide que je n'ai pas saisi ce qu'il m'a dit : La chambre ne sera pas prête avant quinze heures.

— Désolé mais, euh… je n'ai pas compris…

— Revenez à quinze heures pour avoir la clé, a-t-il articulé plus lentement, mais d'une voix très forte, comme s'il avait affaire à un malentendant.

— Mais c'est… dans longtemps, ai-je protesté.

— Les chambres sont libres à quinze heures, a-t-il déclaré en désignant un écriteau qui confirmait ses dires, à côté d'un tableau de clés, toutes accrochées à leurs places respectives, sauf deux.

— Allons, vous avez certainement au moins une chambre déjà prête ! ai-je insisté. – Sans ouvrir la bouche, il a montré à nouveau le panneau. – Vous voulez me faire croire qu'il n'y en a pas une seule de libre là, maintenant ?

— Ce que je vous dis, c'est que les chambres sont libres à quinze heures.

— Et moi, je vous dis que je suis mort de fatigue, et que ce serait vraiment aimable à vous de…

— Ce n'est pas moi qui ai fait le règlement. Laissez vos bagages et revenez à quinze heures.

— S'il vous plaît, soyez raisonnable.

Il a haussé les épaules tandis qu'une vague ébauche de sourire apparaissait sur ses lèvres. À ce moment, le téléphone s'est mis à sonner. Il a décroché, ce qui lui a donné l'occasion de me tourner carrément le dos.

13

— Je crois que je vais trouver un autre hôtel, ai-je annoncé à la cantonade.

Il s'est interrompu pour me jeter par-dessus son épaule ·

— Vous devez quand même payer la première nuit. Les réservations doivent être annulées vingt-quatre heures à l'avance.

Un autre sourire faux derche, que j'ai bien eu envie d'effacer d'un coup de poing.

— Où est-ce que je peux mettre ma valise ?

— Là-bas, a-t-il soufflé en indiquant une porte un peu plus loin.

Je suis allé dans le cagibi et j'y ai également déposé le sac à dos que je portais à l'épaule.

— Je laisse aussi mon ordinateur portable, donc vous voudrez bien…

— Il ne risque rien. Revenez à quinze heures, monsieur.

— Et je vais où, en attendant ?

— Aucune idée.

Et il a repris sa conversation téléphonique.

À huit heures et quelques du matin, un dimanche de fin décembre, Paris n'offre pas beaucoup de distractions. J'ai arpenté la rue La Fontaine, à la recherche d'un café ouvert. Ils avaient tous leur rideau de fer baissé, certains avec une pancarte laconique accrochée à la devanture : « Fermeture pour Noël ». Le quartier était avant tout résidentiel : un alignement d'immeubles anciens et cossus, parfois séparés par d'autres plus récents, typiques de la brutalité architecturale des années soixante-dix, mais ceux-là aussi exhalaient la richesse, de même que les rares voitures garées le long des trottoirs, des modèles de luxe pour la plupart. Une preuve supplémentaire d'opulence et du manque d'animation du coin à cette heure de la journée.

La pluie s'était réduite à une bruine insistante. Comme je n'avais pas de parapluie, je me suis dépêché de retourner à la station de métro, où j'ai acheté un ticket et sauté dans la première rame, ne sachant pas vraiment dans quelle direction j'allais. Ce n'était que mon deuxième voyage à Paris, après tout. Le premier remontait au milieu des années quatre-vingt, l'été précédant mon entrée à l'université. Pendant cette semaine dans un hôtel modeste, à deux pas du boulevard Saint-Michel, j'avais écumé tous les cinémas du Quartier Latin. Je me souvenais d'un petit café, Le Reflet, situé en face de deux salles art et essai dans une ruelle, la rue… le nom ne me revenait pas. Peu importe. L'endroit était sans prétentions, et je me souvenais vaguement qu'il était toujours ouvert à l'heure du petit-déjeuner…

Après avoir rapidement consulté la carte du réseau au-dessus des portes coulissantes du wagon, j'ai changé à Michel-Ange-Molitor et moins d'une demi-heure plus tard j'ai émergé à l'air libre à la station à Cluny-La Sorbonne. Même si plus de vingt ans s'étaient écoulés depuis ma dernière incursion dans les parages, je n'oublie pas le chemin qui mène à un cinéma et donc, suivant mon instinct, j'ai remonté le boulevard Saint-Michel jusqu'à la rue des Écoles. La devanture du Champo annonçait deux festivals, Vittorio De Sica et Douglas Sirk, et je n'ai pas pu m'empêcher de sourire. En m'approchant de ses grilles fermées, j'ai jeté un coup d'œil à l'étroite artère qui faisait angle… Rue Champollion, bien sûr ! Un peu plus haut, en suivant le trottoir mouillé, j'ai retrouvé deux autres salles de cinéma. « Tout n'a pas changé, il y a encore de l'espoir », me suis-je dit. Mais à neuf heures du matin, ils n'étaient pas ouverts et Le Reflet non plus : « Fermeture pour Noël ».

Revenu sur le boulevard Saint-Michel, j'ai commencé à marcher en direction de la Seine. Paris, en ces lendemains de fête, était complètement mort. Les seuls endroits ouverts étaient les fast-foods qui avaient désormais envahi la zone, leurs néons agressifs maculant les façades harmonieuses. J'aurais tout donné pour échapper au crachin, mais je ne pouvais me résoudre à passer mes premières heures de retour en France réfugié dans un McDonald's, si bien que j'ai continué à marcher jusqu'à trouver un café digne de ce

15

nom et prêt à m'accueillir. Ce fut Le Départ, sur un quai de la Seine. Avant d'y entrer, j'ai cependant pris le temps de m'arrêter à un kiosque à journaux pour faire l'emplette du *Pariscope*, cette bible du cinéphile parisien que j'avais découverte lors de mon premier séjour.

Dans la salle déserte, j'ai choisi une table près d'une baie vitrée, commandé un thé pour combattre le froid qui montait en moi, puis j'ai ouvert le *Pariscope* et entrepris d'éplucher la liste des cinémas, décidé à m'organiser une semaine de bons films. Alors que je notais mentalement la rétrospective John Ford à l'Action Écoles, et le cycle complet des *Ealing Comedies* au Reflet Médicis, j'ai éprouvé une sensation qui m'était devenue étrangère depuis des mois : le plaisir. Un bref rappel de ce que pouvait être la vie sans... eh bien, sans tout ce qui me l'avait gâchée depuis... et, sans avoir à repenser à... mais non, pas question de retourner sur ce terrain. Pas aujourd'hui, en tout cas.

J'ai sorti de ma poche un calepin et mon stylo-plume, un superbe Parker rouge, une véritable pièce de collection datant des années vingt. Le cadeau pour mes quarante ans, deux ans auparavant, offert par ma femme, du temps où elle l'était encore. Après avoir retiré le capuchon, j'ai entrepris de griffonner un emploi du temps, le brouillon de mes six prochains jours à Paris : les matins consacrés à organiser ma vie ici et le reste de la journée dans les salles obscures, captivé par des ombres animées.

« Qu'est-ce qu'une salle de cinéma a de plus fascinant, pour la plupart des gens ? » C'était une question que j'aimais poser en début d'année à mes étudiants, dans le temps. « Serait-ce qu'il s'agit d'un lieu extérieur à la vie qui offre, paradoxalement, une imitation de la vie ? Et dans ce cas, n'est-ce pas une cachette dans laquelle on ne peut pas vraiment se dissimuler, puisque c'est précisément le monde auquel on veut échapper que l'on a devant les yeux ? » Le hic, c'est que la fuite est toujours séduisante et que l'on essaie, encore et encore. Et c'est ainsi qu'un quidam peut

16

sauter dans un avion pour Paris sur un coup de tête, pensant fuir les ruines qu'il a laissées derrière lui…

J'ai siroté le contenu de ma théière pendant une heure, me contentant de secouer la tête quand le serveur s'approchait de temps à autre pour me demander si je désirais autre chose. La dernière tasse était froide, amère. Rien ne m'aurait empêché de traîner toute la matinée à la même place sans que personne n'y trouve à redire – d'autant que j'étais toujours l'unique client de l'établissement –, rien, sinon l'impression d'être un minable complet.

J'ai jeté un coup d'œil par la vitre. Il pleuvait toujours. À ma montre, il restait cinq heures avant que je puisse m'affaler sur un lit. Je n'avais devant moi qu'une solution. Reprenant mon *Pariscope*, j'ai découvert qu'un multisalle aux Halles commençait ses séances à neuf heures. J'ai rangé mon calepin et mon stylo à la hâte, renfilé mon manteau, jeté quatre euros sur la table et je me suis précipité vers le métro. Deux stations seulement, puis j'ai suivi les panneaux jusqu'à un machin appelé « Le Forum », une sorte de bunker-galerie marchande enterré au cœur de Paris. Avec ses quinze salles, le cinéma ne différait guère d'un multiplex de n'importe quelle banlieue américaine. D'ailleurs, toutes les grosses productions pour Noël *made in USA* étaient à l'affiche, ce qui m'a contraint à me rabattre sur le film d'un réalisateur français dont je n'avais jamais entendu parler. Comme la séance commençait vingt minutes plus tard, j'ai eu droit à un long purgatoire de publicités et de bandes-annonces ineptes.

Le film était longuet, lui aussi, et terriblement bavard, mais je l'ai suivi autant que j'en ai été capable. L'action se déroulait en majeure partie dans un coin de Paris assez décati, mais apparemment « branché ». Un prof de philo dans un lycée, Matthieu, la trentaine, rêvait d'écrire un roman. Ses pulsions créatrices étaient cependant sérieusement contrariées par l'existence compliquée qu'il menait entre Mathilde, son ex-femme, une peintre à moitié ratée et écrasée par la forte personnalité de son père, Gérard, un sculpteur célèbre qui s'était mis en ménage avec son assistante, Sandrine, que Mathilde détestait parce qu'elle avait dix ans de moins qu'elle, tout comme Sylvie, la nouvelle toquade de Matthieu qui avait à peine dépassé la vingtaine. Si Mathilde avait toujours un faible pour Matthieu bien que, pendant leur mariage, il ait couché avec sa meilleure amie, celui-ci ne pouvait pas souffrir le nouveau compagnon de son ancienne femme, Philippe, un businessman féru de nouvelles technologies dont le succès professionnel offrait à Mathilde un train de vie qu'elle appréciait, même si elle déplorait ses limites intellectuelles – « Il a jamais lu Montaigne, t'imagines ? »

Il y avait beaucoup de scènes dans une cuisine, où l'on buvait du café, fumait et discutait ferme, puis une autre avec Sandrine qui posait nue pour Gérard dans son atelier à la campagne, un concerto de Bach en fond sonore et ensuite celle où Mathilde retrouvait Philippe au bar d'un hôtel chic – cigarettes, champagne et conversation –, puis une nouvelle où Matthieu dansait avec Sylvie dans une boîte à la sono assourdissante, l'entraînait aux toilettes, lui faisait l'amour contre un lavabo et citait Montaigne quand il fut obligé de s'interrompre parce que quelqu'un s'escrimait sur la porte : « Il faut toujours avoir ses bottes aux pieds, prêt à partir » ; la séquence suivante, les deux tourtereaux étaient assis sur le trottoir devant la boîte de nuit, et discutaient en fumant…

Incessantes, les causeries. Des mots, des mots et encore des mots. Mes problèmes, ses problèmes, tes problèmes, leurs problèmes, et de toute façon « la vie n'a pas de sens »… Au bout d'une heure environ, je n'ai plus été en mesure de lutter contre le décalage horaire. Je me suis endormi comme une masse dans mon fauteuil. Lorsque je me suis réveillé en sursaut, Mathilde et Philippe s'envoyaient des flûtes de champagne tout en tirant sur leurs cigarettes et en… J'avais une impression de déjà-vu. Se pouvait-il que… ? À ce moment, la fatigue m'a de nouveau terrassé. Puis soudain, Matthieu et Mathilde étaient dans une cuisine, en train de boire du café, de fumer et d'évoquer leurs difficultés existentielles passées et à venir, et… Je me suis frotté les paupières. J'ai levé mon bras dans la pénombre, tentant d'apercevoir les chiffres sur l'écran digital de ma montre. Quatre ? Quarante-trois ? Bon Dieu, quatre heures quarante-trois ! J'avais dormi pendant…

Ma bouche était desséchée, fétide. J'ai avalé ma salive, qui avait le goût de la bile. Mon cou était rigide, presque impossible à redresser. J'ai touché ma chemise : elle était trempée de sueur, tout comme mon visage. Quand j'ai posé deux doigts sur mon front, je me suis rendu compte qu'il dégageait une chaleur intense. J'ai tenté de me mettre debout. Impossible. J'avais horriblement mal, partout. Brusquement, ma température est passée de la fournaise tropicale à un froid polaire. Quand j'ai une nouvelle fois tenté de me lever, mes genoux se sont dérobés mais je suis tout de même arrivé à me propulser dans la travée, avançant vers la sortie comme un zombie.

Le hall d'entrée violemment éclairé m'est apparu dans un brouillard. Je me souviens d'avoir chancelé hors du cinéma, d'avoir erré dans un labyrinthe de couloirs avant de me jeter dans l'ascenseur qui m'a projeté en plein air. Mais ce n'était pas la rue que je cherchais, c'était le métro… Pourquoi étais-je monté, au lieu de descendre ? Je m'interrogeais ainsi, hébété, lorsqu'une violente odeur de bouffe saturée de graisse m'a agressé les narines. Une odeur de fast-food version moyen-orientale. J'avais émergé à côté d'un alignement de guinguettes pour touristes désargentés. Juste en face de moi, un gros type plongeait des falafels dans une friteuse. À sa droite, une cuisse de mouton à moitié entamée tournait sur une rôtissoire verticale, la chair gonflée de veines variqueuses – est-ce que les moutons ont des varices ? –, et plus loin étaient alignées des tranches de pizza qui faisaient penser à une expérience de cultures en laboratoire. Leur seule vue m'a provoqué une nausée que les effluves de falafels ont encore aggravée. Je me suis dit que j'allais vomir et c'est en

19

effet ce qui est arrivé : un geyser a éclaboussé mes chaussures. Tandis que je me cassais en deux et que je hoquetais, un patron de bistro planté sur le pas de sa porte s'est mis à hurler d'un ton indigné ; j'ai vaguement compris qu'il me traitait de porc qui allait lui faire perdre des clients. Sans répondre, j'ai recommencé à tituber, les yeux troubles mais fasciné par les énormes conduits de ventilation du Centre Pompidou qui sont apparus dans mon champ de vision.

Alors que je me tournais dans leur direction, la chance m'a enfin souri : un taxi s'est arrêté devant un petit hôtel non loin de là. Dès que ses passagers en sont sortis, j'ai pris leur place. J'ai réussi à bredouiller l'adresse du Select au chauffeur avant de me laisser aller sur la banquette, à nouveau accablé par la fièvre.

Le trajet a été une série de trous noirs : je plongeais dans un néant obscur, puis le chauffeur était en train de pester contre la puanteur de mes chaussures maculées de vomi, encore un trou noir, puis de nouvelles vitupérations, un nouveau un trou noir, puis un embouteillage, la lumière spectrale de phares jaunâtres se reflétant sur la vitre brouillée de pluie, encore un trou noir, puis la suite des diatribes de mon chauffeur à propos des gens qui se garaient sur l'emplacement des stations de taxi, des Nord-Africains qu'il essayait autant que possible de ne pas prendre en course, et de l'idiot qu'il avait été en ne m'éjectant pas sur-le-champ de son véhicule, puis… trou noir. Une portière s'est ouverte, une main m'a tiré par le bras, une voix chuchotait tout bas dans mon oreille, m'enjoignant de produire douze euros. J'ai obéi en sortant machinalement de ma poche mon porte-billets. Un bruit de conversation en arrière-plan. Je me suis adossé à la voiture pour ne pas perdre l'équilibre. J'ai levé le visage vers le ciel, il pleuvait toujours. Mes genoux ont lâché, je me suis senti tomber.

Trou noir.

Quand je suis revenu à moi, j'étais dans un lit et une lumière impitoyable fouillait mes pupilles, avant de s'éteindre dans un déclic. Retrouvant peu à peu l'usage de mes yeux, j'ai découvert un homme assis près de moi, avec un stéthoscope autour du cou. À côté de lui, la silhouette de quelqu'un d'autre, debout, presque masquée par les ombres. J'ai senti que l'on remontait la manche de ma chemise, un contact humide sur mon bras. La douleur rapide et reconnaissable entre toutes d'une aiguille entrant dans la chair.

Trou noir.

2

DE LA LUMIÈRE, À NOUVEAU, mais pas agressive comme la dernière fois : celle du jour, me tombant sur le visage en un rayon bien net et me ramenant à… Où étais-je, exactement ? Il a fallu quelques instants pour que les contours de la chambre deviennent nets. Quatre murs, un plafond… C'était déjà quelque chose. Les murs étaient recouverts d'un papier peint bleu. L'abat-jour suspendu au plafond était en plastique, bleu également. J'ai baissé les yeux au sol. La moquette était bleue. Je me suis forcé à me redresser dans le lit à deux places. Les draps que j'avais trempés de sueur étaient bleus ; de même que la couverture en chenille trouée par deux brûlures de cigarette, et le tissu de la tête de lit, quoique d'un ton un peu plus clair…

« C'est ce qui arrive avec le LSD, non ? ai-je pensé. Une punition à retardement pour mon seul et unique écart avec des hallucinogènes, en 1982 »… J'ai hésité cinq secondes avant de regarder la table de chevet et… elle n'était pas bleue. « Super, je ne suis pas complètement à la masse, donc ! » Une bouteille d'eau minérale était posée dessus, ainsi que divers flacons de comprimés. Un peu plus loin, un petit bureau supportait un ordinateur portable. Le mien. L'étroite chaise en fer placée devant avait un siège bleu. « Ça y est, ça recommence ! » Mon blue-jean et mon chandail bleu étaient jetés dessus. Une petite penderie, dont la porte ouverte était recouverte de faux bois comme la table de chevet et le bureau, accueillait sur des cintres les quelques pantalons et chemises et la seule veste que j'avais jetés deux jours plus tôt dans une valise après avoir décidé de...

Cela s'était-il passé deux jours plus tôt ? Vraiment ? Ou, pour être plus précis : quel jour étions-nous ? Et comment avais-je été capable de déballer mes affaires dans cette chambre bleue ? D'ailleurs, s'il y a bien une couleur que je déteste, c'est ce bleu layette qui...

On a frappé à la porte, dont le loquet s'est ouvert sans que j'aie eu le temps de réagir. Quelqu'un est apparu, chargé d'un plateau. Ses traits ne m'étaient pas inconnus.

— Bonjour, a-t-il lancé d'un ton sec. Le petit-déjeuner.

— Merci, ai-je marmonné.

— Il paraît que vous avez été malade ?

— Vraiment ?

Il a déposé le plateau sur le lit, et c'est là que je l'ai reconnu : le réceptionniste qui m'avait envoyé bouler lorsque j'étais arrivé au premier hôtel où j'avais compté... « Mais non, à cet hôtel-ci, me suis-je corrigé en silence. Le Select, là où tu as dit au taxi de t'emmener quand tu as commencé à... »

Tout redevenait cohérent, peu à peu.

— C'est ce qu'a dit Adnan dans le mot qu'il a laissé.

— Adnan ?

— Oui. Le portier de nuit.

— Je ne me souviens pas de l'avoir rencontré.

— Lui si, visiblement.

— J'ai été malade... à quel point ?

— Au point de ne pas vous rappeler à quel point. Mais enfin, c'est juste une supposition, puisque je n'étais pas là. Le médecin qui vous a soigné revient cet après-midi, à cinq heures. Tout redeviendra clair, à ce moment... Enfin, si vous êtes encore ici. J'ai pensé, monsieur, que vous voudriez garder cette chambre pour une nuit supplémentaire, étant donné votre... état, mais la demande d'autorisation pour votre carte bancaire, a été refusée. « Limite de crédit dépassée. »

L'information ne m'a pas étonné. Les fonds sur ma Visa étaient pratiquement épuisés quand j'en avais donné le numéro pour garantir la réservation. Je savais qu'il resterait à peine de quoi m'acquitter de deux nuits d'hôtel, en étant optimiste, et que je ne pouvais compter sur aucune entrée d'argent pour remettre mon compte à flot. Ce simple rappel de ma triste situation m'a quand même mis au bord de l'affolement : non seulement ma vie était partie à vau-l'eau mais je me retrouvais démuni dans cet hôtel atroce, à des milliers de kilomètres de chez moi… « Mais de quel chez-toi parles-tu ? me suis-je repris. Tu n'as plus rien à toi ! Le chez-toi, comme tout le reste, t'a été enlevé. »

— Limite dépassée ? ai-je répété en feignant la surprise. Comment est-ce possible ?

— J'ignore comment c'est « possible ». C'est un fait.

— Je… Je ne sais pas quoi vous dire.

Il a haussé les épaules.

— Il n'y a rien à dire, à part répondre à une question toute simple : vous avez une autre carte de crédit ? – J'ai secoué lentement la tête. – Ah… Alors, comment comptez-vous payer la chambre ?

— Je… Avec des chèques de voyage.

— Ce serait une solution, à condition qu'ils soient valides. Ce sont des American Express ?

J'acquiesçai.

— Bien. Je vais les appeler. S'ils me disent qu'ils sont garantis, vous pouvez rester. Sinon…

— Je ferais peut-être mieux de m'en aller tout de suite, ai-je murmuré en pensant que les tarifs de cet hôtel étaient trop élevés pour mon budget, de toute façon.

— C'est à vous de voir. Les chambres doivent être rendues à onze heures. Vous avez deux heures pour libérer la vôtre.

Il a tourné les talons. J'ai voulu tendre le bras pour attraper un croissant sur le plateau du petit-déjeuner mais je suis tout de suite retombé en arrière, épuisé. J'ai touché mon front : la fièvre était toujours là, et avec elle cette sensation d'être passé sous un rouleau compresseur. Rien que sortir de ce lit constituerait une manœuvre hautement périlleuse. Mon seul choix était d'accepter que j'étais dans l'incapacité de bouger de là.

— Monsieur…, ai-je dit au moment où le réceptionniste allait refermer la porte.

— Oui ?

— Ils doivent être dans mon sac d'ordinateur, les chèques…

Un petit sourire a flotté sur ses lèvres. En quelques pas, il est allé prendre le sac et me l'a rapporté. La nuit était à soixante euros, ici, m'a-t-il rappelé. J'ai sorti du bout des doigts la liasse de chèques de voyage et j'en ai pris deux, l'un de cinquante dollars, l'autre de vingt. J'ai eu un mal fou à les signer.

— Il en faut encore un de vingt, a-t-il déclaré. Avec le change, cela fait quatre-vingt-dix dollars.

— Comment ? Mais c'est bien au-dessus du cours actuel !

— Non. C'est celui que nous avons affiché à la réception. Si vous voulez descendre et vérifier par vous-même…

Descendre ? Je peux à peine me tenir assis dans ce plumard. En silence, j'ai pris un second chèque de vingt dollars, que j'ai signé également avant de le laisser retomber sur la couverture.

— Voilà…

— Très bien, monsieur, a-t-il concédé en le ramassant. Je trouverai tous les détails nécessaires dans votre passeport. Nous l'avons en bas. – Comment ? Je ne me rappelais pas le leur avoir laissé. Mais je ne me rappelais pas grand-chose, à vrai dire. – Et je vous téléphonerai dès qu'American Express m'aura confirmé que les chèques sont valables.

— Bien sûr qu'ils le sont…

Encore un sourire obséquieux.

— On verra.

Après son départ, je me suis laissé aller contre l'oreiller, sans force. Je gardais les yeux sur le plafond, hypnotisé par sa vacuité bleue, dans laquelle j'aurais voulu me noyer. J'ai eu envie de pisser. Je me suis redressé, j'ai tenté de poser mes pieds par terre, mais il ne me restait ni énergie ni volonté. Il y avait un vase sur la table de nuit, qui contenait un bouquet en plastique – des gardénias bleus. Je l'ai saisi, j'ai jeté les fleurs sur le sol, baissé mon caleçon, introduit mon pénis dans le col et relâché ma vessie. Énorme soulagement, accompagné d'une réflexion peu encourageante : « Tout ça est tellement minable. »

Le téléphone accroché au mur a sonné. C'était le réceptionniste.

— Les chèques ont été acceptés. Vous pouvez rester. – Trop aimable… – Adnan m'a téléphoné. Il voulait avoir de vos nouvelles. – Qu'est-ce que ça peut lui faire ? – Et aussi vous dire que vous devez prendre un comprimé de chacune des boîtes qui sont sur votre table de nuit. Ordre du médecin.

— C'est quoi, ces médicaments ?

— Je ne suis pas médecin, monsieur.

J'ai attrapé les boîtes et les flacons, tentant de déchiffrer les noms et la posologie. Je n'en ai reconnu aucun mais n'en ai pas moins obéi à l'« ordre du médecin », avalant six cachets différents que j'ai fait descendre avec une longue gorgée prise à la bouteille d'eau. Il s'est écoulé peu de temps avant que je ne sois reparti dans cette vaste étendue où il n'existe ni rêve, ni souvenir, ni notion de passé ou de présent, encore moins de futur, modeste avant-goût de la mort qui allait me saisir un jour pour de bon –, et me priver des réveils téléphoniques en fanfare.

Drrrring !

Le téléphone. Je me suis retrouvé à nouveau dans la chambre bleue, les yeux posés sur un vase à fleurs rempli d'urine. Cinq heures vingt au radio-réveil. La lueur des lampadaires se faufilait sous les rideaux. La journée s'était enfuie comme elle était venue. J'ai fini par décrocher.

— Le médecin est là, m'a annoncé M. Sourire Faux-Cul.

Le toubib était affligé de pelliculite aiguë, d'ongles rongés et d'un costume qui aurait dû être envoyé au pressing dix ans plus tôt. La cinquantaine, le cheveu rare, la moustache piteuse, il avait les mêmes yeux cernés d'insomniaque que moi, ces orbites creuses qui révèlent un malaise intérieur permanent. Attirant la chaise près de mon lit, il m'a demandé si je parlais français. J'ai hoché la tête. Il m'a alors fait signe de retirer mon tee-shirt. L'opération m'a permis de constater que je ne fleurais pas la rose, après avoir mariné dans ma sueur et ma crasse depuis tout ce temps, mais le bon docteur n'a pas paru s'en formaliser, peut-être parce que son attention était pour l'heure retenue par un vase rempli de pisse.

— Je n'avais pas demandé d'analyse d'urine, a-t-il remarqué en s'emparant de mon poignet pour prendre mon pouls.

Ensuite, il a ausculté mon cœur, m'a fourré un thermomètre sous la langue, a vérifié ma pression artérielle, examiné le fond de ma gorge et le blanc de mes yeux. Son verdict est enfin tombé :

— Vous êtes atteint d'une grippe virulente. De celles qui ne pardonneraient pas à des gens plus âgés que vous. Et qui est en général révélatrice de problèmes plus sérieux.

— Comme quoi ?

— Si je puis me permettre : est-ce que vous avez eu des moments, disons, « difficiles », dernièrement ?

Je suis resté sans voix un moment, avant de concéder :

— Oui.

— Vous êtes marié ?

— Je... Je ne sais pas vraiment.

— C'est-à-dire ?

— Légalement parlant, je le suis, mais...

— Mais vous avez quitté votre femme ?

— Non ! Au contraire, c'est elle qui...

— Elle s'est séparée de vous récemment ?

— Elle a... Oui, elle m'a jeté il y a juste quelques semaines.

— Et vous n'étiez pas disposé à vous en aller ?

— Pas du tout, non.

— Il y avait un autre homme ? – J'ai hoché la tête. – Quelle profession exercez-vous ?

— Je... J'enseignais dans une faculté.

— Vous n'enseignez plus ?

— J'ai perdu ma place.

— Récemment, aussi ?

— Oui.

— Des enfants ?

— Une fille. De treize ans. Elle vit avec sa mère.

— Vous avez des contacts avec elle ?

— Si seulement...

— Pourquoi ? Elle ne vous parle plus ?

J'ai hésité quelques secondes avant de répondre :

— Elle m'a dit qu'elle ne m'adresserait plus jamais la parole. Mais j'ai la nette impression que c'est sa mère qui l'a poussée à me dire ça.

Joignant les mains, il a médité un moment, puis :

— Est-ce que vous fumez ?

— J'ai arrêté il y a cinq ans.

— Vous buvez beaucoup ?

— Pas mal... ces derniers temps.

— Des médicaments ?

— Je prends des somnifères. De type courant, sans ordonnance. Mais ils ne me font plus aucun effet, donc...

— Vous souffrez d'insomnie chronique ?

— Oui.

Le petit signe de tête entendu qu'il m'a adressé m'a fait comprendre qu'il connaissait très bien le problème.

— Ce qui vous est arrivé me paraît évident : dépression nerveuse. L'organisme ne peut supporter qu'un certain degré de… tristesse. Il y a un stade où il réagit contre ce véritable traumatisme, en se refermant sur lui-même ou en s'abandonnant aux virus. La grippe que vous avez contractée a plus de gravité que d'habitude à cause de votre état psychologique.

— Et quel est le remède ?

— Je ne peux traiter que les désordres physiologiques. Et la grippe est l'un de ces virus à l'évolution largement imprévisible. Les comprimés que je vous ai prescrits hier sont destinés à la fièvre, aux courbatures, à la déshydratation, aux nausées, à l'insomnie. Mais l'affection virale ne quittera votre système que lorsqu'elle… comment dire, en aura assez de vous et décidera d'aller voir ailleurs.

— Combien de temps ça peut durer ?

— Quatre, cinq jours… Au minimum. – J'ai fermé les yeux. Je ne pouvais me permettre de rester tout ce temps ici. – Et même quand le virus aura disparu, vous resterez très faible pendant quelques jours. Il faut vous attendre à ne pas bouger de cette chambre pendant une semaine. – Il s'est levé. – Je repasserai dans trois jours. Pour voir si le processus de guérison a démarré.

Est-ce que l'on peut « guérir », quand le sort s'acharne sur vous ?

Le médecin s'est levé.

— Dernière chose. Une question personnelle, si je puis me permettre : qu'est-ce qui vous a amené à Paris quelques jours après Noël, et seul ?

— Je me suis enfui.

Il a soupesé ma réponse un instant.

— Cela demande souvent un certain courage de fuir.

— Non, ai-je répliqué. Sur ce point, vous avez tort. Cela ne demande aucun courage du tout.

3

À PEINE CINQ MINUTES APRÈS LE DÉPART DU MÉDECIN, le réceptionniste a surgi. Il avait à la main une feuille de papier, qu'il m'a tendue aussi cérémonieusement que s'il s'était agi d'une assignation en justice.

— La facture du médecin, monsieur.

— Je réglerai plus tard.

— Il veut être payé tout de suite.

— Mais il doit revenir dans trois jours. Ça peut certainement attendre jusque-là, non ?

— Il aurait dû recevoir ses honoraires dès hier. Vous étiez si souffrant qu'il a décidé d'attendre un jour.

J'ai examiné la facture. Curieusement, elle était établie sur le papier à lettres de l'hôtel, mais c'était son montant qui était le plus surprenant : deux cent soixante-cinq euros.

— C'est une blague ? ai-je sifflé entre mes dents.

Il est resté impassible.

— C'est le prix de ses services, et des médicaments.

— De ses services ? Mais ç'a été tapé sur votre papier à en-tête...

— Nous gérons les factures médicales, dans ce genre de cas.

— Et ce médecin prend cent euros la visite ?

— Le total inclut notre commission pour frais de gestion.

— Qui est de... ?

Il m'a regardé droit dans les yeux.

— Cinquante euros par visite.

— C'est du vol.

— Tous les hôtels prélèvent une commission.

— Mais pas à un taux de 100 %.

— C'est le règlement ici.

— Et sur les médicaments aussi, vous avez pris la même commission ?

— Tout à fait. Il a fallu qu'Adnan aille les chercher à la pharmacie de garde, ce qui lui a pris une heure. Comme cela ne fait pas partie de ses attributions, il est normal de compenser le temps qu'il a perdu.

— Comment ça, « pas partie de ses attributions » ? Je suis un client. Et ne me dites pas que vous payez vos veilleurs de nuit trente-deux euros de l'heure…

Il a tenté, sans succès, de refouler un sourire amusé.

— Nous ne discutons pas du salaire de nos employés avec la clientèle.

J'ai roulé la facture en boule et je l'ai jetée par terre.

— Je ne paierai pas.

— Dans ce cas, vous devez partir. Tout de suite.

— Vous ne pouvez pas m'y forcer.

— Au contraire, je peux vous faire mettre dehors en cinq minutes. Il y a au sous-sol deux garçons bien bâtis, le cuistot et notre homme à tout faire, qui seront contents de s'en charger, si je le leur demande.

— J'appellerai la police.

— Vous croyez m'intimider avec ça ? Une fois que j'aurai expliqué aux policiers que vous avez fait des avances au cuisinier. Ils ne pourront que se ranger de notre côté. D'autant plus que le cuistot leur confirmera cette version des faits parce qu'il m'obéit au doigt et à l'œil depuis que je l'ai surpris dans une situation embarrassante avec notre homme à tout faire, il y a deux mois. C'est un musulman pratiquant, voyez-vous, et il n'aimerait pas du tout que cela se sache. Il n'est pas très malin, en plus.

— Vous n'oseriez pas faire une chose pareille !

31

— Mais si. Et en apprenant votre conduite indécente, je suis certain que la police s'intéressera à votre passé, et notamment au motif qui vous a fait abandonner votre pays avec une telle hâte…

— Vous ne savez rien sur moi, ai-je affirmé avec un peu trop de nervosité.

— Peut-être, mais il semble évident que vous n'êtes pas venu à Paris en vacances. Que vous fuyez quelque chose. Le docteur m'a raconté que vous le lui aviez avoué.

— « Avouer » ? Je n'ai rien à me reprocher.

— C'est ce que vous dites.

— Vous êtes une ordure.

— C'est une interprétation.

J'ai fermé les yeux. Il avait toutes les cartes en main. J'étais à sa merci.

— Passez-moi mon sac, ai-je ordonné. – J'ai sorti la liasse de chèques de voyage. – Deux cent soixante-cinq, c'est ça ?

— En dollars, cela fera trois cent quarante-cinq. – Attrapant un stylo, j'ai signé le nombre correspondant de chèques avant de les laisser tomber sur la moquette. – Voilà. Servez-vous.

— Avec plaisir, monsieur. – Il les a ramassés prestement. – Je reviendrai demain encaisser le prix de la chambre… si vous décidez de rester, évidemment.

— Dès que je pourrai quitter ce coupe-gorge, je le ferai.

— Très bien, monsieur. Ah ! et merci d'avoir uriné dans ce vase. Très classe.

Il a quitté la pièce. Je me sentais à la fois exténué et exaspéré. Au cours des dernières semaines, il m'était arrivé très souvent – trop souvent – d'avoir l'impression de bouillir intérieurement, et de redouter le moment où j'exploserais. Mais la rage, quand elle est contenue, se transforme en quelque chose d'encore plus toxique : la haine de soi, elle-même porteuse de dépression. Le diagnostic du médecin était juste. Quand la grippe « irait voir ailleurs », je n'en resterais pas moins au bout du rouleau, fini.

J'ai pris les chèques de voyage dans ma sacoche pour les compter. Quatre mille six cent cinquante dollars. Toute ma fortune ; tout ce qu'il me restait dans ce bas monde, sans doute, car j'étais certain qu'après la façon dont la presse s'était acharnée sur moi, les avocats de Susan, ma femme, n'allaient avoir aucun mal à convaincre le juge des divorces de tout lui accorder : la maison, les plans d'épargne et d'assurance vie, et le modeste portefeuille d'actions dont nous avions fait l'acquisition ensemble. Non seulement nous n'étions pas riches – les universitaires le sont rarement –, mais, en plus, avec une fille à élever, et un ex-mari interdit d'enseigner à vie, le juge estimait, avec raison, que Susan avait droit aux quelques économies que nous avions pu mettre de côté. Je n'allais certainement pas contester cette décision. Je n'avais plus la force de me battre, de toute façon. Sinon pour tenter, d'une manière ou d'une autre, de convaincre ma fille de me parler à nouveau.

Quatre mille six cent cinquante dollars. Coincé sur mon siège étriqué pendant le vol, je m'étais livré à quelques rapides calculs sur une serviette en papier. À ce moment-là, j'avais un peu plus de cinq mille dollars, soit quatre mille euros et des poussières, au taux de change *légal*. J'avais estimé pouvoir survivre trois ou quatre mois à Paris, à condition de mener une existence frugale et de trouver rapidement un logement au loyer abordable. Mais quarante-huit heures après mon arrivée j'avais déjà été délesté de quatre cents dollars. Et, vu mon état, je n'avais pas d'autre solution que de continuer à m'en laisser extorquer cent par nuit – une somme exorbitante – tant que je ne serais pas capable de quitter ce repaire de voleurs.

Ma colère a été peu à peu étouffée par la fatigue. J'aurais voulu aller dans la salle de bains, retirer mes sous-vêtements raides de sueur et rester un bon moment sous la douche, mais je n'arrivais toujours pas à poser un pied par terre. Je suis donc resté au fond de mon lit, les yeux dans le vague, jusqu'à ce que le néant me reprenne en son sein.

Deux coups légers à la porte m'ont réveillé. L'esprit embrumé, j'ai tendu l'oreille. On a frappé encore une fois, doucement, puis la porte s'est entrebâillée.

— Monsieur ?

— Allez-vous-en. Je ne veux plus vous voir.

Le battant s'est ouvert un peu plus. Un homme est apparu. La quarantaine, peau couleur de rouille, cheveux noirs coupés court, il portait un costume sombre et une chemise blanche sans cravate.

— Je voulais juste savoir si vous aviez besoin de quelque chose, monsieur.

Son français était correct, mais marqué d'un fort accent.

— Ah pardon, pardon, je croyais que vous étiez...

— M. Brasseur ?

— C'est qui ?

— Le réceptionniste.

— C'est son nom à ce salaud ? Brasseur ?

L'inconnu a eu un bref sourire.

— Personne n'aime M. Brasseur, à part le grand patron. C'est un... « provocateur », voyez-vous.

— C'est vous qui m'avez aidé à sortir du taxi, hier ?

— Oui. Je m'appelle Adnan.

— Merci de l'avoir fait, et de m'avoir installé ici.

— Vous étiez très, très malade.

— N'empêche, vous vous êtes donné beaucoup trop de mal pour moi. Me mettre au lit, appeler un médecin, ranger mes affaires... Il ne fallait pas.

Il a détourné le visage, gêné.

— C'est mon travail... Comment vous vous sentez, ce soir ?

— Très faible. Très sale.

Il est entré pour de bon dans la chambre. Quand il s'est approché, j'ai remarqué les rides autour de ses yeux, qui auraient pu être celles d'un homme ayant vingt ans de plus. Son costume était serré aux coutures, mal coupé, usé. Son index et son majeur droits portaient les taches brunes d'un fumeur acharné.

— Vous pensez que vous pouvez vous lever ?

— Pas sans aide, non.

— Alors je vais vous aider, moi. Mais d'abord je fais couler un bain. Ça va vous faire du bien.

J'ai hoché la tête faiblement tandis qu'il prenait la situation en main. Sans broncher, il s'est emparé du vase rempli de pisse et l'a emporté avec lui. Peu après, j'ai entendu la chasse d'eau couler, puis la baignoire commencer à se remplir. Revenu dans la chambre, il a retiré sa veste, l'a suspendue dans le placard, puis il a ramassé mes vêtements sur la chaise et les a fourrés dans une taie d'oreiller.

— Vous avez d'autre linge sale ?

— Ce que j'ai sur moi, c'est tout.

Il est retourné à la salle de bains. L'eau s'est arrêtée de couler. De la vapeur s'échappait de sous la porte. De retour dans la chambre, il s'est approché du lit, le visage luisant de buée, une manche retroussée sur son bras mouillé.

— C'est chaud, mais juste ce qu'il faut.

Après m'avoir aidé à m'asseoir au bord du matelas et à poser mes pieds sur le sol, il a passé mon bras gauche autour de ses épaules et m'a soulevé. Mes jambes m'ont paru aussi solides que deux allumettes mais Adnan m'a soutenu et m'a entraîné lentement vers la salle de bains.

— Vous avez besoin d'un coup de main pour vous déshabiller ?

— Non, je vais y arriver.

Pourtant, dès que j'ai lâché le lavabo auquel je me cramponnais, mes genoux se sont de nouveau dérobés sous moi. Me rattrapant au dernier moment, Adnan m'a lentement retiré mon tee-shirt une manche après l'autre. Ensuite, il a fait tomber mon caleçon par terre et m'a aidé à franchir les deux pas qui me séparaient de la baignoire. Quand j'ai risqué un pied dans l'eau brûlante, j'ai sursauté mais il m'a gentiment forcé à entrer dans le bain. Le premier choc passé, un calme étrange m'a envahi et lentement engourdi.

— Vous avez besoin d'un coup de main pour vous laver ?

— Non. Je vais essayer de me débrouiller.

J'ai réussi à me savonner tout seul les aisselles, le thorax, le cou et l'entrejambe, mais je n'ai pas eu assez d'énergie pour atteindre mes pieds. Adnan s'en est emparé, et les a frottés vigoureusement. Il m'a aussi lavé les cheveux après les avoir aspergés avec le pommeau de douche. Ayant trouvé un rasoir et de la crème à raser dans la trousse de toilette qu'il avait sortie de ma valise la veille, il s'est agenouillé devant la baignoire et a entrepris de me tartiner les joues de mousse.

— Vous n'avez pas à faire tout ça pour moi, ai-je protesté, embarrassé par cette attention très intime.

— Vous allez vous sentir bien mieux après.

Il a approché la lame du rasoir de ma peau avec précaution. Quand il a eu terminé, il m'a rincé avec la douche ; ayant rempli le lavabo d'eau chaude, il y a laissé un instant une serviette qu'il a déposée ensuite sur mon visage sans l'essorer.

— Maintenant, vous restez tranquille ici, s'il vous plaît. Un quart d'heure.

Il a quitté la pièce. Les yeux ouverts sous la serviette, je ne voyais que la trame blanche et opaque du tissu. J'ai fermé mes paupières et j'ai tenté de faire le vide dans ma tête, de me concentrer sur rien, justement. Même si je n'y suis pas parvenu, l'eau du bain m'enveloppait comme un baume et c'était tellement bon, de se sentir propre à nouveau. De temps en temps, des bruits étouffés me parvenaient de la chambre. Adnan est resté hors de ma vue un long moment. Soudain, il a frappé discrètement à la porte.

— Prêt à sortir ? s'est-il enquis.

Là encore, il a dû me soutenir pour que je quitte la baignoire. Après m'avoir passé autour de la taille un drap de bain rêche, il m'a tendu un bas de pyjama et un tee-shirt propre.

— J'ai trouvé ça dans vos affaires.

Il m'a aidé à les enfiler, puis m'a ramené au lit, dont il avait entre-temps changé les draps. Une délicieuse sensation de fraîcheur m'a enveloppé lorsque je me suis péniblement glissé entre eux. Après avoir vérifié que j'étais assis d'aplomb, le dos contre l'oreiller relevé, Adnan est allé prendre un plateau sur le bureau, l'a rapporté à pas comptés et l'a déposé sur mes jambes. Il y avait une petite soupière, un bol, une cuillère et une baguette.

— Un bouillon très, très léger, a-t-il annoncé en remplissant le bol. Il faut manger un peu. – Il m'a tendu la cuillère. – Vous avez besoin d'un coup de main ?

Non, je n'en avais pas besoin. J'ai avalé plusieurs cuillerées de ce potage léger mais roboratif, et presque toute la baguette. La faim avait vaincu la sombre résignation dans laquelle je m'étais enfoncé.

— Vous êtes trop attentionné, vraiment, ai-je dit une nouvelle fois.

Il a hoché timidement la tête et a eu recours à la même explication :

— C'est mon travail.

Il est sorti, revenant quelques minutes plus tard avec un autre plateau. Sur celui-ci, il y avait une théière et une tasse.

— Je vous ai fait une verveine. Pour dormir, c'est ce qu'il y a de mieux. Mais il faut prendre vos cachets, d'abord.

J'ai obéi, avalant un par un les comprimés qu'il me présentait. La tisane les a aidés à descendre.

— Vous êtes de service demain soir ? lui ai-je demandé.

— Je commence à cinq heures.

— Bonne nouvelle. Personne n'a été aussi prévenant avec moi depuis...

Je me suis passé la main sur le visage, regrettant de m'apitoyer sur moi-même de cette façon, et aussi pour réprimer le sanglot qui était monté dans ma gorge. Je me suis forcé à respirer calmement. Lorsque j'ai retiré mes doigts, j'ai découvert qu'Adnan avait les yeux fixés sur moi.

— Pardon, ai-je chuchoté.

— Pardon pour quoi ?

— Je ne sais pas… Pour tout, j'imagine.

— Vous êtes tout seul ici, à Paris ? – J'ai fait oui de la tête. – C'est dur. Je le sais.

— Vous venez d'où ?

— De Turquie. Un petit village, à une centaine de kilomètres d'Ankara.

— Vous êtes en France depuis longtemps ?

— Quatre ans.

— Vous vous plaisez, ici ?

— Non. – Il est resté silencieux un instant. – Vous devez vous reposer, maintenant.

Il a pris la télécommande qui se trouvait sur le bureau et l'a braquée vers le petit téléviseur accroché au mur avant de la déposer dans ma main.

— Quand vous vous sentez seul ou si vous vous ennuyez, il y a toujours ça.

J'ai levé les yeux sur l'écran. Quatre invités, aussi beaux les uns que les autres, étaient installés autour d'une table et bavardaient plaisamment. Derrière, un public de studio sur des gradins riait sur commande, ou éclatait en applaudissements quand le présentateur au débit vertigineux lui en donnait le signal.

— Je repasserai voir comment vous allez, m'a promis Adnan.

Brusquement, mes paupières se sont alourdies. J'ai éteint la télévision. Mon regard a encore dérivé sur les médicaments. L'une des boîtes portait le nom de Zoplicone, qui m'a rappelé vaguement quelque chose : un somnifère suggéré par mon toubib aux États-Unis, à un moment où mes problèmes d'insomnie s'étaient sérieusement aggravés. Il faisait son effet, sans aucun doute : rapidement, une lourde torpeur a estompé les contours des murs, calmé mes angoisses, atténué l'éclat de l'abat-jour bleu au-dessus de ma tête, et j'ai plongé dans...

Soudain, ç'a été le matin, ou juste avant. La lumière grise de l'aube se glissait dans la pièce. En m'étirant, j'ai constaté que je me sentais un peu mieux. J'ai été capable de poser mes pieds sur le sol et d'aller à la salle de bains d'un pas lent et hésitant de petit vieux. J'ai uriné, je me suis passé un peu d'eau sur la figure et je suis retourné dans la chambre bleue en titubant, avant de m'effondrer sur le lit.

M. Brasseur est arrivé avec le petit-déjeuner à neuf heures. Deux coups secs à la porte, puis il est entré et a placé le plateau près de moi sans autre préavis, sans bonjour ni questions sur ma santé. Il m'a seulement demandé :

— Vous restez une nuit de plus ?

— Oui.

Il a saisi mon sac, me l'a tendu. J'ai signé quatre-vingt-dix dollars en chèques de voyage. Il les a pris et a quitté la chambre. Je ne l'ai pas revu de la journée.

J'ai réussi à manger le croissant rassis, à boire un peu de café au lait insipide. J'ai allumé la télé et je me suis mis à zapper entre les cinq chaînes françaises, les seules que l'hôtel recevait. Les programmes matinaux étaient aussi convenus et vides que ceux des États-Unis : des jeux dans lesquels des femmes au foyer tentaient de gagner une machine à laver, des reality-shows où des acteurs passés de mode s'essayaient à la vie de fermier, des talk-shows dans lesquels des vedettes s'envoyaient mutuellement des fleurs et où des filles très court vêtues surgissaient pour venir s'asseoir sur les genoux de rock-stars vieillissantes...

J'ai éteint. Attrapant mon *Pariscope*, j'ai entrepris d'étudier de nouveau la liste des projections en pensant à tous les bons films que j'étais en train de rater. Je me suis assoupi. On a frappé à la porte et appelé à voix basse :

— Monsieur ?

Quoi ? Adnan, déjà ? J'ai regardé le radio-réveil. Cinq heures et quart. Comment la journée avait-elle pu partir ainsi en fumée ?

Il est entré, portant un plateau.

— Vous vous sentez comment aujourd'hui, monsieur ? Mieux ?

— Un peu mieux, oui.

— J'ai votre linge propre en bas. Et si vous vous sentez d'attaque pour autre chose qu'un bol de soupe, je peux vous préparer une omelette.

— Ce serait aimable à vous.

— Votre français… Il est très, très bon.

— Passable.

— Vous êtes trop modeste.

— Non, lucide. J'ai besoin de me perfectionner.

— Ici, vous pourrez. Vous avez déjà séjourné à Paris ?

— Juste une semaine, il y a quelques années.

— Hein ? Vous avez appris tout ça rien qu'en une semaine ?

— Pas vraiment, l'ai-je corrigé avec un petit rire. J'ai pris des cours ces cinq dernières années, dans mon pays. Les États-Unis.

— Donc vous saviez que vous alliez venir en France.

— C'était plutôt un rêve, je crois. La vie à Paris…

— Vivre à Paris, c'est pas un rêve, monsieur.

Cela avait été le mien pendant longtemps, pourtant, cette chimère idiote que tant de mes compatriotes ont caressée avant moi : devenir un écrivain à Paris… Échapper à la routine abrutissante d'un petit campus américain et poser ses valises dans un modeste mais coquet atelier d'artiste près de la Seine, à quelques pas d'une dizaine de bons cinémas. Travailler à mon roman chaque matin, attraper l'*Ascenseur pour l'échafaud* de Louis Malle à la séance de quatorze heures avant d'aller chercher Megan à l'école bilingue où nous l'aurions inscrite… Oui, Susan et Megan avaient leur place dans cette fantaisie parisienne. Pendant des années, nous avions suivi ensemble les cours de français de l'université, ma femme et moi, et même pris soin de parler une heure dans cette langue, chaque jour. Susan avait encouragé cette rêverie. Mais – il y avait toujours un « mais » avec elle – il a fallu d'abord une cuisine neuve pour notre maison légèrement délabrée ; puis ç'a été l'installation électrique qui était à refaire entièrement ; ensuite Susan a voulu attendre que nous ayons chacun décroché un poste de titulaire avant de songer à partir, et quand j'ai obtenu ma titularisation, elle a estimé alors qu'il fallait patienter encore pour prendre une année sabbatique et choisir le « bon moment » pour retirer Megan de l'école sans perturber son « développement scolaire et social »… Susan a toujours voulu « déterminer avec exactitude l'instant idéal » pour les « choix déterminants de la vie ». Bien sûr, la réalité ne s'est jamais pliée entièrement à ses plans.

Bref, elle trouvait chaque fois un prétexte pour ne pas sauter le pas ; au bout de cinq années à répéter « Dans dix-huit mois, peut-être », elle a cessé de se rendre aux cours et ne s'est plus astreinte à nos échanges quotidiens en français, deux événements qui, a posteriori, révélaient qu'elle avait commencé à se détacher de moi. Moi, j'ai continué à prendre mes cours, à me dire qu'un jour, oui, je vivrais et écrirais à Paris, mais aussi à me bercer d'illusions sur les véritables sentiments de Susan : son détachement n'était que passager, voulais-je croire, d'autant qu'elle refusait d'admettre que quelque chose s'était modifié entre nous. « Rien de grave », répliquait-elle à toutes mes demandes d'explication. Mais ça l'était, et c'était même devenu catastrophique. Quant à Paris, le rêve avait pris une drôle de réalité…

— Venir ici, pour moi, c'était mon dernier recours, ai-je confié à Adnan.

— Pour échapper à quoi ?

— Aux problèmes.

— Des problèmes sérieux ?

— Oui.

— Ah… Désolé.

Puis il est sorti de ma chambre et il est revenu une quinzaine de minutes après avec une omelette et une corbeille de
pain. Pendant que je mangeais, il a annoncé :

— Tout à l'heure, je vais téléphoner au docteur pour vérifier qu'il viendra bien demain.

— Il est trop cher pour moi, ce toubib. Et cet hôtel aussi.

— Mais vous êtes encore très, très faible.

— J'ai un budget vraiment… serré.

J'attendais une remarque du style : « Je pensais que tous
les Américains étaient riches », mais il est resté silencieux un
instant avant de déclarer laconiquement :

— Je vais voir ce que je peux faire.

À nouveau, les somnifères ont produit leur effet magique. La nuit est passée, Brasseur s'est présenté avec le
petit-déjeuner à neuf heures, m'a extorqué les quatre-
vingt-dix dollars quotidiens, puis j'ai passé le temps en
lisant et en zappant distraitement sur la télécommande.
Adnan est arrivé à cinq heures.

— J'ai appelé le docteur avant de venir au travail. Il a dit
qu'il n'a pas besoin de revenir, tant que votre état n'empire
pas. – Voilà au moins une relativement bonne nouvelle ! –
Mais il insiste pour que vous ne bougiez pas pendant quarante-huit heures encore, au moins. Même si vous vous sentez mieux. Il dit que c'est une forme de grippe pour laquelle
la rechute est fréquente, donc il faut que vous soyez
prudent. Autrement, vous pourriez finir à l'hôpital.

« Où le tarif serait bien plus élevé que quatre-vingt-dix
dollars la nuit », me suis-je dit…

— J'imagine que je n'ai pas le choix.

— Et après, vous irez où ?

— Il faut que je trouve de quoi me loger.

— Un appartement ?

— Très bon marché.

Il ponctua ma remarque d'un léger signe de tête.

— Vous êtes prêt pour un bain, maintenant ? – Comme je lui expliquais que je pouvais désormais me débrouiller tout seul, il a déclaré : – Donc vous êtes en train de guérir ?

— Je suis résolu à m'en aller d'ici dans deux jours. Alors, vous avez une idée d'un endroit pas cher ?

— Dans mon arrondissement, il y a encore plein de logements abordables, même si les gens qui ont les moyens ont commencé à les racheter pour les rénover.

— Où est-ce ?

— Le Xe. Près de la gare de l'Est. Vous connaissez ?

— Non.

— Il y a beaucoup de Turcs dans le quartier.

— Vous y habitez depuis longtemps ?

— Depuis que je suis à Paris.

— Toujours au même endroit ?

— Oui.

— Votre pays vous manque ?

Il a détourné les yeux.

— Tout le temps.

— Vous avez assez d'argent pour y retourner de temps en temps ?

— Je ne peux pas quitter la France.

— Pourquoi ?

— Parce que... – Il a marqué une pause et m'a dévisagé, se demandant sans doute s'il pouvait me faire confiance. – Parce que, si je sors, je ne pourrai sans doute pas revenir. J'ai pas les papiers qu'il faut.

— Vous vivez illégalement ici ? – Il a hoché la tête. – Et Brasseur le sait ?

— Évidemment. C'est pour ça qu'il peut me payer rien du tout.

— C'est combien, rien du tout ?

— Six euros de l'heure.

— Et vous travaillez combien d'heures ?

— De cinq heures de l'après-midi à une heure du matin, six soirs par semaine.

— Vous arrivez à vivre avec ça ?

— Si je n'avais pas à envoyer de l'argent à ma femme, qui est restée là-bas...

— Vous êtes marié ?

Il a regardé ailleurs, encore.

— Oui.

— Des enfants ?

— Un fils.

— Quel âge ?

— Six ans.

— Et vous ne l'avez pas vu depuis... ?

— Quatre ans.

— C'est affreux.

— Oui. Ne pas voir son enfant, c'est...

Sa voix s'est brisée.

— Croyez-moi, je sais ce que vous ressentez. Je ne sais même pas si je serais autorisé à revoir ma fille, un jour.

— Quel âge a-t-elle ? – Je le lui ai dit. – Vous devez lui manquer.

— C'est une situation très compliquée. Je me surprends à penser à elle tout le temps.

— Je suis désolé.

— Et moi aussi, pour vous. – Il a eu un petit hochement de tête hésitant, puis il a tourné une nouvelle fois son visage vers la fenêtre. – Votre femme et votre fils ne peuvent pas vous rendre visite ici ?

— On n'a pas l'argent qu'il faut... Et même si j'arrivais à les faire venir, ils seraient refoulés à la frontière. À moins de pouvoir donner l'adresse de quelqu'un qui se porte garant. Et après vérification, si les infos sont bidon, ils seraient expulsés tout de suite. Si je donne la mienne, c'est moi qu'on renverra là-bas...

— Les flics ont sûrement d'autres chats à fouetter que d'embêter un immigré clandestin, en ce moment.

— On est tous des terroristes en puissance, pour eux. Surtout quand on vient de cette partie du monde. Vous savez que la police a le droit de vous arrêter n'importe où, n'importe quand, et de vous demander vos papiers ? Pas de papiers ? La taule ! Et si vous en avez, mais pas la carte de séjour, alors là, c'est la fin !

— Vous voulez dire que si je reste au-delà des six mois de mon permis de résidence et que les flics me tombent dessus dans la rue...

— Ils ne vous arrêteront pas, vous. Vous êtes un Américain, un Blanc...

— Vous avez déjà été contrôlé, vous ?

— Pas encore, non. Parce que j'évite certains endroits, par exemple, les stations de métro où ils font tout le temps des descentes, comme Strasbourg-Saint-Denis ou Châtelet. Au bout de quatre ans, on sait quelles rues il faut éviter.

— Comment pouvez-vous vivre comme ça ? ai-je demandé en regrettant aussitôt ma question, mais Adnan n'a pas sourcillé.

— J'ai pas le choix. Je peux pas rentrer au pays.

— Parce que... ?

— Des embrouilles.

— Sérieuses ?

— Oui. Sérieuses.

— Je connais ça...

— Vous non plus, vous ne pouvez pas retourner dans votre pays ?

— Légalement parlant, je ne vois pas ce qui m'en empêcherait, mais pour y faire quoi ? Alors...

Il y a eu un silence, qu'il a rompu :

— Vous savez, monsieur, si vous avez besoin de quelque chose de pas cher très rapidement...

— Oui ?

— Pardon... – Il s'est troublé, soudain. – Je ne devrais pas me mêler, comme ça...

— Vous connaissez un endroit ?

— Ce n'est pas très confortable, mais... Une « chambre de bonne », vous savez ce que c'est ? – L'expression française m'était inconnue. – Là où ils logeaient les domestiques, avant. Maintenant, c'est des tout petits, tout petits studios. Onze mètres carrés ? Un lit, une chaise, un lavabo, une plaque chauffante, un coin douche.

— Dans quel état ?

— Pas bon.

— Mais propre ?

— Je pourrais vous aider à nettoyer. C'est une chambre qui est au même étage que la mienne.

— Je vois…

— Comme j'ai dit, je ne veux pas me mêler de ce qui…

— C'est combien, par mois ?

— Quatre cents. Mais je connais le gérant de l'immeuble, je pourrais lui demander de descendre le prix de trente ou quarante euros.

— J'aimerais y jeter un coup d'œil.

Adnan a eu un sourire timide.

— Bien. Je vais arranger ça.

Le lendemain, lors de notre rituel matinal, j'ai annoncé à Brasseur que je quitterais l'hôtel le lendemain. D'un air dégagé, il a demandé :

— Alors, Adnan vous prend chez lui ?

— Comment ?

— C'est ce que m'a raconté le cuistot. Il habite sur le même palier qu'Adnan. « Il a un nouveau petit copain, m'a-t-il dit. L'Américain qui a été malade. »

— Pensez ce que vous voulez.

— Ce n'est pas mon problème.

— Exactement. Puisqu'il n'y en a pas.

— Vous n'avez pas à vouloir me rassurer, monsieur. Je ne suis pas votre confesseur… ni votre épouse.

C'est là que je lui ai envoyé mon jus d'orange à la figure. Comme ça, sur un coup de tête. Il a eu un moment de silence ébahi, tandis que le jus gouttait de son visage et que des morceaux de pulpe restaient pris dans ses sourcils, puis la stupéfaction s'est muée en fureur contenue :

— Partez immédiatement.

— Très bien, ai-je fait en m'extirpant du lit.

— J'appelle la police.

— Pourquoi ? Pour un baptême au jus de fruits ?

— Vous allez regretter ça, faites-moi confiance.

— Dans ce cas, je parlerai aux flics de tous les travailleurs illégaux que vous employez ici. Et des salaires de misère que vous leur versez.

Ç'a lui a coupé le sifflet. Tirant un mouchoir de sa poche, il s'est épongé le visage, tout en réfléchissant.

— Peut-être que je mettrai Adnan à la porte, tout simplement.

— Alors, je passerai un coup de fil anonyme à la police pour les mettre au courant de vos clandestins.

— J'en ai assez entendu. Je vais téléphoner à votre petit ami Adnan et lui dire de venir vous chercher.

— Vous n'êtes qu'un sale pervers.

Il était déjà parti en claquant la porte. Je me suis adossé au mur, épuisé et stupéfait par la soudaineté et la brutalité de la scène. Mais il l'avait cherché, non ? Je me suis habillé et, tout en faisant ma valise, j'ai été assailli par la culpabilité : alors que personne ne l'avait forcé à s'occuper de moi, Adnan allait se retrouver en difficulté avec son salaud d'employeur, maintenant... J'ai eu l'idée de lui laisser cent euros et un mot de remerciements, mais j'étais certain que Brasseur les empocherait. Non, j'allais trouver un autre hôtel et je repasserais ici un soir, pour les lui remettre en mains propres.

Le téléphone a sonné. J'ai décroché. C'était Brasseur.

— J'ai contacté Adnan à son autre boulot. Il sera là dans une demi-heure.

Il a raccroché. J'ai aussitôt rappelé la réception.

— S'il vous plaît, dites à Adnan que je me débrouillerai tout seul, que...

— Trop tard. Il est déjà en route.

— Joignez-le sur son portable.

— Il n'en a pas.

Clic.

J'ai pensé : « Prends ta valise et tire-toi. » C'est sûr, Adnan avait été très attentionné pendant ma maladie – un peu trop attentionné peut-être. Quels pouvaient être ses véritables motifs de vouloir que j'emménage dans une chambre à deux pas de la sienne ? Et si, à peine installé, je me faisais tomber dessus par quatre de ses amis qui s'empareraient de mes chèques de voyage, de mon argent liquide et des quelques objets de valeur que je possédais – mon portable, mon stylo-plume, la vieille Rolex de mon père – avant de me couper la gorge et d'abandonner ma dépouille dans une grande poubelle et de finir incinéré avec les ordures ménagères des Parisiens ? D'accord c'était un scénario un peu parano, mais j'avais du mal à croire que cet inconnu puisse être tout simplement bien intentionné. Si j'avais tiré une leçon de ces derniers mois, c'était bien que personne ou presque n'était totalement pur et désintéressé.

J'ai terminé mes bagages, passé mon sac à l'épaule. Je suis descendu. En approchant de la réception, j'ai remarqué que Brasseur avait changé de chemise mais que sa cravate était toujours tachée de jus d'orange.

— J'ai décidé de garder les trente euros que nous vous devions. Pour les frais de pressing. – Je n'ai pas répondu, continuant ma route vers la sortie. – Quoi, vous n'attendez pas Adnan ?

— Dites-lui que je le contacterai.

— Une querelle d'amoureux ?

Je me suis retourné d'un coup, le bras droit déjà levé. Brasseur a reculé d'un pas mais, comme celui qui sait d'expérience que ses provocations restent généralement impunies, il m'a regardé avec mépris.

— J'espère bien ne plus jamais vous revoir, ai-je grondé.

— Moi de même.

Je me suis hâté de sortir de l'hôtel et je suis tombé nez à nez avec Adnan. J'ai eu du mal à dissimuler ma surprise et mon embarras.

— Quoi, Brasseur ne vous a pas dit que j'arrivais ?

— Je... J'ai décidé d'attendre dehors, ai-je menti. Je ne peux plus supporter cet endroit.

Là, je lui ai raconté les dernières amabilités de Brasseur et ses insinuations putrides. Il a haussé les épaules.

— Il croit que les Turcs sont tous pédés.

— C'est ce que j'avais compris, oui.

Je lui ai raconté que Brasseur disait avoir surpris en flagrant délit le cuistot et l'homme à tout faire.

— Le cuistot, je le connais, a remarqué Adnan. Omar. Il habite à mon étage. C'est un sale type.

Changeant rapidement de sujet, il m'a expliqué que Sezer, le gérant de son immeuble, nous recevrait dans une heure. Malgré mes protestations, il s'est emparé de la poignée de ma valise à roulettes et m'a entraîné dans une rue à droite.

— Brasseur a dit qu'il vous a téléphoné à votre « autre » boulot ? lui ai-je demandé alors que nous avancions vers le métro.

— Oui, je fais six heures chez un importateur de textiles, près de là où je vis.

— Six heures, en plus des huit à l'hôtel ? C'est de la folie...

— Je suis obligé : tout ce que je gagne à l'hôtel, je l'envoie en Turquie.

— À quelle heure commencez-vous ?

— Sept heures et demie.

— Mais vous finissez à une heure du matin à l'hôtel. Et le temps de rentrer chez vous...

— Ça me prend une demi-heure à vélo. Vous savez, le métro s'arrête à une heure. De toute façon, je n'ai pas besoin de beaucoup dormir alors...

Il n'a pas continué, laissant entendre qu'il ne tenait pas à s'appesantir sur le sujet. Étroite et légèrement en pente, la rue était illuminée par les rayons du soleil matinal qui réussissaient à se frayer un chemin entre les immeubles. Un peu plus loin devant nous, un homme d'une quarantaine d'années, bien habillé, a surgi d'une imposante porte cochère avec sa fille. Contrairement à nombre d'adolescentes, celle-ci n'arborait pas une moue perpétuellement boudeuse, et elle a même éclaté d'un rire joyeux à un commentaire que son père venait de faire. La complicité entre eux était naturelle, évidente. Je n'ai pu m'empêcher d'être submergé par une vague de tristesse, qui m'a suffoqué un instant. Après avoir jeté un coup d'œil au père et à sa fille, Adnan s'est tourné vers moi.

— Ça va ?

J'ai été incapable de lui répondre. Nous avons repris notre marche : avenue Mozart, la station Jasmin, le quai en direction de Boulogne. Quand la rame est arrivée, j'ai vu qu'Adnan inspectait du regard les wagons, à la recherche d'uniformes. Il m'a fait signe de monter avec lui.

— On change à Michel-Ange-Molitor, m'a-t-il expliqué, et ensuite à Odéon. On descend à Château-d'Eau.

Le premier changement était seulement deux stations plus loin. En suivant les panneaux indiquant la ligne 10 en direction de la gare d'Austerlitz, nous sommes arrivés à un escalier qui paraissait interminable, et j'ai insisté pour porter ma valise, cette fois. En bas, il y avait un couloir qui faisait un coude et, tout de suite après, deux policiers qui contrôlaient l'identité des passants. Adnan s'est arrêté net. Du coin de la bouche, il m'a ordonné :

— Demi-tour.

Au moment où nous repartions dans l'autre sens, deux autres policiers sont apparus, à moins de vingt mètres devant nous. Avaient-ils remarqué notre manège. Adnan m'a chuchoté :

— Marchez devant moi. Quand ils vont m'arrêter, continuez. Descendez à Château-d'Eau, et ensuite c'est le 38, rue de Paradis. Demandez Sezer.

— Si vous restez avec moi, ils vous laisseront sans doute tranquille, ai-je objecté tout bas.

— Allez au 38, rue de Paradis.

Adnan a ralenti pour que je le précède mais quand j'ai voulu rester à sa hauteur, il a murmuré une nouvelle fois :

— Allez rue de Paradis !

En approchant des policiers, j'ai senti leur regard scrutateur se poser sur moi mais je me suis efforcé de ne pas les regarder, éprouvant l'inquiétude insidieuse qui se glisse en moi chaque fois que je croise un représentant de l'ordre ou que je passe la douane, comme si j'avais quelque chose à cacher. À tout instant, j'attendais les mots fatidiques : « Vos papiers, monsieur », mais ils m'ont laissé passer sans rien dire. J'ai remonté l'escalier. En haut, je me suis arrêté, espérant qu'Adnan allait bientôt me rejoindre. Cinq minutes se sont écoulées, puis dix. J'ai décidé de descendre – je pourrais toujours jouer le touriste américain égaré, si les flics s'étonnaient de me revoir. Mais le couloir était absolument vide.

Le constat m'est tombé dessus comme un coup de massue : « Ils l'ont coincé… et c'est à cause de toi. » La pensée suivante fut tout aussi déprimante : « Qu'est-ce que je fais, maintenant ? »

« Allez rue de Paradis. »

4

LE PARADIS.

Pour y arriver, il fallait d'abord traverser l'Afrique.

Émergeant de la station Château-d'Eau, c'est dans une autre ville que je me suis retrouvé. Disparus, les beaux immeubles en pierre de taille et leurs habitants en tenue de week-end coûteuse faisant monter des enfants tirés à quatre épingles dans des 4×4 étincelants. Ici, tout était sale et négligé. Cafés sordides, boutiques aux vitrines poussiéreuses qui présentaient des perruques synthétiques aux couleurs improbables, échoppes de téléphone longue distance annonçant des prix imbattables pour la Côte-d'Ivoire, le Cameroun, le Sénégal, la République centrafricaine, le Burkina Faso, le…

J'ai jeté un coup d'œil à la ronde. J'étais le seul Blanc sur le boulevard qui, malgré le froid, fourmillait de passants se saluant comme s'ils se trouvaient dans un petit village, de marchands ambulants proposant légumes ou sucreries exotiques sur des étals roulants… Pas de regards hostiles, pas de mimiques destinées à me faire comprendre que je m'étais aventuré dans une partie de la ville où je n'avais pas ma place. On m'ignorait, tout simplement. Même le vieux Noir auquel j'ai demandé la direction de la rue de Paradis semblait ne pas me voir lorsqu'il a répondu « À droite, là-bas, au bout de la rue » sans ralentir le pas.

Une petite rue parallèle m'a soudain fait quitter l'Afrique pour m'expédier en Inde. Gargotes de curries, magasins de vidéos décorés de posters de Bollywood, encore des parloirs téléphoniques qui, cette fois, promettaient les meilleurs tarifs pour Mumbay ou Delhi sur des affichettes en anglais et en hindi... Il y avait aussi un grand nombre d'hôtels de cinquième catégorie, lugubre solution de repli au cas où la chambre de bonne promise se révélerait trop infecte, ou si Sezer était un escroc qui espérait me plumer.

Bousculé par des gens qui se hâtaient tête baissée contre le vent glacial qui s'était levé, j'ai traversé la rue du Faubourg-Saint-Denis, une artère bordée de pauvres épiceries, pris à droite, puis à gauche dans la rue de Paradis. À première vue, c'était calme et sans intérêt, un bric-à-brac architectural du XIXᵉ siècle bourgeois émaillé de quelques immeubles modernes, avec ici et là des magasins de vaisselle ou d'ustensiles de cuisine en gros. Et puis je suis passé devant une devanture en néons qui proclamait « Kahve ». Deux haut-parleurs installés au-dessus de l'entrée en linoléum gris déversaient les flots de musique du Top 50 turc. J'ai risqué la tête à l'intérieur : des hommes conversaient avec des mines de conspirateurs autour de tables basses chargées de tasses de thé, quelques poivrots matinaux somnolaient au bar et un épais nuage de fumée de cigarette flottait dans l'air. Le barman, un jeune à la dégaine de dur à cuire, s'est détourné du téléviseur sur lequel il suivait un match de football pour me dévisager avec une hostilité non déguisée. Son expression m'invitait clairement à aller me faire voir ailleurs. J'ai bien saisi le message.

Il y avait deux autres cafés de ce genre rue de Paradis, ainsi que quelques gargotes turques et des bars dont les rideaux de fer étaient encore tirés. Je me suis mis à marcher plus rapidement, en fixant mon attention sur le numéro des immeubles, dont les façades étaient souvent écaillées. Celle du 38 était particulièrement miteuse, son enduit de mauvaise qualité parsemé de grandes taches jaunâtres qui faisaient penser aux marques de nicotine sur les dents d'un gros fumeur. L'énorme porte d'entrée noire aurait eu besoin de plusieurs couches de peinture fraîche, elle aussi. J'ai cherché des yeux un interphone. Il n'y avait qu'une sonnette surmontée d'une petite plaque qui indiquait sobrement : « Porte ». Quand j'ai appuyé dessus, un bourdonnement métallique s'est fait entendre. Il a fallu que je pèse de tout mon poids sur le lourd battant pour ouvrir. Après avoir poussé ma valise à l'intérieur, je me suis retrouvé dans un couloir sombre. Des boîtes aux lettres cassées, des poubelles remplies jusqu'à la gueule, quelques boîtiers électriques d'où pendaient des fils disjoints… Une cour, ensuite, encaissée entre quatre pans d'immeuble encombrés de linge en train de sécher, et trois cages d'escalier marquées des lettres, A, B et C. Des odeurs de cuisine grasse et de légumes pourris alourdissait l'atmosphère. De l'autre côté de la courette, quelques marches conduisaient à une entrée dominée par une vaste enseigne, « Confection Sezer ».

Il a fallu que je sonne à trois reprises avant d'entendre enfin des pas de l'autre côté de la porte. Un jeune type en jean délavé et blouson à col en fausse fourrure, une cigarette coincée au coin de la bouche et l'air suprêmement agacé a ouvert.

— Qu'est-ce que vous veut ? m'a-t-il demandé, en français, avec un fort accent.

— Je viens voir Sezer.

— Il te connaît ?

— Adnan m'a dit que…

— Où il est, Adnan ? m'a-t-il coupé.

— J'expliquerai à Sezer.

— Tu expliques à moi.

— Je préfère le…

— Tu expliques à moi ! a-t-il aboyé.

— Il a été contrôlé, dans le métro.

— Quand ça ?

— Il y a moins d'une heure.

Silence. Il a observé le hall d'entrée par-dessus mon épaule. Pensait-il que je lui tendais un piège, et que des renforts attendaient dans mon dos ?

— Tu attends ici, m'a-t-il ordonné en me refermant brutalement la porte au nez.

Cinq minutes se sont écoulées, pendant lesquelles je n'ai pas manqué de me demander si ça n'aurait pas été faire preuve de bon sens que de déguerpir avant son retour. Ce qui m'a retenu, c'est l'idée que je devais raconter ce qui était arrivé à Adnan, voir si ce Sezer aurait assez d'influence pour empêcher que... *Oh, arrête ! Regarde un peu autour de toi ! Tu crois vraiment que le gérant de ce taudis dispose des contacts nécessaires pour arracher un immigré clandestin des mains des flics ?* D'accord, d'accord : ce qui m'empêchait de partir, c'était tout bêtement le constat que je n'avais nulle part où aller, et que je devais me trouver un toit avant la nuit.

La petite frappe est revenue. Après avoir encore inspecté le hall du regard, il a lâché :

— Bon, tu me suis.

Nous avons grimpé un escalier très raide. La valise que je traînais derrière moi produisait un bruit épouvantable à chaque marche. Mon goût prononcé pour les films noirs me laissait entrevoir ce qui allait suivre : un bureau en désordre, un gros lard en maillot de corps assis derrière une table en fer, mâchouillant un cigare puant, un sandwich entamé posé devant lui avec la marque de ses dents, des filles en maillot de bain sur des calendriers aux murs, et trois gros bras en costume croisé en arrière-plan.

Le QG de Sezer ne correspondait pas du tout à ce cliché, cependant. Quatre murs d'un blanc sale, un lino usé, une table, une chaise. Rien d'autre, pas même de téléphone à part le petit portable Nokia posé sur le bureau. L'homme assis derrière n'était pas le caïd corpulent que j'avais imaginé, non plus, mais un quinquagénaire maigre comme un clou, en costume noir bon marché et chemise blanche boutonnée jusqu'au cou, avec de petites lunettes rondes en métal. Teint olivâtre, crâne pratiquement rasé, il faisait penser à ces fonctionnaires iraniens qui évoluent autour des ayatollahs, exécutent les basses œuvres de la théocratie et savent toujours où le dernier infidèle découpé en petits morceaux a été enterré.

Pendant que je l'étudiais ainsi, il ne s'est pas privé de me jauger d'un regard froid. Il a fini par rompre le silence :

— Alors c'est vous, l'Américain ? m'a-t-il demandé en français.

— Et vous êtes Sezer ?

— « Monsieur » Sezer, a-t-il corrigé.

— Pardonnez-moi, monsieur Sezer, ai-je dit avec déférence, marque de respect qu'il a approuvée d'un bref signe de tête.

— Adnan a abandonné son travail pour venir à votre secours, ce matin.

— J'en suis conscient, mais ce n'est pas moi qui lui ai demandé de venir à l'hôtel. C'est le réceptionniste, une raclure qui...

Sezer a levé une main, mettant un terme à mon accès de mauvaise conscience.

— J'essaie simplement de reconstituer les faits, a-t-il observé. Adnan a quitté son poste ce matin pour aller vous chercher et vous ramener ici, parce que vous aviez des ennuis avec la direction de cet hôtel. En tout cas, c'est ce qu'il m'a expliqué avant de partir. Adnan vous apprécie beaucoup, il avait hâte que vous vous installiez sur le même palier que lui. Est-ce que vous l'appréciez, vous aussi ?

Posée d'un ton neutre, aucunement menaçant, la question comportait néanmoins des insinuations évidentes.

— J'ai été gravement malade, là-bas. Adnan a été très bon pour moi.

— Qu'est-ce que vous entendez par « très bon » ?

— Je veux dire qu'il a été d'une prévenance remarquable envers moi quand j'étais cloué au lit et que...

— Quel genre de « prévenance remarquable » ?

— Je ne l'ai pas baisé, c'est clair ?

Il a laissé cette furieuse réplique résonner quelques instants dans la pièce. Un sourire est passé sur ses lèvres l'espace d'une seconde, puis il a repris comme s'il ne m'avait pas entendu :

— Donc, quand vous avez quitté l'hôtel avec Adnan...

Je lui ai fait un récit détaillé de ce qui s'était passé dans le métro, qu'il a écouté sans broncher. À la fin, il m'a demandé :

— Vous êtes marié ?

— Séparé.

— Et la raison de votre présence à Paris ?

— J'ai pris une année sabbatique à l'université où j'enseigne. C'est une sorte de congé qui permet de...

— Je sais ce que c'est. Ils ne doivent pas très bien payer leurs enseignants, chez vous, pour que vous cherchiez à louer une chambre de bonne.

Je me suis senti rougir. Je mentais donc si mal ?

— Mes ressources sont un peu limitées, en ce moment.

— C'est évident.

— Mais ce qui m'inquiète le plus, pour l'instant, c'est Adnan.

Il a eu un geste négligent de la main.

— Il est fini, Adnan. D'ici trois jours, au plus, il sera dans un avion pour la Turquie. C'est foutu.

— Vous ne pouvez rien faire pour lui ?

— Non. – Une pause. – Est-ce que vous voulez sa chambre ? Elle est bien mieux que celle que j'allais vous montrer.

— Quel est le loyer ?

— Quatre cent trente euros.

Trente de plus que ce qui m'avait été annoncé.

— Je ne sais pas... C'est encore un peu trop cher, pour moi.

— Vous êtes vraiment dans une mauvaise passe.

J'ai hoché la tête, gêné. Se tournant vers le sbire qui m'avait accueilli, Sezer lui a adressé quelques mots en turc. Sa réponse lui a arraché un sourire presque imperceptible.

— Je viens de demander à Mahmoud s'il pensait que vous étiez en fuite. Il dit que vous aviez l'air trop nerveux pour être un criminel. Mais je sais que cette histoire d'année sabbatique est une fumisterie. Que vous me racontez n'importe quoi. Ce qui m'est complètement égal. – Encore un échange rapide en turc. – Mahmoud va vous montrer les deux chambres. Je suis certain que vous allez vouloir celle d'Adnan.

Mahmoud m'a fait signe de le suivre.

— Tu laisses tes affaires ici. Tu reviens.

Abandonnant ma valise, j'ai cependant décidé de prendre ma sacoche d'ordinateur avec moi, ce qui a provoqué une remarque de Mahmoud, que Sezer a eu l'obligeance de me traduire :

— Il se demande si vous croyez que tous les Turcs sont des voleurs.

— Je ne fais confiance à personne, ai-je répliqué.

Nous sommes redescendus dans la cour, que nous avons traversée pour nous engager dans l'escalier B en colimaçon après que Mahmoud a pianoté sur les touches du digicode vétuste. Les marches étroites en bois étaient usées, les murs peints couleur caca auraient eu besoin d'un bon lessivage, mais c'est surtout l'odeur de graillon et d'égout saturé qui m'a déprimé. Arrivés au cinquième étage, il y avait deux portes en fer. Mahmoud s'est arrêté devant celle qui nous faisait face et l'a ouverte après avoir pris un gros trousseau de clés dans sa poche. La pièce était minuscule, à peine trois mètres dans sa plus grande longueur. Le papier peint s'en allait en pelures, le lino jauni craquait sous les chaussures et le mobilier se résumait à un lit. C'était une cellule lugubre, destinée prioritairement aux candidats au suicide. La petite frappe est restée impassible tandis que je contemplais cette atrocité.

— Est-ce que je peux voir celle d'Adnan, s'il vous plaît ?

Un peu plus loin dans le couloir à la pénombre oppressante, une autre porte. Si la chambre n'était pas plus grande que la première, Adnan avait visiblement tenté de la rendre moins inhumaine. Un vieux kilim couvrait en partie le même linoléum. La tapisserie avait été passée à la peinture, un beige neutre au pouvoir couvrant nul car les motifs floraux apparaissaient encore en transparence. Il y avait une stéréo portable bon marché, une télé minuscule, ainsi qu'une plaque chauffante et un mini-frigo. J'ai poussé de côté le rideau en plastique bleu ciel qui masquait un coin de la chambre : un bac de douche surélevé au siphon plein de cheveux noirs, avec un tuyau en plastique qui émergeait du mur.

— Où sont les toilettes ?

— Couloir, a répondu mon guide.

Sur un portant, un costume sombre, trois chemises et trois pantalons. Seules touches décoratives, des photos scotchées au mur : celle d'une jeune femme à l'expression sérieuse et renfermée, la tête couverte d'un foulard, une autre d'un couple âgé, endimanché, les traits graves et fermés, et enfin une d'Adnan tenant sur ses genoux un garçonnet d'environ deux ans, aux cheveux bouclés. Même s'il ne souriait pas, il avait l'air de vingt ans plus jeune, sur ce cliché qui devait avoir été pris quatre années auparavant, la dernière fois qu'il avait vu son fils. La culpabilité m'a assailli, une nouvelle fois : cette petite chambre désolée avait été son unique refuge dans une ville où il craignait sans cesse d'être arrêté. La petite frappe a dû lire mes pensées, car il a dit :

— Adnan, il retourne en Turquie maintenant et c'est la prison. Très longtemps.

— Pourquoi ? Qu'est-ce qu'il a fait ?

Il s'est contenté de hausser les épaules.

— Alors, tu prends la chambre ?

— Je vais en parler à votre patron.

Dans son bureau, Sezer n'avait pas bougé de sa chaise, les yeux braqués vers la fenêtre. La petite frappe est restée à la porte, allumant une cigarette.

— Vous prenez la chambre d'Adnan ? s'est informé « Monsieur » Sezer.

— Pour trois cent soixante-quinze par mois, oui.

— Oh non.

— C'est tout ce que je peux mettre.

— Oh non.

— L'autre est immonde.

— C'est pour ça que celle d'Adnan est plus chère.

— Elle n'est pas tellement mieux.

— Mais elle est quand même mieux.

— Trois cent quatre-vingts ?

— Non.

— Écoutez, monsieur Sezer, je…

— Quatre cents, m'a-t-il coupé. Et si vous payez trois mois d'avance, je ne vous demanderai pas de caution.

Trois mois là-dedans ? Une voix en moi a constaté : « Encore une preuve que tu es tombé plus bas que terre. » Une autre a répliqué : « C'est tout ce que tu mérites. » Et une troisième, plus réaliste : « C'est habitable, c'est abordable, et tu n'as pas le choix. »

— D'accord. Quatre cents.

— Quand me donnerez-vous l'argent ?

— Je peux aller à la banque maintenant.

— Parfait, allez-y.

J'en ai trouvé une sur le boulevard. Douze cents euros m'ont coûté mille cinq cents dollars. Ma réserve avait fondu, il me restait deux mille dollars. Quand je suis revenu, ma valise n'était plus dans le bureau. M. Sezer a remarqué mon air préoccupé.

— Elle est dans la chambre d'Adnan.

— Je préfère ça.

— Vous pensez que nous serions intéressés par vos vêtements minables ?

— Donc vous l'avez fouillée ?

— Vous avez l'argent ?

Je lui ai tendu les billets, qu'il a comptés lentement.

— Je peux avoir un reçu ?

— Non.

— Mais… comment prouver que j'ai payé d'avance ?

— Ne vous inquiétez pas.

— Si, je m'inquiète.

— Bien sûr. Vous pouvez y aller. Voici la clé. Le code d'en bas est « A542 ». Notez-le quelque part. Vous voulez que notre ami vous accompagne ?

— Non, merci.

— Si vous avez un problème, vous savez où me trouver. Et nous, nous savons où vous êtes.

J'ai effectué à nouveau la longue ascension de l'escalier B. Après m'être un peu battu avec la serrure, je suis entré dans mon nouveau logis. Il avait été vidé, de fond en comble. Non seulement les affaires d'Adnan avaient été retirées mais également les draps, la couverture, le rideau de douche, le tapis, les médiocres appareils électriques… Mes poings se sont fermés tout seuls. Je voulais retourner voir Sezer, exiger qu'il me restitue au moins trois cents euros pour que je puisse rendre à nouveau cette pièce habitable, mais je savais que je n'en ferais rien, que j'allais rester là et que mes pensées se résumeraient à deux mots : tant pis.

Et puis, faire un esclandre ne m'apporterait que des ennuis. Tout ce que je devais faire, c'était me faire oublier, pour l'instant.

J'ai claqué la porte derrière moi. En cinq minutes, j'avais déballé mes bagages sur le sol. Je me suis assis sur le matelas crasseux, sentant la fièvre me reprendre peu à peu. J'ai lentement regardé le décor autour de moi, et je me suis dit : « Bienvenue au fond du trou. »

5

VERS TROIS HEURES, CETTE NUIT-LÀ, OMAR EST ALLÉ CHIER.
Comment pouvais-je être au courant d'une activité aussi intime, et de l'identité de celui qui s'était vidé les entrailles ? Oh, cela ne demandait pas un effort de déduction considérable. Mon lit se trouvait juste en face du mur qui me séparait des chiottes, et Omar était mon voisin immédiat, information que je tenais déjà d'Adnan et qu'Omar lui-même a confirmée en venant tambouriner à ma porte juste après minuit. Je ne l'avais encore jamais rencontré, même si je savais qu'il travaillait comme cuisinier au Select, et que Brasseur les avait surpris, lui et l'homme à tout faire, dans une situation scabreuse.

— Qui est-ce ? ai-je demandé avant d'ouvrir.

— Ton voisin.

J'ai entrebâillé la porte. Un colosse se tenait devant moi, les traits baignés de sueur, l'haleine empestant la vieille cigarette et les renvois d'alcool. Dépassant le mètre quatre-vingts et les cent cinquante kilos, il avait une moustache de phoque et des mèches de cheveux noirs accrochées autour d'une calotte crânienne pour le reste chauve. Il était soûl, en plus de cet aspect général déjà peu rassurant.

— Il est tard, ai-je avancé.

— Je veux la télé.

— Je n'en ai pas.

— Adnan en a une.

— Adnan n'est plus là.

— Je sais. C'est ton faute !

— Ils ont pris sa télé, et tout le reste.

— Qui c'est, « ils » ?

— M. Sezer.

— Il peut pas prendre « ma » télé ! J'avais prêté à Adnan.

— Il faut que vous vous expliquiez avec M. Sezer.

— Tu laisses entrer.

Aussitôt, j'ai coincé le battant avec mon pied.

— Il n'y a pas de télévision, ici.

— Tu dis mensonges.

Il s'est mis à peser de tout son poids contre la porte, que j'ai retenue de mon mieux avec mon genou.

— C'est la vérité.

— Tu laisses entrer !

Il a poussé un peu plus fort. Je ne m'étais encore jamais confronté à un type de cent cinquante kilos. Je me suis reculé brusquement et il a été propulsé dans la petite pièce. Il a récupéré son équilibre mais est resté un instant désorienté, tel un ivrogne qui se demande soudain où il est, puis il a retrouvé le fil de ses pensées, s'est mis à examiner les alentours à la recherche du téléviseur. Il était de nouveau perplexe.

— C'est pas même chambre, a-t-il bredouillé.

— Mais si.

— Tu as changé tout !

Ce n'était pas entièrement exact, mais j'avais certes opéré quelques modifications sensibles dans la décoration de la pièce depuis mon arrivée dans l'après-midi. Pour commencer, j'avais descendu aux ordures le vieux matelas taché et troué en cinq endroits et l'avais remplacé par un neuf, trouvé dans un magasin du Faubourg-Saint-Denis tenu par un Camerounais dont la spécialité était l'ameublement « à prix cassés ». Comme j'avais besoin d'équiper mon nouveau foyer de A à Z, il m'avait ajouté un oreiller, une paire de draps bleu ciel infroissables, un duvet, un rideau de douche bleu foncé, un store blanc cassé qui devrait se substituer au chiffon qui servait de rideau à ma lucarne, quelques ustensiles de cuisine, une plaque chauffante et enfin, trouvaille la plus notable de toutes, un petit bureau en pin brut et une chaise en rotin. Trois cents euros au total, ce qui était rude pour mon budget, mais le marchand m'a offert un pot de lasure pour le bureau, ainsi que la livraison à domicile, assurée par son aide au volant d'une vieille fourgonnette blanche.

Une fois mes meubles livrés, j'ai passé le reste de l'après-midi à aménager la chambre. Les toilettes de l'étage se sont révélées autrement plus compliquées : une cuvette incrustée de matières fécales, un abattant en plastique noir fendu et maculé de pisse séchée dans un cagibi aux murs en plâtre nu, éclairé par une simple ampoule. Impossible de rester plus de trente secondes dans ce réduit sans avoir un haut-le-cœur. Je suis redescendu et je suis allé à une quincaillerie que j'avais remarquée dans la rue du Faubourg-Poissonnière. Là, j'ai fait l'acquisition d'une nouvelle lunette, d'un balai de cabinet et d'un détergent industriel tellement puissant que le vendeur m'a recommandé d'acheter aussi, pour deux euros de plus, une paire de gants en caoutchouc. Une demi-heure plus tard, la magie chimique avait fait son œuvre et, sous mes frottements énergiques, la cuvette était presque redevenue blanche. Puis je me suis attaqué au sol.

Une troisième expédition m'a permis de négocier pour cinquante euros une stéréo portable Sony dans une boutique de gadgets bon marché. J'ai aussi pris une baguette, du jambon, du fromage, un litre de vin de table, et je suis remonté dans mon perchoir où j'ai continué à nettoyer chaque millimètre carré de ma chambre, du jazz à plein volume sur la stéréo, tout en me demandant parfois si je n'étais pas atteint de démence ménagère. Minuit approchait lorsque tout a été terminé. Installé devant mon ordinateur portable sur le petit bureau, j'ai établi une liste de ce qui me restait à acheter. Je me suis tâté le front : la fièvre était encore là, apparemment, mais semblait avoir faibli. Une douche rapide sous le tuyau qui crachotait de l'eau chaude par intermittence, puis je me suis mis au lit et j'ai été terrassé par le sommeil. Jusqu'à ce qu'Omar vienne tempêter à ma porte.

— Tu as changé tout, s'est-il étonné.

— Il est tard, vous savez ?

— C'est bien, maintenant, a-t-il constaté en examinant à nouveau ma chambre.

— Merci.

— Tu as vendu mon télé pour payer tout ça ?

— Comme je vous l'ai dit, Omar, c'est M. Sezer qui a votre téléviseur.

— Comment tu connais mon nom ? m'a-t-il demandé, en proie à une soudaine crise de paranoïa éthylique.

— Adnan me l'avait dit.

— Tu as donné Adnan aux flics.

— Ce n'est pas du tout ce qui s'est passé, me suis-je défendu en essayant de garder mon calme.

— Tu veux sa chambre, alors tu appelles police, ils le choppent dans métro, et après tu vends mon télé.

Après avoir beuglé les derniers mots, il a semblé stupéfait, comme s'il était un spectateur qui venait seulement de reconnaître sa voix.

— Écoutez, Omar, ai-je fait, cherchant à lui communiquer un peu de raison. Jusqu'à ce matin, j'habitais à l'hôtel où vous travaillez. Vous savez que j'ai été très malade, pendant des jours. J'ignorais où Adnan vivait jusqu'à ce qu'il me parle d'une chambre qui était libre près de la sienne, et...

— Et tu as décidé de voler sa chambre.

— À propos, je m'appelle Harry.

Il a ignoré ma main tendue, et ma tentative de diversion.

— Sezer, il a télé ? a-t-il demandé de but en blanc.

— C'est ce que je vous explique.

— Je tue Sezer.

Il a roté. Bruyamment. Il a extirpé une cigarette de sa poche, l'a allumée. J'ai pesté, en silence : bien que je déteste cette odeur, il ne m'a pas paru particulièrement judicieux de lui demander de s'abstenir de fumer dans ma chambrette. Il a avalé une bouffée, m'a considéré à travers les volutes qui sortaient de ses narines.

— Toi américain ?

— Exact.

— Alors… fuck you ! – Il a eu un sourire mauvais, guettant ma réaction. Je n'ai pas bronché. – Adnan, homme mort. Ils le renvoient en Turquie, il crève en prison. Il y a quatre ans, il tue un type. Un type qui baise sa femme. Après, il se rend compte que le type, il baisait pas sa femme. Mais il est mort quand même. Problème, gros problème. Alors il vient à Paris.

Adnan, un meurtrier en cavale ? Cela semblait impossible. Mais après tout, qu'est-ce qui était impossible dans cet univers sordide où je me retrouvais ?

La cigarette lui a échappé des lèvres. Il l'a écrasée sous sa semelle, sur le sol que je venais de récurer. Un autre rot tonitruant et, soudain, il a disparu. Je l'ai entendu grogner derrière le mur. Toujours en proie à ma manie de la propreté, ma première réaction a été d'ouvrir la lucarne pour aérer la pièce, puis de ramasser le mégot, de l'envelopper dans une serviette en papier, de nettoyer les cendres sur le lino. Puis je suis allé aux toilettes où l'énorme étron laissé par Omar m'attendait au fond de la cuvette.

J'ai tiré la chasse. J'ai senti une véritable rage monter en moi, que j'ai tâché de contenir. Je me suis forcé à uriner et je suis retourné m'enfermer dans ma chambre avant de me laisser aller à la rage. Là, j'ai allumé la radio à fond, dans l'espoir idiot que cela dérangerait Omar. Mais il n'y a pas eu de coups frappés sur le mur ni de protestations indignées : rien que les dissonances irritantes d'Ornette Coleman se perdant dans le ciel nocturne de Paris. Ses improvisations grinçantes ont fini par me porter sur les nerfs. J'ai éteint la stéréo et je suis resté dans la pénombre, repensant à l'énergie et à l'argent que je venais de dépenser pour tenter d'améliorer ce qui resterait à jamais un cachot répugnant. Alors, je me suis mis à pleurer.

Au cours des dernières semaines, il m'était arrivé de verser quelques larmes. Cette fois, c'était différent : la désolation était totale, sans fin. Je pleurais sur ce que j'avais perdu, ce à quoi j'en étais réduit. Pendant un quart d'heure, au moins, je n'ai pas pu arrêter le déluge. Je me suis effondré sur le lit, cramponné à l'oreiller, et j'ai laissé toute la peine accumulée sortir de moi. Mais quand je me suis calmé enfin, je n'ai ressenti que de l'épuisement, aucun soulagement. Malgré ce que j'avais espéré, un désespoir comme celui-là ne se dissipait pas dans les pleurs et les sanglots. Je me suis forcé à retirer mes sous-vêtements et à rester sous la douche crachotante quelques minutes. Après m'être séché, je me suis enfoncé dans un sommeil artificiel.

Je ne me suis réveillé que vers midi, la tête lourde, la bouche sèche. Dans les toilettes, l'abattant neuf était maculé d'urine. Tel un chien, Omar avait marqué son territoire.

Après m'être lavé les dents au petit lavabo de ma chambre, m'être habillé et avoir réuni les reçus de mes emplettes de la veille, je suis descendu sonner à l'entrée de chez Sezer. La petite frappe m'a ouvert avec son expression méprisante habituelle.

— Je veux parler à votre patron.

Il m'a fermé la porte au nez. Revenu deux minutes plus tard, il m'a conduit dans le bureau où Sezer paraissait ne pas avoir bougé de derrière sa table, le portable toujours posé devant lui, le regard toujours braqué sur la fenêtre.

— Oui, quoi ?

— J'ai remplacé la lunette des toilettes et installé un abat-jour à mon étage.

— Félicitations.

— Avec le balai de cabinet, j'ai dépensé dix-neuf euros.

— Vous attendez quoi ? Qu'on vous rembourse ?

— Oui.

J'ai déposé les reçus sur la table. Il les a considérés deux secondes, les a roulés en une boule qu'il a jetée par terre.

— Je ne pense pas, non, a-t-il déclaré.

— Le siège était cassé, il n'y avait qu'une ampoule nue, c'était...

— Aucun autre locataire ne s'est plaint.

— Qui, Omar ? Ce porc, il mangerait dans cette cuvette...

— Vous n'aimez pas votre voisin.

— Je n'aime pas qu'il me réveille en pleine nuit pour réclamer sa télévision, que vous avez emportée.

— Moi ? Pas du tout.

— D'accord, alors votre petit dur ici présent.

Sezer a dit quelque chose en turc à la petite frappe, qui a pris un air étonné et répondu dans la même langue.

— Notre ami m'assure qu'il n'y a pas touché.

— *He's lying !* ai-je crié en passant à l'anglais, dans mon énervement.

Sezer a souri.

— Pour votre sécurité personnelle, je ne traduirai pas, a-t-il rétorqué dans un anglais impeccable. Et ne croyez pas que vous allez me forcer à parler votre baragouin, l'Américain.

— *You're a crook*, ai-je hurlé.

— Moi, un escroc ? Certainement pas. Mais je vous préviens : Omar est fâché, maintenant. Je lui ai dit que vous aviez vendu sa télé pour acheter un siège de toilettes, et comme c'est un péquenaud sans un gramme de cervelle, il a gobé l'histoire. Si j'ai un conseil à vous donner, c'est de lui payer un nouveau poste.

— Jamais de la vie !

— Alors ne soyez pas surpris s'il essaie de forcer votre porte, une nuit où il rentrera ivre. C'est un sauvage, cet homme-là.

— Je prends le risque.

— Ah, on a du tempérament, je vois. Mais pas assez pour vous empêcher de pleurnicher, hier soir.

J'ai tenté de masquer mon embarras. Je n'y suis pas arrivé.

— Je... Je ne sais pas de quoi vous parlez.

— Mais si. Omar vous a entendu. Il m'a rapporté que vous avez pleuré pendant une demi-heure. S'il n'est pas venu vous demander son téléviseur ce matin, c'est uniquement parce qu'il avait de la peine pour vous, cet imbécile. Croyez-moi, ce soir il aura tout oublié, sauf sa télé et sa colère. Il vit dans une rage perpétuelle, Omar. Comme vous.

Il a accompagné ses deux derniers mots d'un regard aussi fixe et pénétrant qu'un projecteur braqué en pleine figure. J'ai cligné des yeux et détourné le regard.

— Alors pourquoi pleuriez-vous, l'Américain ? – Je n'ai pas répondu. – C'est le mal du pays ?

Il m'a fallu un moment pour hocher la tête, en silence. Il s'est tourné vers la fenêtre, à nouveau. Et il a dit :

— Nous avons tous le mal du pays, ici.

6

LA VIE PARISIENNE. Ou, pour être plus précis, « ma » vie parisienne. Eh bien, pendant mes premières semaines rue de Paradis, elle s'est déroulée de la manière suivante.

Je me réveillais vers huit heures, en général. Tout en me préparant un café, j'écoutais France Musique, ou plutôt « France Jacasse », comme j'avais surnommé la station en raison de la tendance des présentateurs à pérorer pendant des heures sur les disques qu'ils allaient passer. Ensuite, je m'habillais et je descendais à la boulangerie de la rue des Petites-Écuries, où j'achetais une baguette pour soixante centimes. Tous les trois jours, je me rendais au marché de la rue du Faubourg-Saint-Denis. Là, je faisais méticuleusement mes courses : six tranches de jambon et six d'emmental, quatre tomates, une demi-douzaine d'œufs, deux cents grammes – je m'étais rapidement accoutumé au système métrique – de haricots verts, quatre cents grammes de poisson à chair blanche abordable, deux cents grammes de la viande la moins coûteuse mais qui paraissait cependant d'une certaine fraîcheur, trois litres de vin rouge et trois d'eau minérale, un demi-litre de lait. C'était là mes vivres pour trois jours, et je veillais à ne jamais dépasser les trente euros. En d'autres termes, je subsistais avec une soixantaine d'euros par semaine.

Les jours d'approvisionnement, j'étais de retour à la chambre autour de midi et demi. J'allumais mon ordinateur portable, je me faisais un autre café, et je me disais : « Cinq

70

cents mots, voilà tout. » Deux pages dactylographiées, soit le volume quotidien que je m'étais fixé pour la rédaction de mon roman. Deux pages, six jours par semaine : douze pages. À ce rythme, et en admettant que je m'y tienne, j'aurais un livre prêt dans un an. Eh non, je ne voulais pas penser au fait que j'avais à peine assez d'argent pour mener cette existence frugale pendant les trois prochains mois où mon loyer était payé. Ce quota, c'était mon unique préoccupation. Cinq cents mots, deux feuillets. Il m'était arrivé de pondre plus d'un e-mail de cette longueur en vingt minutes, dans le temps…

Cinq cents mots. Vraiment pas grand-chose. Sauf quand on commence à essayer d'en faire une œuvre de fiction jour après jour. Mon roman. Mon premier roman ! Celui que je m'étais juré d'écrire vingt ans plus tôt. Une vaste, une picaresque épopée d'apprentissage de la vie qui aurait pour sujet mon enfance dans le New Jersey, ma lutte pour survivre à la guerre domestique permanente que se livraient mes parents et à l'insupportable conformisme d'une banlieue américaine dans les années soixante.

Des mois durant, aux pires moments du cauchemar dans lequel je m'étais moi-même fourré, j'avais tenu le coup grâce à la certitude qu'après avoir trouvé la porte de sortie de l'enfer, je dénicherais un endroit tranquille pour tout coucher sur le papier et démontrer enfin au monde que j'étais bien l'écrivain que je savais être depuis toujours. « Je leur montrerai, à tous ces salauds » : c'est la proclamation silencieuse de ceux qui ont subi un grave revers, et plus encore de ceux qui ont atteint le fond. Appartenant à cette catégorie, je savais que c'était pour moi le cri de la dernière chance, bien plus qu'un défi lancé dans le vide.

Cinq cents mots. L'objectif quotidien. Et j'allais le tenir, voire le dépasser, parce que… parce que je n'avais rien d'autre à faire de mon temps, tout bêtement.

Rien, sinon aller au cinéma. La majeure partie de mes escapades hors de ma chambre me conduisaient dans cette kyrielle de salles obscures qui existent pour les cinéphiles hallucinés dans mon genre. La géographie de Paris se définissait par ses cinémas, à mes yeux. Chaque lundi, je consacrais religieusement seize euros à l'achat de ma carte orange hebdomadaire qui donnait accès à tous les métros et autobus de la capitale. Dès que mes cinq cents mots quotidiens avaient été mis en boîte, je partais loin de mon quartier, surtout vers le Ve arrondissement, qui compte une concentration impressionnante de salles « art et essai » spécialisées dans les classiques. Ainsi, à l'Action Écoles, un hommage à Hitchcock succédait à une semaine Kurosawa, avant d'être remplacée par une rétrospective des westerns d'Anthony Mann ; un peu plus loin, au Reflet Médicis, j'ai eu trois après-midi de bonheur avec des comédies britanniques de l'après-guerre, et j'ai eu la surprise de sentir les larmes couler sur mes joues à la fin de *Whisky à gogo*, ce qui était plus une nouvelle preuve de ma fragilité émotionnelle qu'autre chose. À quelques rues de là, à l'Accatone, on pouvait toujours plonger dans l'une des explorations pasoliniennes des côtés les plus sombres de la psyché humaine, puis quelques pas vous conduisaient au Quartier latin et à sa rétrospective Luis Buñuel, ou bien c'était le VIe tout proche et les perles rares du film noir à l'Action Christine, ou encore, le mieux : prendre le métro jusqu'à Bercy et ne ressortir de la Cinémathèque qu'à minuit passé.

Chaque jour, je passais au moins six heures devant le grand écran. Cependant, avant de démarrer mon marathon cinématographique, j'allais relever mon courrier électronique dans un cybercafé de la rue des Petites-Écuries, un modeste établissement qui offrait une dizaine d'ordinateurs installés sur des cubes en bois brut, un même nombre de chaises en vinyle orange, et l'accès à Internet à un euro cinquante de l'heure. Au fond de la salle, un comptoir servait du café et de l'alcool. Le bar était tenu par un barbu âgé d'environ trente ans qui paraissait turc mais parlait un très bon français, bien que nos échanges se soient toujours limités à quelques plaisanteries anodines quand je venais lui acheter un mot de passe ou un gobelet de café. Apparemment, il passait sa vie à parler dans son téléphone portable, sur un débit impossible à suivre, et baissait la voix lorsque je m'asseyais devant l'une des machines. J'avais remarqué qu'il m'observait avec attention chaque fois que je me connectais ; décelait-il ma déception lorsque j'ouvrais ma boîte AOL et que je constatais qu'elle ne contenait aucun message de ma fille.

Depuis mon arrivée à Paris, j'avais écrit à Megan deux fois par semaine. Au début, j'avais plaidé ma cause, expliqué que je n'avais pas voulu la blesser, qu'elle restait la personne la plus importante de ma vie et que j'espérais rétablir la confiance entre nous, malgré tout ce qui s'était passé. Après trois semaines d'e-mails de ce genre, j'avais abandonné l'autojustification et la supplication, préférant lui raconter simplement ma vie à Paris, mes journées de travail et de cinéma, et terminant avec des mots que je voulais sobres, malgré mon chagrin. Par exemple : « Je te réécrirai la semaine prochaine, sache que tu es sans cesse dans mes pensées, à tout moment, et que tu me manques terriblement. Baisers. Papa. »

Comme je n'obtenais aucune réponse, je me suis demandé si sa mère lui interdisait de m'écrire. J'étais presque sûr, également, qu'en racontant en détail ma modeste existence à Megan, je la révélais aussi à mon ex-femme. Mais quelle importance, après tout ? Quel mal pouvait-elle encore faire à quelqu'un qui avait tout perdu ?

Et puis, au début de ma sixième semaine en France, j'ai ouvert ma boîte e-mail et mes yeux sont tombés, au milieu du fatras habituel de spams en provenance des requins du prêt à court terme et des charlatans experts en rallongement du pénis, sur un message envoyé par meganricks@aol.com.

Très tendu, j'ai cliqué sur la commande « Lire », m'attendant à un « Ne m'écris plus jamais », repensant au jour où elle m'avait dit, au téléphone, que je n'existais plus pour elle. Ce qui s'est affiché sur l'écran était tout autre :

« Cher papa,

« Merci pour tes e-mails. D'après ce que tu décris, c'est cool, Paris.

« Ici, l'école, c'est pas facile. Il y en a dans ma classe qui continuent à m'embêter avec ce que tu as fait. Je ne comprends toujours pas que tu aies pu te conduire de cette manière avec une de tes étudiantes. Maman m'a dit que je devais l'avertir si tu me contactais, mais je lis mes messages à la bibliothèque. Continue à m'écrire, je m'arrangerai pour que maman ne le sache pas.

« Ta fille,

« Megan.

« P.-S. : Je suis encore fâchée contre toi, mais tu me manques aussi. »

J'ai plongé mon visage dans mes mains. Un sanglot s'est échappé de ma gorge. « *Ta fille* » : cela voulait tout dire. Trois mois durant, j'avais pensé que Megan m'avait définitivement rayé de sa vie et là, noir sur blanc, elle me disait que je lui manquais.

Je me suis redressé sur la chaise. J'ai cliqué sur « Répondre » :

« Chère Megan,

« Avoir de tes nouvelles, quel bonheur. Tu as raison d'être fâchée contre moi. Je le suis aussi. J'ai fait quelque chose de stupide, mais le temps que je m'en rende compte, le contrôle des événements m'avait échappé et j'ai été incapable d'arrêter la spirale. Cela dit, tu dois comprendre que les gens se sont emparés de mon histoire pour s'en servir selon leurs intérêts. Je ne cherche pas à me trouver des excuses. Je suis inexcusable, et je regretterai toujours la peine que je t'ai infligée. Mais pour l'instant, je suis tellement heureux d'avoir renoué le contact avec toi.

« Je suis certain que ta situation à l'école va s'améliorer, et que tu seras capable de surmonter cette épreuve. Je comprends aussi que c'est difficile pour toi de ne pas dire à ta mère que nous nous écrivons. J'espère vraiment que nous serons de

74

nouveau un jour en bons termes, elle et moi, parce que je sais que c'est ce que tu souhaites. N'oublie jamais que je pense tout le temps à toi, et que je serai toujours là si tu as besoin de moi.

« Je promets de t'écrire tous les jours.

« Je t'aime.

« Papa. »

J'ai relu plusieurs fois le message avant de l'envoyer, conscient de l'importance de chaque mot, désireux qu'elle comprenne que ma réponse n'avait pas pour but de me justifier à ses yeux ni de m'apitoyer sur mon sort, mais de lui manifester mon amour, avant toute chose.

Au moment où je m'apprêtais à partir, le barbu derrière le bar a levé la tête de son journal et m'a lancé :

— Mauvaises nouvelles ?

J'ai été pris de court. Il m'avait donc observé pendant que je lisais l'e-mail de Megan.

— Non, au contraire.

— Pourquoi vous pleurez, alors ?

— Parce que ce sont de très bonnes nouvelles.

— J'espère que vous en aurez d'autres demain.

Les jours suivants, Megan ne s'est pas manifestée. Je lui ai écrit chaque après-midi, en me bornant délibérément à l'anecdotique, à la description de la vie de mon quartier... Finalement, le troisième jour, elle m'a donné l'explication de son silence : « Merci pour les derniers e-mails, papa. J'étais en voyage scolaire à Cleveland. Barbant. Hier soir, je suis allée dans ton bureau, j'ai trouvé un vieux plan de Paris et j'ai cherché où tu habites. "Rue de Paradis"... J'aime bien ce nom. J'ai dû faire très attention, parce que maman m'a interdit ton bureau où Gardner ne s'est pas encore installé... »

Gardner. Gardner Robson. L'homme qui a contribué à ma chute, et à éloigner Susan de moi. À la seule lecture de son prénom sur l'écran, je me suis cramponné à la chaise en vinyle, combattant la fureur qui montait en moi. Il n'avait pas encore pris possession de mon bureau à la maison... Pourquoi, alors qu'il m'avait volé tout le reste ? J'ai continué ma lecture : « C'est très difficile, de vivre avec Gardner. Tu sais que c'est un ancien militaire de l'US Air Force, et il n'arrête pas de me dire que tout doit être "tip-top". Si j'oublie un pull sur la rampe ou que je n'aie pas le temps de refaire mon lit le matin, c'est pas "tip-top" ! Tant qu'on agit comme il veut, ça va, et maman a l'air "foooolle" de lui, mais comme beau-père, je ne sais pas, je ne suis pas totalement convaincue. Je trouve que ce serait trop cool, de venir te voir à Paris, mais maman ne me laissera jamais… Et puis je continue à me poser des questions sur ce que tu as fait. Maman dit que tu voulais te séparer d'elle… »

Quoi ? Elle fréquentait Robson bien avant que ma scandaleuse affaire ne fasse les gros titres, et elle m'avait claqué la porte au nez chaque fois que je la suppliais de m'accorder une seconde chance. Comment avait-elle pu déformer à ce point la réalité et enfoncer ce mensonge dans la tête de notre fille ? Avec cette version des faits, Megan ne pouvait que croire que j'avais voulu la rejeter, elle aussi.

Je repris ma lecture :

« … et que c'est pour ça que tu l'as trompée avec ton étudiante, et qu'ensuite tu t'es enfui à l'étranger quand le scandale a éclaté. Est-ce que c'est vrai ? J'espère que non.

« Ta fille,

« Megan. »

J'ai abattu mon poing sur la table avec une telle violence que le serveur au comptoir a levé la tête, stupéfait.

— Pardon, ai-je marmonné.

— Mauvaises nouvelles, aujourd'hui ?

— Très.

Sans perdre un instant, j'ai rédigé ma réponse. Tout en reconnaissant mes erreurs et mes faux pas, j'ai expliqué à Megan que c'était sa mère, et elle seule, qui avait exigé la séparation, et que les torts étaient pour le moins partagés. J'ai souligné que le plus grave, le plus destructeur, pour moi, était d'avoir été éloigné de force de ma fille. Après réflexion, j'ai ajouté un post-scriptum l'enjoignant à la prudence : « Il est très important que tu évites de parler de tout ça avec ta mère. Si tu commences à lui poser des questions sur ce qui s'est réellement passé, sur qui de nous deux voulait le divorce, elle aura des soupçons et se demandera si nous correspondons, toi et moi. Je regrette cette mise en garde mais je ne voudrais surtout pas ne plus être en contact avec toi. »

Après avoir envoyé mon e-mail, je me suis tourné vers le responsable du local.

— Encore pardon de m'être emporté comme ça.

— Vous n'êtes pas le premier. Plein de mauvaises nouvelles transitent par ici. Vous en aurez peut-être de bonnes demain.

Il avait raison : à mon retour au cybercafé l'après-midi suivant, j'ai trouvé la réponse de Megan. Tout en reconnaissant qu'elle restait perplexe (« Qui dit la vérité, de vous deux ? »), elle était soulagée de lire que je n'avais jamais voulu les abandonner. Elle concluait : « Ne t'inquiète pas à propos de maman. Elle ne saura pas qu'on s'écrit. Continue à m'envoyer des e-mails, d'accord ? Ils me plaisent beaucoup. Je t'aime. Megan. »

Ce « Je t'aime » n'était pas seulement une « bonne nouvelle », mais ma première lueur d'espoir depuis le début de ce cauchemar. J'ai répondu sur-le-champ :

« Megan chérie,

« Le plus vital, ce n'est pas de décider qui dit la vérité, mais de rester proches l'un de l'autre, toi et moi. Comme je te l'écrivais hier, je suis convaincu que nous allons nous revoir très bientôt.

« Je t'aime.

« Papa. »

C'était un vendredi, et je n'ai donc pas été surpris qu'elle ne se manifeste pas pendant les deux jours suivants. Moi-même, j'évitais de lui envoyer des e-mails pendant les week-ends, sachant qu'elle avait un ordinateur dans sa chambre et que sa mère ou Robson pourraient la surprendre en train de m'écrire. Excès de précaution ? Peut-être, mais je ne voulais en aucune manière compromettre le seul lien qui me restait avec ma fille, ni lui causer le moindre problème. Par conséquent, j'ai résisté encore une fois à la tentation de lui écrire et je me suis limité à ma routine habituelle : lever à huit heures, quelques courses, travail, pause déjeuner, cinéma, retour à minuit, tisane et somnifère, puis l'inévitable réveil en sursaut quand Omar rentrait à deux ou trois heures, complètement beurré, et pissait bruyamment dans les toilettes. Chaque jour, je remerciais en silence le médecin de l'hôtel de m'avoir prescrit cent vingt comprimés de Zopliclone, ce puissant calmant qui me permettait chaque fois de retrouver le néant après cette déplaisante interruption.

Et tous les matins, la même charmante surprise m'attendait : Omar avait transformé les W-C en porcherie. Après des semaines de résignation, j'en ai eu soudain assez de nettoyer après lui. C'était le lendemain du jour où j'avais reçu le dernier e-mail de Megan, et la flaque d'urine laissée sur le sol m'a projeté à la porte de mon voisin tel un diable à ressorts. J'ai tambouriné sur le battant. Il m'a ouvert au bout d'une minute. Il était en caleçon douteux et tee-shirt de l'AC Milan tendu sur son énorme bedaine. Il semblait à moitié endormi.

— Quoi ?

— Il faut que je vous parle.

— Parle quoi ? Pourquoi ?

— À propos de l'état dans lequel vous laissez les toilettes.

— Je laisse les toilettes quoi ? a-t-il fait, un certain énervement perçant dans son ton.

J'ai tenté la voix de la raison, encore une fois :

— Écoutez, nous nous en servons ensemble, de ces W-C, et donc…

— Ensemble ? a-t-il répété avec une nuance scandalisée.

— Je veux dire, nous nous en servons tous les deux, pas en même temps, bien sûr, mais…

— Tu veux qu'on aille en même temps ?

— Non. Je voudrais que vous releviez la lunette quand vous urinez. Et aussi que vous tiriez la chasse, et que vous utilisiez la brosse spéciale lorsque vous…

— Va te faire foutre, a-t-il grondé, et il m'a claqué la porte au nez.

Pas très payants, mes efforts diplomatiques : le lendemain matin, je me suis rendu compte qu'Omar s'était soulagé non seulement sur la cuvette, les murs et le sol des toilettes, mais aussi contre ma porte. Pour la première fois depuis mon installation, je me suis aventuré de nouveau dans les bureaux de Confection Sezer. Même accueil sans chaleur, même marque de réaction enjouée du grand patron :

— Vous avez un problème ? – J'ai expliqué la situation. – C'était peut-être un chat.

— Oui… Arrivé sur un tapis volant avec la vessie pleine. Non, c'était Omar.

— Vous avez des preuves ?

— Qui d'autre pisserait sur ma porte ?

— Je ne m'appelle pas Sherlock Holmes.

— Il faut que vous lui parliez.

— Si je n'ai pas de preuves qu'il est le responsable…

— Pouvez-vous envoyer quelqu'un nettoyer, au moins ?

— Non.

— Vous êtes gérant, donc…

— Nous entretenons les escaliers et les couloirs. Nous veillons à ce que les éboueurs emportent les ordures tous les jours. Mais si vous décidez de pisser contre une porte, je ne peux rien faire.

— Moi ? Je n'ai pas pissé sur cette porte !

— C'est votre version. Comme je l'ai dit, je n'ai aucune preuve.

— Ah… Laissez tomber.

Je me suis levé, mais Sezer n'avait pas terminé :

— Une dernière petite chose : j'ai eu des nouvelles d'Adnan. Ainsi qu'il fallait s'y attendre, il a été arrêté à sa descente d'avion à Istanbul, il y a quelques semaines. Il a été transféré à Ankara, où on lui a annoncé qu'il avait été condamné par contumace. Il en a pris pour quinze ans.

— Ce n'est pas ma faute.

Les mots sont sortis tout seuls. Je me serais giflé. Sezer m'a observé avec un petit sourire.

— Qui a dit que ça l'était ?

Ce jour-là, j'ai lavé ma porte, et les toilettes, et récuré une nouvelle fois la cuvette. Mais la nuit venue, après l'ultime passage d'Omar aux chiottes, j'ai été dans l'impossibilité de me rendormir. Même en cherchant une explication rationnelle à ce qui s'était passé – Adnan avait tenté le destin pendant des années avant de finir par se faire pincer –, je n'arrivais pas à me pardonner. Encore une vie démolie par votre serviteur.

Quand le sommeil ne vient pas, il n'existe qu'un seul remède : le travail. Je me suis attelé à la tâche comme un bœuf. J'ai noirci cinq feuillets avant que l'aube ne pointe. Ce n'était encore que le début de ma fresque, la page trente-cinq de ce qui devait être un très gros roman, mais mon héros, Bill, avait déjà neuf ans tandis qu'il écoutait ses parents s'entredéchirer en buvant du whisky dans leur cuisine du New Jersey. J'étais en train de terminer cette scène – et je n'étais pas mécontent du résultat, je dois dire – lorsque j'ai remarqué que de l'eau fuyait par le petit placard sous le lavabo. Une flaque s'était formée sur le lino usé. Je me suis levé. La raison de la fuite n'a pas été difficile à trouver : le tuyau de vidange avait été rafistolé avec du ruban adhésif qui avait fini par lâcher. Au fond, quelques carreaux de céramique avaient été alignés sans colle ni mortier sur le sol. J'ai repéré un rouleau de scotch plastifié noir posé sur l'un d'eux. Quand je l'ai pris pour réparer provisoirement le joint, le carreau est venu avec. En dessous, un bout de plastique dépassait. J'ai tiré dessus. C'était une pochette zippée qui avait été sommairement enfouie dans le sol. À l'intérieur, il y avait une vingtaine de rouleaux de billets de banque retenus par des élastiques. J'en ai ouvert un : des coupures de cinq, dix et vingt euros qui, après décompte, atteignaient la somme de deux cents euros. Un deuxième rouleau correspondait au même montant, un troisième… Après avoir terminé d'empiler tous les billets de banque, je me suis retrouvé devant quatre mille euros en liquide.

Des traînées de lumière étaient apparues dans le ciel noir. J'ai remis les billets dans la pochette, replacée celle-ci dans sa cachette, posé le carreau par-dessus. Avec mon couteau suisse, j'ai coupé une longueur de ruban et je l'ai enroulée autour du tuyau défaillant. Ensuite, je me suis fait un café, je me suis assis à mon bureau, les yeux levés vers la lucarne, et j'ai considéré le dilemme moral qui se présentait à moi. Il était considérable : quatre mille euros. De quoi m'assurer quatre mois supplémentaires à Paris, avec les restrictions budgétaires qui étaient déjà les miennes. Et puis, il serait tellement facile de garder ma découverte secrète, surtout avec Adnan bouclé quelque part à Ankara… Mais si j'utilisais cet argent sans rien dire, pour gagner quatre mois supplémentaires qu'arriverait-il ensuite ? Honte, culpabilité, remords. Personne ne m'accuserait : mon plus implacable juge, ce serait moi-même.

J'ai terminé mon café. Sur une page de mon calepin, j'ai griffonné quelques mots : « Cher M. Sezer,

« J'aimerais entrer en relation avec l'épouse d'Adnan afin d'avoir plus d'informations à son sujet. Auriez-vous une adresse postale ou électronique où la joindre ?

« Amicalement. »

Après avoir signé, je suis descendu déposer la note dans la boîte aux lettres de la société de Sezer, puis j'ai grimpé à nouveau dans mon pauvre nid d'aigle, j'ai déroulé le store, réglé l'alarme sur ma montre, je me suis déshabillé et j'ai enfin touché l'oreiller. Lorsque je me suis réveillé, vers une heure de l'après-midi, j'ai tout de suite remarqué un bout de papier glissé sous ma porte. Il portait quelques lignes d'une écriture en pattes de mouches : « Elle s'appelle

Mme Z. Pafnuk. Son e-mail est z.pafnuk@atta.tr. Elle sait qui vous êtes, et ce qui est arrivé. » Il n'y avait pas de signature mais j'ai tout de suite reconnu la propension de « Monsieur » Sezer à retourner le couteau dans la plaie.

Je suis parti voir un film. Quand je suis revenu dans mon quartier à la tombée de la nuit, je me suis arrêté au café Internet. Parmi d'autres e-mails sans intérêt, un message m'attendait :

« Harry,

« La bibliothécaire du lycée de Megan a remarqué qu'elle passait un temps considérable sur l'ordinateur. Sommée de s'expliquer, Megan a prétendu qu'elle faisait simplement des recherches sur Internet, mais son attitude a alerté la bibliothécaire, qui a prévenu le proviseur, qui m'a contactée en me rappelant les dangers que les adolescentes courent en correspondant avec des inconnus. À son retour à la maison, j'ai exigé qu'elle me dise la vérité. Comme elle s'y refusait, je l'ai forcée à ouvrir sa boîte e-mail devant moi, et c'est là que j'ai découvert tes messages, qu'elle avait sauvegardés.

« Tes tentatives de t'immiscer subrepticement dans sa vie, et de jouer les pères attentionnés, ne peuvent qu'inspirer le dégoût, tout comme tes lamentables efforts en vue de me faire porter le blâme. Le seul responsable de ta débâcle, c'est toi.

« J'ai eu une longue conversation avec Megan, hier soir. Je lui ai expliqué, en lui épargnant aussi peu de détails que possible, pourquoi ton étudiante s'était suicidée. Elle connaissait la majeure partie de la tragédie, puisque ses camarades de classe n'ont cessé de la tourmenter à ce sujet. Ce qu'elle ignorait, c'était le comportement abominable que tu as eu envers cette malheureuse fille. Désormais, Megan ne veut plus entendre ne serait-ce que ton nom. N'essaie pas de lui envoyer un autre de tes petits mots perfides. Je te garantis qu'elle ne te répondra pas. Je dirai même plus : si tu t'avises encore de l'importuner, je serai contrainte de demander des mesures de protection légale à ton encontre.

« Ne cherche même pas à envoyer une réponse à cette lettre. Elle serait détruite dès réception.

« Susan. »

À la fin de ma lecture, je tremblais si violemment que j'ai dû me cramponner à la tablette en bois brut qui supportait l'ordinateur. Mon « comportement abominable » ? Encore un mensonge que Robson avait fomenté dans sa campagne de diffamation contre moi. « Désormais, Megan ne veut plus entendre ne serait-ce que ton nom. » J'ai pressé mes doigts contre mes paupières pour refouler les larmes. Quand je me suis ressaisi, le regard du barbu derrière le comptoir pesait sur moi, mais il s'est vite détourné, gêné d'avoir été surpris en train d'observer un tel moment de détresse. Je me suis éclairci la voix et je suis allé au bar.

— Vous buvez quelque chose ?

— Un espresso, s'il vous plaît.

— Encore de mauvaises nouvelles ? – J'ai hoché la tête, incapable de parler. – Ça s'arrangera, peut-être...

— Pas cette fois.

Après avoir rempli ma tasse au percolateur, il l'a posée devant moi, a saisi une bouteille de scotch sous le comptoir et m'a versé un petit verre.

— Allez, buvez.

— Merci.

J'ai avalé le whisky cul sec. Après la brûlure initiale, ses effets apaisants se sont bientôt fait sentir. Une deuxième rasade a suivi. Je l'ai regardé.

— Vous parlez turc ?

— Pourquoi vous me demandez ça ?

— Parce que j'ai besoin de quelqu'un qui puisse écrire un e-mail en turc pour moi.

— Quel genre d'e-mail ?

— Personnel.

— Je ne suis pas traducteur.

— Seulement trois lignes.

J'ai senti qu'il me jaugeait, cherchait à deviner mes intentions.

— Comment tu t'appelles ? m'a-t-il soudain demandé. – Je lui ai répondu en lui tendant la main, qu'il a serrée. – Moi, c'est Kamal. Cette traduction, c'est juste trois lignes, vrai ?

— Oui.

Il a poussé un bloc-notes devant moi.

— D'accord. Écris.

Saisissant le bout de crayon posé sur la page, j'ai tracé rapidement le message sibyllin en français que j'avais déjà composé dans ma tête dans l'après-midi :

« Chère madame Pafnuk,

« Je suis le nouveau locataire de la chambre où Adnan a vécu. Je voulais savoir s'il aurait pu laisser quoi que ce soit dont il aurait besoin et que je pourrais lui renvoyer. Merci de lui transmettre mes amitiés, et encore une fois ma gratitude pour l'aide qu'il m'a apportée. Je pense souvent à lui et je serais heureux de l'aider à mon tour, si sa famille en a besoin.

« Bien à vous. »

J'ai ajouté mon adresse e-mail sous mon nom, puis j'ai tendu le bloc au barbu. Il y a jeté un coup d'œil.

— C'est plutôt sept lignes, ça, pas trois ! – Il m'a adressé un léger sourire. – Bon, tu as son adresse ? – Je lui ai donné le bout de papier qui avait été glissé sous ma porte. – D'accord. Je m'en occupe.

Il est allé s'asseoir devant un moniteur, s'est mis à taper rapidement sur le clavier. Au bout d'un moment, il a annoncé :

— Voilà, c'est parti.

— Combien je vous dois ?

— Un euro pour le café. Le whisky est offert par la maison.

— Et la traduction ?

— Rien.

— Vraiment ?

— Je le connaissais, Adnan.

— Hein ?

— Ne t'inquiète pas, a-t-il poursuivi plus bas. Je sais que c'était pas ta faute.

Mais il y a tellement de choses dont je suis coupable... J'ai été tenté d'envoyer un message à Megan mais j'ai été arrêté par l'idée que Susan mettrait sans doute sa menace à exécution et obtiendrait un ordre du juge m'interdisant tout contact avec ma fille, et que je n'aurais pas les moyens financiers de le contester, avec pour conséquence l'impossibilité de la revoir... Une voix grinçante s'est élevée en moi : « Tu continues à espérer ? Tu ne devrais pas. Sa mère est parvenue à ce qu'elle voulait, à ce que Megan te méprise pour le reste de sa vie. »

C'est le constat qui est revenu m'accabler au cours des jours suivants, journées de grisaille routinière, nuits de sommeil lourd. Chaque après-midi, j'allais vérifier mes e-mails, m'accrochant à l'idée que ma fille n'écouterait pas sa mère, finalement. Au bout d'une semaine, quelqu'un m'a écrit, certes, mais en turc : Mme Pafnuk, dont Kamal m'a traduit le texte :

« Cher monsieur Ricks,

« J'ai été contente d'avoir de vos nouvelles, et Adnan aussi. Je lui ai rendu visite hier. Il dit que c'est très dur, là où il est, mais il essaie de tenir le coup et de garder sa raison. Il m'a demandé de vous saluer et de vous transmettre ses amitiés. Il a dit aussi que vous deviez bien tout regarder dans sa chambre, parce qu'il y a un endroit où il a mis quelque chose de très important. Il a l'impression que vous l'avez déjà trouvé. Si c'est le cas, merci de me le confirmer par e-mail. Encore une fois, mon mari vous remercie pour votre aide et vous envoie son salut fraternel. »

Quand il a eu terminé de me le traduire en français, Kamal a pincé les lèvres.

— Elle a chargé l'écrivain public de son village de rédiger ça, c'est clair.

— Pourquoi ?

— Adnan m'a dit un jour qu'elle savait à peine lire et écrire. Il venait ici deux fois par semaine pour lui envoyer des messages. Il me les dictait, parce que lui-même était presque illettré.

— Donc tu es aussi écrivain public ?

— Quand on s'occupe d'un cybercafé dans un coin comme celui-ci, on finit par écrire plein d'e-mails pour les autres, oui. Mais d'ici un an, on ne sera plus là : notre bail expire dans neuf mois et le proprio va doubler le loyer, on le sait. Le quartier est en train de changer, tu comprends ? Les Français reviennent.

— Tu veux dire les Français qui ont de l'argent ?

— Oui. Les « bobos ». Les fils de riches qui rachètent tout ce qu'il y a à rénover dans le Xe. Ils font monter les prix, évidemment. Je te parie que d'ici un an et demi ce sera un restau chic, ici, ou une boutique de savons hors de prix. Dans peu de temps, les seuls Turcs que tu verras dans la zone, ce seront des serveurs.

— Et qu'est-ce que tu vas faire, toi ?

— Moi ? Survivre, comme d'habitude. Bon, tu veux répondre à son message ?

— Bien sûr.

J'ai rédigé une courte note expliquant à Mme Pafnuk que j'avais en effet trouvé ce à quoi Adnan faisait allusion, et qu'elle devait m'indiquer comment le lui transmettre. Après avoir lu ces deux lignes, Kamal m'a regardé.

— Combien d'argent tu as trouvé ?

— Comment sais-tu que c'est de l'argent ?

— N'aie pas peur. Je ne vais pas débarquer chez toi cette nuit pour te flanquer un coup de marteau sur la tête et me tirer avec.

— C'est bon à savoir.

— Alors ? C'est une grosse somme ?

— Pas mal, oui.

Il m'a observé un instant.

— Et tu es un homme d'honneur.

— Non. Pas du tout.

Deux jours plus tard, les consignes de Mme Pafnuk sont arrivées. J'étais censé envoyer le « colis » au bureau de la Western Union à Ankara. « J'irai rendre visite à Adnan dimanche et je pourrai le récupérer alors », précisait-elle. Après m'avoir traduit, Kamal a observé :

— Il y a un bureau de la Western Union boulevard de la Villette, près du métro Belleville.

— Je vais y aller tout de suite.

— Allez, dis-moi. Combien tu as trouvé ? – J'ai hésité. – D'accord, ne me le dis pas ! C'était de la curiosité, rien de plus.

— Quatre mille.

Il a sifflé entre ses dents.

— Tu dois être plein aux as, pour avoir décidé de mettre la femme d'Adnan au courant…

— Si j'étais riche, je ne vivrais pas dans une chambre de bonne rue de Paradis, tu ne crois pas ?

— C'est vrai. Donc tu es un imbécile.

J'ai souri.

— Un parfait imbécile, oui.

De retour dans ma chambre, j'ai sorti le pactole de sa cachette, puis j'ai réparti l'argent dans les poches de mon jean et de mon blouson. Je me faisais l'effet d'être un revendeur de drogue. Il était cinq heures, la nuit tombait. J'ai marché très vite, craignant que le sort ne me joue encore un mauvais tour sous la forme d'un pickpocket, le premier auquel j'aurais eu affaire à Paris, mais la chance a été avec moi. Dans le petit bureau grillagé de la Western Union, la préposée, une Africaine au visage impassible mais dont les yeux étaient pleins de soupçon, m'a regardé déballer tous les rouleaux de billets. Après avoir compté les coupures, elle m'a déclaré que les frais d'envoi en Turquie seraient de cent dix euros. Fallait-il les déduire des quatre mille ?

J'aurais bien aimé, mais j'ai déclaré :

— Non. Je paierai les frais en plus.

Ensuite, retour au cybercafé, où j'ai prié Kamal d'envoyer à Mme Pafnuk le code de transaction dont elle aurait besoin pour retirer l'argent à Ankara. Quand il a eu fini, il est passé derrière le bar et a pris une bouteille de Johnnie Walker qu'il a brandie à mon intention :

— Viens, on va boire à ton honnêteté… et à ta bêtise !

En une heure, nous avons presque éclusé la bouteille. Je n'avais pas bu autant depuis très longtemps, et je dois dire que descendre quelques verres m'a fait un bien fou. Kamal m'a raconté qu'il était né à Istanbul et arrivé à Paris avec ses parents tout jeune, trente ans auparavant.

— Ils avaient des papiers en règle, donc pas de problème avec les flics. Mais débarquer dans une école française à sept ans et à Saint-Denis, ç'a été un cauchemar. Je ne parlais pas un mot de français, heureusement, c'était le cas de plus de la moitié des gamins de ma classe. J'ai vite appris. Je n'avais pas le choix. Et maintenant, j'ai même un passeport français.

— Es-tu français pour autant ?

— Je me sens français, oui, mais les autres me considèrent toujours comme un immigré. Ici, tu restes un étranger, si tu n'es pas un « vrai » Français. C'est pas comme à Londres, où tout le monde vient d'ailleurs, même les Anglais… Ça se mélange. À Paris, non. Les Français restent avec les Français, les Nord-Africains avec les Nord-Africains, les Turcs avec les Turcs. Tant pis. C'est comme ça.

Il n'a pas donné d'autres détails sur sa vie personnelle, sinon pour mentionner au passage une épouse, deux enfants encore petits, et lorsque je lui ai demandé comment ils s'appelaient il a tout de suite changé de sujet, m'interrogeant sur ma propre vie en Amérique. Comme je faisais allusion à ma récente et catastrophique crise conjugale, il m'a interrogé d'un ton amusé :

— Et qui est l'autre femme ?

— Ah… C'est une longue histoire.

— Où est-elle, maintenant ?

— Encore une longue histoire.

— Tu ne veux pas trop en dire.

— Toi non plus.

Un petit sourire, puis :

— Bon, et à quoi tu t'occupes, à Paris ?

— Je... J'essaie de devenir écrivain.

— Ça paie, ça ?

— Tu plaisantes !

— Alors comment tu t'en sors ?

— En économisant sur tout. Mais dans un mois et demi, je serai complètement à sec.

— Et là ?

— Aucune idée.

— Tu cherches du travail ?

— Je n'ai pas de carte de séjour. C'est très difficile d'obtenir un permis de travail en France, pour un Américain.

— Tu pourrais essayer les universités, avec ton CV...

Non, je ne pouvais pas. Ils auraient demandé une lettre de référence de la faculté dans laquelle j'avais enseigné pendant dix ans, et quand ils découvriraient ce qui s'était passé...

— Ce ne serait pas facile, ai-je fini par répondre.

— Je vois... – Il a pris son paquet de cigarettes. – Donc, tu es dans une mauvaise passe, hein ?

— C'est une façon de le dire, oui.

— Et donc tu serais intéressé par un boulot ?

— Je te l'ai dit, je ne serais pas en règle avec la loi et...

— Aucune importance.

— Pourquoi ?

— Parce que le boulot auquel je pense n'est pas réglo non plus.

7

IL AVAIT L'AIR FACILE, CE « BOULOT PAS RÉGLO ».

— Une sorte de veilleur de nuit, m'a expliqué Kamal. Tu es dans un bureau, tu lis, tu écris, tu peux même apporter une radio ou une télé. Tu commences à minuit, tu finis à six heures du matin. C'est tout.

— Mais non. Il doit y avoir plus que ça.

— Rien de plus que ce que j'ai dit.

— C'est quelle genre d'activité ?

— Ça, c'est pas ton problème.

— Ce qui veut dire que c'est complètement illégal.

— Je répète, ce n'est pas ton problème.

— Came ?

— Non.

— Flingues ?

— Non.

— Traite des Blanches ?

— Non.

— Armes de destruction massive ?

— Ce n'est rien de plus qu'un... « bizness ». Et le plus simple, le mieux, pour toi, c'est que tu ignores de quoi il s'agit.

— Et si les flics se pointent ?

— Ça n'arrivera pas. Parce qu'ils ne connaissent même pas l'existence de cette petite affaire.

— Alors pourquoi est-ce que tu... ? Pourquoi est-ce qu'« ils » ont besoin d'un veilleur de nuit ?

— Parce que, point final. Mais si tu as le moindre doute, mon ami, refuse le poste. Tu dois savoir quand même que c'est payé trois cents euros la semaine de six jours.

— Quoi ? Cinquante euros la nuit ?

— T'es fort en maths, toi ! C'est un peu plus de huit euros de l'heure, oui, et il n'y a rien à faire, à part rester assis à une table et répondre à l'interphone les rares fois où quelqu'un sonne en bas. Pas plus.

Il y avait plus, évidemment. Quelque chose de très inquiétant même dans cette proposition. Quelque chose qui pouvait se révéler dangereux, ou désastreux pour ma liberté à venir, même. Je le savais bien, mais c'était l'idée, aussi déprimante que rassurante, que rien ne comptait vraiment, qui l'a emporté. Lorsqu'on a été privé de tout ce qui « comptait » auparavant, quel intérêt y avait-il à se poser trop de questions et à craindre de tomber encore plus bas ? « Rien ne compte » : quelle idée libératrice ! Et quand rien ne compte, on peut tout risquer. Surtout si l'argent vient à manquer.

— J'aimerais mieux soixante-cinq euros la nuit, ai-je annoncé.

Kamal a esquissé un léger sourire. Il savait qu'il me tenait.

— Je suis sûr que tu préférerais, oui.

— À moins, je ne pourrais vraiment pas…

— Mais si. Tu pourras très bien.

— N'en sois pas si sûr.

— Tu pourras, parce que tu es au pied du mur.

Il n'y avait pas d'hostilité dans sa voix, ni de triomphalisme suffisant, mais seulement le froid constat d'une réalité. Je suis resté silencieux. Il a rempli à nouveau mon verre. Je l'ai bu sans tressaillir, l'alcool que j'avais déjà ingurgité ayant anesthésié ma gorge.

— Arrête de te faire du souci, a suggéré Kamal en allumant une cigarette.

— Je ne pensais pas que je m'en faisais.

91

— Tu t'en fais tout le temps. Rentre chez toi, dors bien, dessoûle, et reviens demain soir à six heures. J'aurai du nouveau, à ce moment-là.

J'ai suivi ses consignes à la lettre. À mon arrivée au café le lendemain, Kamal était au téléphone mais il m'a montré d'un geste l'un des moniteurs. Il y avait un e-mail affiché envoyé par la femme d'Adnan. Après avoir raccroché, Kamal s'est approché pour me le traduire. Elle accusait réception de l'argent, disait avoir été sidérée par la somme, me remerciait avec effusion et appelait la bénédiction divine sur moi et mes proches. « Vous nous avez sauvé la vie, littéralement », écrivait-elle. J'ai pensé : « Je n'ai pas de proches. »

— Tu as fait une bonne action, a estimé Kamal, et les bonnes actions sont toujours récompensées.

— Pas toujours, non.

— T'es un cynique, toi ! Dans le cas présent, pourtant, c'est vrai : le patron a accepté de te payer soixante-cinq euros la nuit. Il n'était pas chaud, au début.

— Qui est-ce, le patron ?

— C'est une information dont tu peux te passer.

— Très bien. Je commence quand ?

— Ce soir, si ça te va…

— Parfait.

— Reviens ici à onze heures et demie. Je t'emmènerai.

— C'est loin d'ici ?

— Non.

— Comment je vais être payé ?

— Il y aura une enveloppe déposée pour toi chaque jour à treize heures. Tu pourras la récupérer après t'être reposé. Par ailleurs, le patron a dit que si tu étais prêt à bosser sept jours sur sept, il était…

— D'accord.

— Ça marche, alors.

— J'ai le droit de prendre mon ordinateur au travail ? Des livres aussi ?

— Et une radio, et tout ce que tu voudras pour t'occuper. Crois-moi, tu n'auras pas grand-chose à faire.

Après avoir laissé Kamal, j'ai descendu la rue du Faubourg-Saint-Martin, où je me suis fendu de trente euros pour un petit poste FM. De retour chez moi, j'ai dîné d'un bol de soupe en boîte, de pain et de fromage, tout en écoutant un concert Berg et Beethoven sur France Musique, puis j'ai préparé une cafetière, que j'ai bu tout entière. La nuit allait être longue.

À l'heure dite, j'étais au cybercafé avec, dans mon sac, le laptop, la radio, un bloc-notes, un crayon et *Trois Chambres à Manhattan*, de Simenon, que je lisais en français. Kamal était en train de fermer. Il s'est penché derrière le bar et m'a tendu deux bouteilles d'Évian.

— Tu vas en avoir besoin.

Après avoir vérifié que tous les moniteurs étaient éteints, il a fermé le commutateur général et nous sommes sortis sur le trottoir. Il a baissé le rideau de fer, l'a bouclé avec un énorme cadenas et m'a fait signe de le suivre dans la rue des Petites-Écuries.

— C'est pas loin à pied.

Au bout, nous avons pris la rue du Faubourg-Poissonnière, que nous avons traversée. Je connaissais bien cette partie de l'artère, tout près de chez moi ; j'avais essayé un jour un sandwich graisseux à l'échoppe grecque, sans trop de dommages pour mon système digestif, et je m'étais même offert un soir la « formule complète » à sept euros du petit traiteur asiatique voisin. Mais je n'avais pas remarqué, à côté, le passage minuscule très légèrement en retrait de la façade, si étroit qu'un passant un peu corpulent aurait eu du mal à s'y faufiler. Au fond, on aboutissait à une porte métallique, surplombée par une caméra et un spot braqués sur l'entrée, avec un interphone et un clavier à touches. Tout en pianotant dessus, Kamal m'a expliqué :

— Le code, c'est 163226. Retiens-le par cœur. Ne l'écris pas.

— Pourquoi je ne pourrais pas le noter quelque part ?

— Parce que tu ne peux pas. 1, 6, 3, 2, 2, 6, compris ?

J'ai répété les chiffres à deux reprises, pour être certain de les retenir.

La porte s'est ouverte. Nous sommes entrés dans un couloir en béton brut et éclairé par une ampoule nue. Un escalier un peu plus loin, et une autre lourde porte en acier, derrière laquelle j'ai perçu comme un ronronnement de machines et, par intermittence, des voix étouffées, peut-être ? Comme je tendais l'oreille, Kamal a posé une main sur mon épaule.

— Monte.

Une troisième porte, verrouillée par deux serrures à clés différentes et qu'il a dû pousser vigoureusement pour que nous puissions pénétrer dans une pièce exiguë, elle aussi en béton. Trois mètres sur trois, pas plus. Un vieux bureau et une chaise en fer, c'était tout ce qu'il y avait, à part un petit écran de vidéo en circuit fermé posé sur la table. L'image, neigeuse, était celle de l'entrée de l'immeuble. Un mini haut-parleur et un petit clavier. Pas de fenêtres, seulement deux portes, l'une conduisant à des toilettes à la turque, l'autre en bois fermée par un loquet. Un vieux radiateur n'arrivait pas à réchauffer ces lieux plus que déprimants.

— Quoi, vous voulez que je travaille là-dedans ? me suis-je indigné.

— C'est toi qui décides.

— C'est un trou à rat, un trou à rat glacial, sans lumière.

— Tu peux augmenter le thermostat du radiateur, si tu veux.

— Ça ne suffira pas !

— Bon, tu n'auras qu'à acheter un convecteur électrique.

— Et une lampe de bureau.

— D'accord ! Alors, tu commences ce soir ?

J'ai jeté un regard circulaire sur la pièce, en me disant : « Il cherche un raté pour un boulot de raté. Il a bien vu que tu étais le candidat idéal. »

— OK. Mais j'ai besoin d'argent liquide pour acheter de la peinture et des trucs, demain.

— Si tu veux peindre cette pièce, tu devras le faire pendant tes heures de travail.

— Ça me va. Mais quoi, personne ne s'en sert pendant la journée ? Il n'y a pas de gardien le jour ?

— Ce n'est pas ton problème. – Exhibant de sa poche une liasse de billets volumineuse, il en a extrait trois de cinquante euros qu'il m'a tendus. – Ça devrait suffire. Mais garde les reçus, hein ? Le patron n'aime pas les dépenses inutiles. – Il a allumé une cigarette. – Je t'explique comment ça marche. Tu arrives tous les soirs à minuit, tu entres, tu refermes à double tour toutes les portes derrière toi, tu t'installes et tu fais ce qui te chante pendant les six heures suivantes, mais toujours en gardant un œil sur ce moniteur. Si tu vois quelqu'un traîner dans le passage, tu tapes 22 sur le clavier ; ça alertera les gens concernés et ils prendront les mesures nécessaires. Si un visiteur se présente, il sonnera à l'interphone et tu l'entendras dans le haut-parleur. Il te suffit de dire : « Oui ? » Rien de plus. S'il est attendu, il répondra exactement de cette façon : « Je viens voir M. Monde. » Dans ce cas, tu appuies sur la touche « Entrée », ici, ce qui lui ouvrira la porte. Ensuite, tu tapes 23, ce qui préviendra les gens en bas que quelqu'un de fiable vient les voir.

— Et qu'est-ce qu'ils feront, les gens d'en bas ?

— Ils accueilleront la personne. Maintenant, si tu obtiens une réponse différente, n'importe laquelle, tu dois taper 24. Pour toi, c'est un message d'alerte, rien de plus. Tu n'as pas à te soucier du reste.

— On dirait qu'ils ont peur d'être dérangés, tes « gens d'en bas » !

— Je te le répète une dernière fois, mon ami : ce qui se passe au rez-de-chaussée, ce ne sont pas tes oignons. Ni maintenant ni jamais. Crois-moi, c'est mieux ainsi.

— Et en admettant que ce soit la police qui sonne ?

— Très simple. – Il est allé à la porte proche de celle des toilettes, a repoussé le loquet. – Elle n'est jamais verrouillée de ce côté-ci, mais de l'autre elle possède une serrure costaud. Si tu vois des flics sur l'écran, tu t'en vas par là. Ça te donnera toute l'avance nécessaire, le temps qu'ils fracassent le battant. Tu descends les marches, tu te retrouves dans un sous-sol où il n'y a qu'une sortie. Tu fais deux pas dehors et tu es rue Martel. Les flics ne penseront jamais à chercher par là...

— C'est de la folie ! ai-je laissé échapper à voix haute.

— Alors n'accepte pas.

— Tu dois me promettre que ce qui se passe en bas n'est pas moralement répréhensible...

— Il n'y a pas de violence gratuite, non, m'a-t-il coupé.

Je n'étais pas certain de comprendre entièrement sa repartie en français mais je savais par contre que je devais accepter ou refuser sur-le-champ.

— Je n'aurais jamais à rencontrer qui que ce soit ?

— Tu arrives à minuit, tu t'en vas à six heures. Tu ne bouges pas de cette pièce. Tu observes les gens sur l'écran mais eux ne te voient jamais. C'est simple, propre, sans surprise.

— Entendu. Je marche.

— Bien.

Après m'avoir fait répéter les différentes combinaisons que je devais former en cas de besoin, il m'a remis un trousseau de clés en me fixant dans les yeux.

— Une dernière petite chose. Tu ne viens ici sous aucun prétexte avant minuit. Dès qu'il est six heures tu te dépêches de t'en aller. Sauf dans le cas où tu verrais des flics, tu ne pars jamais avant six heures.

— Ou quoi ? Je me transforme en citrouille ?

— Ouais, un truc dans ce genre... On est d'accord ?

— D'acc.

— Tout est clair, donc ?

— Oui, ai-je menti. Parfaitement clair.

8

LA PREMIÈRE NUIT S'EST DÉROULÉE SANS ENCOMBRE. Après avoir branché mon ordinateur portable, je me suis forcé à travailler à la lueur blafarde de l'unique ampoule. Cinq cents mots au moins. J'ai tourné le thermostat du radiateur mais, comme je m'y attendais, ça n'a servi à rien. J'ai bu les deux litres d'Évian. J'ai utilisé les toilettes plusieurs fois, en remerciant le ciel de ne pas avoir à déféquer dans cette position impossible, accroupi au-dessus de ce trou nauséabond. J'ai lu une partie du roman de Simenon, ce récit noir et sobrement écrit à propos d'un acteur français qui tente de surmonter la fin de son mariage en se perdant dans la vie nocturne du New York des années cinquante. Vers quatre heures, j'ai commencé à dodeliner de la tête et je me suis endormi sur ma chaise. Je me suis réveillé en sursaut, terrorisé à l'idée d'avoir manqué quelque chose sur l'écran. Mais je n'ai rien vu d'autre qu'une lumière éblouissante masquer la porte d'entrée, une image tellement grenée qu'elle paraissait venir d'une autre époque. C'était comme si je regardais le passé au bas de ces escaliers…

J'ai lu encore quelques pages, luttant contre le sommeil et l'ennui. J'ai dressé une liste de ce que j'allais acheter dans l'après-midi pour rendre cet endroit un peu moins déprimant. J'ai consulté cent fois ma montre, attendant avec impatience ma délivrance, à six heures. Le moment venu, j'ai déverrouillé la porte, éteint la lumière, reverrouillé derrière moi et appuyé sur l'interrupteur de l'escalier ; en bas, je me suis arrêté quelques secondes, guettant un bruit derrière le battant en acier. Rien. J'ai ouvert la porte d'entrée. Dehors, il faisait toujours sombre. L'humidité ambiante a encore aggravé l'impression que j'avais d'être glacé jusqu'aux os après tout ce temps passé dans un cube en béton mal chauffé. J'ai refermé la porte, et regardé de tous côtés en m'assurant que personne ne m'attendait pour me frapper avec une batte. Rien à signaler, ni policiers, ni gros bras en parka et cagoule prêts à me régler mon compte. La rue du Faubourg-Poissonnière était déserte. J'ai tourné à gauche et marché jusqu'à une petite boulangerie de la rue de Montholon. Cela faisait un détour pour rentrer chez moi mais tant pis. J'étais affamé. J'ai acheté une baguette et deux pains au chocolat. J'en ai dévoré un en revenant à ma chambre. Une fois chez moi, j'ai tenté de me débarrasser du froid qui me glaçait les os en prenant une douche brûlante. Après avoir enfilé un bas de pyjama et un tee-shirt, je me suis préparé un bol de chocolat chaud qui m'a paru délicieux, j'ai descendu le store, réglé le réveil sur deux heures et je me suis glissé sous la couverture.

J'ai dormi comme une souche. C'était étrange, de se réveiller en plein après-midi et de se dire qu'on ne reverrait plus son lit avant six heures du matin le lendemain. Mais j'avais à faire : dix minutes plus tard, je dévalais les escaliers. Au cybercafé, une enveloppe avait été déposée pour moi, comme convenu, avec soixante-cinq euros à l'intérieur. J'ai été soulagé : mon côté paranoïaque m'avait fait craindre de ne pas être payé du tout.

— Où est Kamal ? ai-je demandé au garçon qui se tenait derrière le bar, la vingtaine, l'air buté, avec une grande barbe et la marque sur le front significative du musulman pratiquant qui se prosterne au sol cinq fois par jour en direction de La Mecque.

— J'en sais rien.

— Dites-lui que j'ai récupéré l'enveloppe et que je le remercie.

Arrêt suivant : une droguerie du Faubourg-Poissonnière, où j'ai acheté deux grands pots de peinture blanche et un petit de laque de la même couleur, une paire de rouleaux, un pinceau plat et une bouteille de white spirit. J'aurais préféré déposer le tout à mon « bureau » mais je n'avais pas oublié la consigne – « jamais avant minuit » – et j'ai donc fait deux voyages pour monter mes emplettes dans ma chambre. Ensuite, je suis retourné chez le Camerounais qui m'avait vendu tout mon équipement ménager et qui m'a cette fois cédé un radiateur électrique pour la somme plus que raisonnable de trente euros.

Apporter mon barda à mon lieu de travail ne fut pas une tâche facile. Venu en repérage vers onze heures du soir, j'ai remarqué, à l'entrée du passage, une sorte de renfoncement dans le mur, pour l'heure rempli d'ordures et de déjections animales. Parfait. Je suis revenu avec les deux pots de peinture et de vieux journaux dont j'ai tapissé le trou, ne voulant pas que mon matériel de peintre se retrouve maculé de merde de rat. La puanteur était insupportable, mais personne ne penserait à mettre son nez là-dedans. Encore deux voyages et tout ce dont j'avais besoin a été stocké sur place. Ensuite, je suis entré dans un bar miteux de la rue de Paradis pour siroter une bière en attendant minuit. Derrière le vieux comptoir en zinc officiait une femme en jean moulant, flanquée d'un type arborant des tatouages menaçants. À côté du juke-box diffusant du mauvais rock français, trois consommateurs observaient un silence morose autour de l'une des tables en Formica écaillé. Un colosse en équilibre instable sur un tabouret du bar était avachi sur un verre contenant un liquide laiteux – pastis ? raki ? Bailey's ? Il a relevé la tête quand je me suis approché et que j'ai commandé une bière. C'était Omar, complètement soûl. Il lui a fallu un moment pour que ses yeux m'identifient, puis il a commencé sa diatribe, d'abord en anglais – « Fucking

American, fucking American, fucking American… », avant de passer à son français si châtié : « L'aime pas ma façon de chier, le con ! » Sortant un passeport français de sa poche, il l'a brandi en beuglant : « Tu peux pas me faire expulser, connard ! » L'instant d'après, il marmonnait en turc. Je me suis hâté de finir ma bière avant qu'il ne devienne trop agressif mais il s'est tu, brusquement. Lorsque j'ai osé lui jeter un coup d'œil, j'ai vu qu'il avait posé son énorme tête sur le comptoir et qu'il était ivre mort. Sans me consulter, la femme m'a versé une deuxième pression.

— S'il vous déteste, c'est que vous devez être quelqu'un de bien, a-t-elle commenté. C'est un con !

Après l'avoir remerciée, j'ai regardé ma montre. Minuit moins sept. J'ai vidé mon verre en trois gorgées et je suis sorti. À l'heure dite, j'ai composé le code sur le panneau d'entrée et, bloquant le battant, je me suis dépêché de sortir tout mon matériel de la cachette. Ignorant le ronronnement mécanique audible derrière la porte au fond du couloir, j'ai fait de rapides allées et venues dans l'escalier. En moins d'une minute, je m'étais bouclé à l'intérieur du bureau, équipé pour la nuit. J'ai branché le radiateur électrique, allumé mon poste de radio sur Paris Jazz. Un rapide coup d'œil sur le moniteur de vidéosurveillance, puis j'ai ouvert le premier pot de peinture et je me suis mis à l'ouvrage.

Les heures se sont à nouveau écoulées sans surprise. J'ai passé deux couches dans toute la pièce, m'interrompant de temps à autre pour m'assurer que la caméra ne captait rien de suspect à l'entrée. Quand il a été six heures moins le quart à ma montre, je me suis dit qu'aucune peinture ne pourrait jamais rendre attrayants ces murs en béton grumeleux, mais que ma deuxième nuit s'était déroulée sans encombre.

J'ai rangé mon matériel, rincé les rouleaux et le pinceau dans le lavabo. Dehors, j'ai aspiré l'air relativement frais de Paris tout en me rendant d'un bon pas à ma boulangerie.

Deux pains au chocolat et une baguette, comme la veille, et ensuite la douche, le bol de chocolat chaud, un cachet de Zopiclone, sept heures de néant...

Les deux nuits suivantes, j'ai terminé de peindre les murs, poncé et laqué les encadrements de porte. Reparti à six heures, j'ai jeté les pots vides et le reste dans le renforcement du passage. Après ma sieste, je suis passé prendre mon enveloppe au cybercafé. Pour la troisième fois consécutive, c'était le dévot barbu qui tenait la boutique.

— Toujours pas de Kamal ? ai-je lancé.

— Il est en voyage.

— Ah ? Il ne m'avait rien dit...

— Problèmes familiaux.

— Il y a un téléphone où je pourrais le joindre ?

— Pour lui dire quoi ?

— On s'entendait bien, tous les deux. S'il a des soucis, j'aimerais pouvoir...

— J'ai pas son numéro.

C'était net et sans appel. J'ai pris l'enveloppe.

— Je dois acheter encore quelques trucs pour le bureau. Vous pouvez transmettre un message au patron ?

— Quel message ?

— Il faudrait un petit frigo, et une bouilloire électrique. J'aimerais bien un tapis, aussi, parce que le froid monte du sol et...

— Je lui dirai, m'a-t-il interrompu, et il a entrepris de frotter le comptoir avec un torchon, me signifiant que la conversation était terminée.

À mon arrivée au travail le soir, j'ai vu qu'un petit frigo, un peu rouillé et cabossé mais en état de marche avait été installé dans un coin de la pièce. La bouilloire électrique posée dessus était neuve, elle. L'eau a été prête en moins d'une minute, mais je n'avais apporté ni thé ni café. Même s'il n'y avait pas de tapis, ces modestes améliorations prouvaient que mon mystérieux employeur était prêt à répondre à certaines de mes requêtes.

À une heure quarante-huit, très précisément, ma routine s'est trouvée soudainement bouleversée : un visiteur s'est présenté. La sonnerie du téléphone sur la table m'a fait sursauter. Abandonnant le livre de Simenon que j'étais en train de lire, j'ai vu sur l'écran un homme d'un âge indéfinissable, l'image étant trop floue pour que je puisse distinguer ses traits. Tendu, j'ai saisi le combiné.

— Oui ?

Une voix rauque m'a répondu. Le français n'était pas sa langue maternelle, de toute évidence, mais il a prononcé distinctement :

— Je viens voir M. Monde.

J'ai appuyé sur « Entrée ». J'ai entendu le déclic électrique en bas, puis la porte se refermer lourdement. Ensuite, j'ai composé le 23 : le chiffre prévenant mes invisibles « voisins » qu'ils avaient une visite amicale. Des bruits de pas dans le couloir. La porte du fond a été ouverte, et close. Ensuite, silence complet. Même si j'ai surveillé attentivement le moniteur, je n'ai pas vu l'homme repartir jusqu'à la fin de ma vacation.

Quelques jours plus tard, un tapis avait fait son apparition. J'ai commencé à apporter mon ordinateur portable toutes les nuits et je me suis remis à mon roman. Comme il n'y avait rien à faire, dans mon étrange travail, j'ai pu me concentrer sur l'écriture, revenant à mon quota de mots quotidiens. Certes, une nuit, il y a eu pas moins de quatre visiteurs qui ont demandé à voir M. Monde, mais chaque fois la procédure d'admission ne m'a demandé que quelques secondes.

Un mois est passé. Mars est arrivé. Le ciel nocturne était plus clair, maintenant, les journées encore froides mais moins grises. Si j'avais été dans mon état normal, j'aurais fait le constat suivant : « Tu en es à cinq semaines de boulot et tu n'as pas pris un seul jour de congé. » Sauf que je continuais à fonctionner dans un état second, comme sur pilotage automatique, chacun de mes actes – travailler, dormir, récupérer mon enveloppe, voir un film, travailler à nouveau – se répétant avec une régularité hypnotisante. Sortir de cette routine risquait de me donner le temps de réfléchir, et si je commençais à trop penser...

Et puis il s'est passé quelque chose, quelque chose de déstabilisant. Un soir, de retour de la Cinémathèque avant de me rendre au travail, je sirotais une bière au petit bar de la rue de Paradis quand j'ai pris un numéro du *Parisien* abandonné sur une table et je me suis mis à le feuilleter distraitement. Une photographie en bas de la page cinq a retenu mon attention, accompagnée de la légende suivante : « Retrouvé mort à Saint-Ouen. » Je connaissais ce visage. C'était celui de Kamal, que je n'avais pas revu au cybercafé depuis longtemps. Je me suis hâté de lire le court article : « Le corps de Kamal Fatel, 32 ans, résidant rue Carnot à Saint-Ouen, a été retrouvé hier soir dans une poubelle près du boulevard périphérique. Selon les enquêteurs, le cadavre, en état de décomposition avancé, a pu être identifié grâce à l'analyse de sa dentition, mais la date et les causes du décès restent encore inconnues. L'inspecteur Philippe Faure, du commissariat de Saint-Ouen, a indiqué que l'épouse de Fatel pensait que celui-ci se trouvait en visite dans sa famille en Turquie. Né en 1973, Fatel résidait en France depuis 1980 et dirigeait un "café Internet" rue des Petites-Écuries. »

Attrapant le journal, je me suis rué au cybercafé. Le barbu était à son poste. J'ai étalé la page sur le comptoir devant lui.

— Vous avez vu ça ?

Il est resté de marbre.

— Oui, j'ai vu.

— Quoi ? C'est tout l'effet que ça vous fait ?

— Ce matin, j'ai été un peu étonné en apprenant la nouvelle.

— « Un peu étonné » ? Il est mort, bon sang !

— Comme sa femme, je pensais qu'il était en Turquie, mais...

103

— Qui a fait ça ?

— Comment je le saurais ? Je travaillais avec Kamal, c'est tout. C'était pas un ami.

— Il avait des ennuis ? Quelqu'un lui voulait du mal ?

— Encore des questions auxquelles je ne peux pas répondre. Je connaissais pas sa vie, moi.

J'ai bien vu qu'il mentait, ne serait-ce qu'à la manière qu'il avait d'éviter mon regard. Il mentait, ou il cherchait à me cacher sa nervosité. Sans y parvenir.

— Il va y avoir un enterrement ?

— En Turquie, oui.

— Ah ? Ça, vous le savez ?

Il a tiqué, comprenant qu'il venait de se trahir.

— Une supposition, c'est tout. – Il s'est levé. – Bon, je dois fermer.

— J'ai le temps de regarder mes e-mails ?

— Non.

— Cinq minutes, pas plus.

— Pas plus.

M'installant devant un écran, j'ai ouvert mon compte AOL. La signature de l'un des messages m'a presque fait bondir. Doug Stanley, mon ex-collègue.

« Harry,

« Pardon d'avoir gardé le silence pendant tout ce temps. Comme je n'ai jamais essayé de baratiner les amis, et que je ne vais certainement pas commencer aujourd'hui, tu ne m'en voudras pas d'aller à l'essentiel, dans ce message.

« Depuis que le soufflé est retombé ici, Susan et Robson se sont ouvertement affichés en tant que couple. Leur version, c'est que Susan a été tellement affectée par le scandale que Robson s'est senti obligé de la réconforter, et qu'ils sont devenus... proches, bel euphémisme, non ? Tout le monde sait qu'ils fricotaient ensemble bien avant ça, mais bon... Et c'est vrai, je me rends compte que j'aurais dû te prévenir à leur sujet bien avant, que tu aurais sans doute pu te défendre autrement mieux si tu avais été au courant de ce qui se passait entre eux. Je regrette, sincèrement.

« Il faut aussi que tu saches que Robson raconte sur tout le campus que tu vis comme un clochard à Paris. Le pire, c'est qu'il prétend que c'est Megan qui lui a refilé l'info. D'après lui – et je sais que c'est faux, bien entendu –, tu as bombardé ta fille d'e-mails dans lesquels tu gémissais sur ton pauvre sort en essayant de faire porter la responsabilité sur Susan. C'est tellement gros, et tellement révoltant, que je me retiens de lui démolir le portrait chaque fois que je l'entends colporter ces saletés sur ton compte, mais je ne te fais pas de dessin, c'est le doyen tout puissant de la faculté et donc personne ne fait le poids devant lui, surtout quand on n'est qu'un maître-assistant comme moi...

« J'ai beaucoup hésité à te mettre au courant de toute cette nullité, avant de décider qu'il est toujours préférable de connaître la vérité. Si j'ai un conseil à te donner, c'est de tourner la page, d'oublier ces tristes individus et de continuer à Paris en étant sûr que les choses finiront par s'arranger... si elles vont aussi mal que Robson le prétend, évidemment. Une bonne nouvelle en provenance de notre trou dans l'Ohio, cependant : Robson a finalement décidé que la faculté ne porterait pas plainte, sans doute parce qu'il a compris qu'il ne gagnerait rien en continuant à s'acharner contre toi.

« J'imagine que c'est extrêmement dur pour toi de ne plus voir Megan, mais je t'assure qu'elle finira par changer d'attitude. Ça prendra du temps mais un jour elle voudra revoir son père.

« Dis-moi si je peux t'aider d'une manière ou d'une autre. Si tu es fauché, je serai ravi de t'envoyer mille dollars dès demain à la première heure. J'aimerais faire plus, mais tu connais la situation des enseignants du supérieur dans l'Amérique profonde. N'empêche, je n'aimerais pas te savoir dans la mouise complète.

« Bon courage, comme disent les Français.

« Amitiés,

« Doug.

« P.-S. : As-tu séjourné dans cet hôtel du XVIe que je t'avais conseillé ? Des amis qui étaient récemment à Paris m'ont raconté qu'ils ont eu affaire à un sale type à la réception… »

« "Elle finira par changer d'attitude"… J'en doute, Doug, ai-je pensé. Susan et son nouveau chevalier servant l'ont tellement montée contre moi… qu'elle ne m'enverra plus aucun e-mail. » À côté de cette terrible réalité, les petits agissements de Robson paraissaient presque dérisoires. Que les gens croient que j'étais tombé dans le caniveau n'avait aucune importance. Et puisque c'était en effet le cas… C'est ce que j'ai expliqué en gros dans ma réponse rapide à Doug. Je l'ai informé aussi que j'avais temporairement renoué le contact avec Megan, et qu'elle en avait été heureuse, mais que sa mère avait réaffirmé plus que jamais sa volonté de m'ostraciser. Après avoir décrit en quelques lignes ma situation parisienne, ma chambre de bonne, mon boulot de veilleur de nuit et l'écriture de mon roman, et l'avoir remercié de son offre d'aide financière – « Je devrais pouvoir m'en tirer » –, je lui ai confirmé que l'hôtel en question n'était en effet plus à recommander

J'ai envoyé le message et je me suis dépêché d'ouvrir le site du *New York Times*, juste pour avoir quelques nouvelles fraîches du pays. Peu après, la fenêtre d'alerte des nouveaux messages a clignoté. Entre deux cours, Doug était tombé sur ma réponse, et il ajoutait maintenant : « Au cas où tu te sentirais seul, ou simplement si tu ne sais pas quoi faire un dimanche soir, tu devrais essayer l'une de ces soirées où les "expatriés" aiment à se retrouver. Il y a celles de Jim Haynes, un vieux copain à moi qui reçoit plein de gens intéressants dans son atelier d'artiste du XIVe arrondissement. Si tu veux essayer quelque chose de moins conventionnel, fais un tour à l'une des soirées de Lorraine L'Herbert. C'est une fille de

Louisiane, enfin, par "fille" j'entends quelqu'un qui a la soixantaine bien sonnée ! Mais depuis qu'elle est arrivée à Paris dans les années soixante-dix, elle anime un salon très couru. Ça se passe tous les dimanches soir, dans son appartement cossu du Panthéon. Elle n'invite pas les participants, ce sont eux qui s'invitent. Je te donne le numéro de téléphone à appeler. Si on te demande comment tu l'as eu, n'hésite pas à donner mon nom. Mais on ne te posera pas la question, tu verras.

« Donne-moi de tes nouvelles, je compte sur toi.

« Amitiés,

« Doug. »

À quelques mètres de là, le barbu a toussoté bruyamment avant d'articuler :

— Je ferme, j'ai dit.

J'ai juste eu le temps de noter le téléphone de Lorraine L'Herbert sur un bout de papier et de le fourrer dans ma poche. Je ne me voyais pas du tout dans un appartement stylé du Ve à faire des ronds de jambe avec des compatriotes qui s'autocongratulaient sur leurs vies fabuleuses, mais ma culpabilité légendaire m'a soufflé que je devais bien à Doug, l'un des très rares êtres humains à ne pas avoir honte de se dire mon ami, de suivre ses conseils. Le barbu a une nouvelle fois toussé.

— D'accord, d'accord, j'y vais !

Au moment où j'allais passer la porte, il m'a lancé de sa place :

— C'était un idiot, Kamal.

— Pourquoi ?

— Parce qu'il s'est fait avoir.

Sa remarque résonnait encore en moi les jours suivants, lorsque j'ai épluché *Le Parisien* et *Le Figaro* – dont la page de faits divers était bien fournie – à la recherche de détails sur la mort de Kamal. Rien. Un soir que je demandais au barbu s'il avait appris du nouveau, il a répondu d'un ton distant :

— On dit que c'est un suicide, maintenant.

— Où vous avez entendu ça ?

— Ici et là.

— Dans le quartier ?

— Ici et là.

— Un suicide… Et comment il s'y est pris ?

— Il s'est ouvert la gorge.

— Il s'est… Vous voulez que je gobe ça ?

— C'est ce qu'on dit.

— Il s'est ouvert la gorge en marchant dans la rue, et ensuite il s'est jeté tête la première dans une poubelle. C'est ça ?

— Je fais que répéter.

— Répéter la version de qui ?

— C'est pas important.

Et il a battu en retraite dans l'arrière-boutique.

Pourquoi est-ce que je ne suis pas parti, sur-le-champ ? Pourquoi est-ce que je n'ai pas pris mes cliques et mes claques avant d'aller me faire oublier dans une rue encore plus sordide, dans un logement encore meilleur marché ? Pourquoi est-ce que je n'ai pas réagi, continuant à attendre que mes ressources finissent par s'épuiser et que… Quoi ? Qu'est-ce que j'attendais, d'ailleurs ?

C'est la question que je ruminais plus tard devant une pression au bar de la rue de Paradis. Celle-là, et une autre : est-ce que la serveuse serait libre ? En observant malgré moi la courbe de ses hanches, le creux entre ses seins que révélait son tee-shirt à col en V, j'ai eu envie de baiser, ce qui ne m'était pas arrivé depuis des lustres, depuis le moment où Susan m'avait jeté de la maison, de sa vie, de tout. Ce n'est pas que je n'aie eu aucun désir sexuel, pendant tout ce temps, mais la conscience de mes échecs et le poids de mes remords m'avaient incité à penser qu'une relation un tant soit peu intime avec une femme m'entraînerait dans un voyage dangereux… Cependant, il ne faut jamais sous-estimer la libido… surtout lorsqu'elle a été stimulée par quelques bières.

La serveuse a surpris le regard affamé que je laissais peser sur elle à mon insu. Elle a souri, puis m'a montré d'un bref signe de tête le gros type tatoué qui tenait le bar avec elle et qui à cet instant nous tournait le dos, occupé à préparer un croque-monsieur sur le gril. Son geste disait : « Je suis prise », mais son sourire paraissait ajouter : « Hélas ! » ou du moins c'est ce que j'ai voulu croire. De la même manière, je voulais croire que Kamal s'était « fait avoir » parce qu'il avait des dettes, ou parce qu'il s'était retrouvé dans une histoire de drogue qui avait mal tourné, ou parce qu'il avait pioché dans la caisse du cybercafé, ou parce qu'il avait trop regardé la femme de quelqu'un, ou parce que… Une dizaine de scénarios s'offrait à mon esprit, ainsi qu'une conclusion de plus en plus insistante : « Souviens-toi que Kamal t'a recommandé de ne pas te poser de questions quand il t'a proposé ce boulot : Excellent conseil. Alors tu vas finir ta bière et tu vas bouger. Il est presque minuit, non ? L'heure d'aller bosser. »

Plus tard cette nuit-là, un bout de papier s'est échappé de mon agenda quand je l'ai ouvert. Le numéro de téléphone de Lorraine L'Herbert. Je l'ai regardé un long moment, en pensant : « Qu'est-ce que tu risques ? Ce n'est qu'une soirée, après tout… »

— Ce n'est pas une soirée, a corrigé le bonhomme prétentieux qui a répondu chez L'Herbert lorsque je me suis décidé à appeler le lendemain après-midi, c'est un salon.

C'était un Américain à la voix légèrement nasillarde et ouvertement pédante. « Merci pour la nuance sémantique, mon pote », ai-je pensé.

— Oui… Et vous en avez un, cette semaine ?

— Comme d'habitude, a-t-il prononcé en français.

— Je peux m'inscrire ?

— Si j'ai de la place. La liste est bien, bien remplie. Votre nom ? Et vous venez de… ?

— Je vis à Paris, mais je suis originaire de l'Ohio.

— Il y a des êtres humains dans l'Ohio ?

— La dernière fois que j'ai vérifié, il y en avait.

— Et votre domaine de compétence… ?

— Romancier.

— Chez quel éditeur… ?

— C'est en cours.

Il a poussé un soupir exténué qui signifiait : « Encore un écrivaillon raté ! »

— Bien… Comme vous le savez, la contribution individuelle est de vingt euros. En liquide, dans une enveloppe avec votre nom bien lisible dessus. Notez le code de la porte d'entrée tout de suite et ne le perdez pas, parce que nous ne répondons plus au téléphone à partir de dix-sept heures, les jours de salon. Et l'invitation n'est valable que pour une seule personne. Si vous vous présentez accompagné, l'entrée vous sera refusée.

— Je serai seul.

— Pas de cigarettes, non plus. Mme L'Herbert a le tabac en horreur. Nous tenons à ce que nos invités arrivent entre dix-neuf heures et dix-neuf heures trente. Une tenue élégante est exigée. N'oubliez pas : un salon, c'est une scène de théâtre. Des questions ?

Ouais : comment épelles-tu : va te faire foutre ?

— L'adresse, peut-être ?

Il me l'a dictée.

— Préparez-vous à briller, a-t-il recommandé pour finir. Ceux qui font des étincelles ont la certitude de revenir chez nous. Les autres…

— Oh, je suis toujours éblouissant.

Il a eu un petit rire sardonique.

— C'est ce que nous verrons.

9

« ÇA SE PASSE TOUS LES DIMANCHES SOIR, dans son appartement cossu du Panthéon. » La précision de Doug m'est revenue tandis que je remontais le boulevard Saint-Michel en direction du jardin du Luxembourg. Je m'étais mis sur mon trente et un, pour l'occasion : pantalon et chemise noirs, ainsi qu'une veste en cuir noire dénichée chez un fripier du Faubourg-Saint-Martin la veille, trop légère pour le vent glacial qui soufflait ce soir-là. Comme j'avais une quinzaine de minutes d'avance, je me suis arrêté à un café et j'ai commandé un whisky. Pas un single malt ni un truc de vingt ans d'âge, mais un scotch de base. Aussi, quand le garçon a posé la note sous une petite soucoupe, et que je l'ai retournée pour voir le montant, j'ai eu du mal à retenir un gémissement. Onze euros pour une rasade de mauvais whisky ? Bienvenue dans le VIe arrondissement…

J'aurais bien fait durer ce verre hors de prix en savourant le nouveau Simenon que je venais de commencer et que j'avais pris avec moi, *La neige était sale*, mais je me suis rappelé que les retardataires seraient impitoyablement renvoyés chez eux, et je me suis donc levé en laissant la somme demandée, tâchant de ne pas trop penser que je venais d'abandonner l'équivalent de mes trois repas quotidiens. L'adresse de Mme L'Herbert était le 19 de la rue Soufflot. Plus haussmannien, tu meurs. Paris compte un certain nombre de ces immeubles impressionnants de six étages, legs architectural du baron Haussmann, tout en solide pierre de taille, ornée çà et là de sculptures ouvragées. Celui-ci ne dérogeait pas à la règle et, comme ses semblables, voire plus du fait de la proximité du Panthéon, il constituait avec son entrée imposante un monument aux valeurs et traditions de la grande bourgeoisie. En d'autres termes, je n'avais pas encore mis les pieds chez Lorraine L'Herbert que je me sentais déjà rabaissé à ma condition de minable.

Après avoir ouvert la porte cochère avec le code, je me suis retrouvé devant un interphone. Quand j'ai appuyé sur le bouton au nom de L'Herbert, c'est l'Américain maniéré qui m'a répondu :

— *Name, please…* Votre nom, s'il vous plaît. – Je le lui ai donné. – *One second, please…* Un instant… *Fourth floor left…* Quatrième étage gauche.

J'ai pris jusqu'au dernier étage la petite cage dorée qui faisait fonction d'ascenseur. Avant même d'atteindre le sixième, j'ai capté des bruits de conversation animée. Sur le palier, à gauche, j'ai sonné. Un petit homme tout en noir, les cheveux coupés à ras m'a ouvert. Il avait à la main un élégant porte-liste, ainsi qu'un coûteux stylo.

— Monsieur Ricks ? – J'ai hoché la tête. – Henry Montgomery, l'assistant de Mme L'Herbert. Votre enveloppe, s'il vous plaît. – Je la lui ai tendue. Il a vérifié que mon nom était inscrit dessus, ainsi qu'il me l'avait recommandé. – Le vestiaire est la première pièce à votre gauche, a-t-il continué en anglais. Buffet et boissons dans la cuisine. Après avoir déposé votre manteau, vous devez revenir ici, que je puisse vous présenter à Madame. Entendu ?

Discipliné, j'ai pris la direction qu'il m'indiquait de son index. C'était un très long couloir, au plafond très haut. Sur l'un des murs blancs, une œuvre abstraite en cinq panneaux qui couvraient presque toute la surface, dans des tonalités allant d'un vert clair à un vert très sombre, presque noir. Quinze secondes m'ont suffi pour décider qu'il s'agissait d'un plagiat de Klein ou de Rothko, et très daté en plus – trente ans au moins –, mais j'ai estimé qu'il était préférable de garder le résultat de cette expertise pour moi.

La pièce en question, apparemment une chambre d'amis, était meublée d'un lit double et de quelques chaises en plastique gonflable à la mode à la fin des années soixante et qui semblaient par là même appartenir au paléolithique. Au-dessus du lit, il y avait un grand tableau criard, un nu de femme représentant une blonde imposante à la chevelure de Méduse, cuisses ouvertes, sa toison pubienne plus que fournie laissant échapper une ménagerie multicolore d'animaux sauvages qui se voulaient psychédéliques peut-être et tout un assortiment de fleurs exotiques. Passer une nuit paisible sous cette croûte pseudo-hippie serait impossible, ai-je conclu, mais j'avais dû m'attarder trop longtemps dans ma contemplation, car j'ai soudain entendu la voix impatiente de Montgomery derrière moi :

— Monsieur Ricks ? Madame vous attend.

— Pardon, j'étais juste en train de…

J'ai montré le tableau d'un geste du bras.

— Il vous plaît ?

— Bien sûr. Il est tellement… représentatif d'une certaine époque.

— Vous connaissez ce peintre ?

— Peter Max ?

— Allons, allons ! Max est tellement… commercial.

Parce que ça ne l'est pas, ça ?

— De qui est-ce, alors ?

— Pieter de Klop, bien sûr.

— Oui, *of course…*

— Vous n'ignorez pas que Madame était sa muse ?

— Vous voulez dire que c'est… c'est Lorraine L'Herbert, sur cette toile ? l'ai-je interrogé en relevant la nuance horrifiée dans ma voix.

— Tout à fait.

113

Il m'a fait signe de le suivre. Après avoir repris le couloir en sens inverse, nous sommes entrés dans un salon aux proportions imposantes, mais pour l'heure envahi d'invités qui semblaient s'être donné le mot, car ils étaient presque tous habillés en noir de pied en cap, ce que j'ai noté avec soulagement : au moins, je ne me ferais pas remarquer. Comme ce que j'avais vu du reste des lieux, la tendance était aux murs blancs et au pop art de mauvaise qualité, avec deux autres nus de Madame sans doute commis par le même peintre, d'autres chaises en plastique gonflable et des canapés modulables en cuir blanc. Mais, déjà, Montgomery, agrippant mon épaule d'une poigne ferme, m'entraînait vers une volumineuse matrone, formidable à tous égards. Flottant au-dessus d'un corps de géante pesant au bas mot cent vingt kilos, un large visage d'acteur de kabuki était peinturluré d'un fond de teint blanc plâtreux qui contrastait avec le rouge violent des lèvres. Plusieurs signes du zodiaque se balançaient à son cou et chacun de ses doigts portait une bague, toutes d'inspiration new age. Ses cheveux, qui étaient passés du blond à l'argent, étaient réunis en nattes qui lui tombaient au bas du dos. Vêtue d'un caftan, elle avait une flûte de champagne à la main. Sans lâcher mon épaule, l'assistant s'est dressé sur la pointe des pieds pour chuchoter à l'oreille de Madame, qui s'est animée comme si elle avait été mue par un ressort :

— Eh bien, eh bien, vous voilà, Harry.

Son accent du sud des États-Unis était épais comme de la poix.

— Madame L'Herbert.

— Non, non, vous devez m'appeler Lorraine, tous. Vous êtes une sorte d'écrivain, paraît-il ?

— Romancier, oui.

— Aurais-je lu une de vos œuvres ?

— Sûrement pas.

— Ah ! mais vous avez encore tout le temps devant vous, trésor.

114

Ses yeux ont parcouru rapidement la pièce, s'arrêtant sur un homme d'une quarantaine d'années en jean noir, tee-shirt et cardigan noirs, une courte barbe sur des traits émaciés.

— Chet, je vous ai trouvé quelqu'un avec qui vous allez pouvoir discuter ! – Le Chet en question s'est approché en me jaugeant prudemment. – Harry, voici Chet. Un Yankee, comme vous. Il est prof à la Sorbonne. Et Harry est... est dans l'écriture.

Sur ce, elle nous a laissés en tête à tête. Un silence embarrassé a suivi. Comme Chet n'était visiblement pas prêt à engager la conversation, je me suis lancé :

— Quelle matière enseignez-vous ?

— L'analyse linguistique.

Il a guetté ma réaction.

— En français ?

— Oui.

— Impressionnant.

— Il paraît. Et vous écrivez quoi ?

— J'essaie de finir un roman.

— Je vois..., a-t-il fait en regardant ailleurs.

— J'espère avoir une première version terminée avant la...

— Fascinant. Heureux de vous avoir rencontré.

Il a déguerpi et je suis resté planté là, me sentant totalement ridicule. « Harry est dans l'écriture »... Ouais. J'ai observé les alentours. Tout le monde bavardait avec animation, paraissait détendu, ouvert, intéressé, intéressant, bref, tout ce que je n'étais pas. J'ai décidé que j'avais besoin d'alcool, j'ai pris le chemin de la cuisine. Sur une longue table, une dizaine de cubitainers étaient alignés, du rouge et du blanc. Il y avait aussi trois grands plateaux de lasagnes à moitié brûlées, et huit ou dix baguettes plus ou moins entamées. Le vin en vrac et le buffet minable prouvaient que, « appartement cossu du Panthéon » ou pas, Madame était près de ses sous, quand il s'agissait de recevoir. Mieux, son salon lui rapportait de l'argent ainsi qu'un rapide calcul me l'a indiqué : en comptant quatre cents euros pour la vinasse et la pasta, plus cent pour les « extras » – deux jeunes filles qui s'occupaient du « bar » et veillaient surtout à ce que les assiettes en papier et les fourchettes en plastique terminent dans des sacs-poubelles et non sur le sol –, Madame se faisait chaque dimanche dans les mille cinq cents euros de bénéfices, puisqu'il y avait là une bonne centaine d'invités qui avaient tous religieusement payé leurs vingt euros... Quarante de ces sauteries par an et c'était soixante mille euros, nets d'impôts... Les conneries de Montgomery – « Soyez brillant ou vous ne reviendrez pas. » – ne pouvaient cacher que le salon L'Herbert était, avant toute chose, une affaire juteuse.

Qui avait ses habitués, comme je m'en suis vite rendu compte. Chet en faisait partie, de même qu'un certain Claude, un petit type à la moue amère qui, avec son costume noir à petits revers et ses lunettes de soleil, m'a fait penser à ces voyous de seconde zone dans les films de Jean-Pierre Melville.

— Vous faites quoi, dans la vie ? m'a-t-il demandé en anglais.

— On peut parler français, vous savez.

— Lorraine préfère que son salon se déroule en anglais.

— Mais on est à Paris !

— Non, monsieur. Ici, c'est le Paris de Madame, et dans le Paris de Madame on parle anglais.

— Vous me charriez.

— Pas du tout. Le français de Madame est très limité, pour tout vous dire. Juste de quoi commander au restaurant ou enguirlander la femme de ménage marocaine s'il y a de la poussière sur le miroir de sa coiffeuse. À part ça, néant...

— Mais elle habite la France depuis...

— Trente ans, oui.

— C'est dément.

— Paris est plein d'Anglophones qui n'ont jamais pris la peine d'apprendre le français. Paris s'en arrange, parce que Paris est très arrangeant.

— Tant qu'on est blanc.

Claude m'a regardé comme si j'étais bon pour l'asile.

— En quoi cela vous importe ? Ce salon, ces conversations… C'est un magnifique « souk à idées ».

— Et quelles idées vous colportez, vous-même ?

— Moi ? Aucune. Je suis un pédagogue, avant tout. Cours de français privés. À des tarifs très abordables. Et je me déplace chez vous. – Il m'a tendu une carte de visite. – Si vous désirez améliorer votre français…

— Pourquoi est-ce que je ferais ça, puisque je peux venir ici et parler avec vous en anglais ?

Il s'est forcé à sourire.

— Très spirituel. Et vous, votre profession ? – Quand je lui ai expliqué, il a levé les yeux au ciel, puis m'a montré la salle entière d'un geste. – Mais tout le monde est écrivain, ici. Tous à raconter le livre qu'ils sont en train d'essayer d'écrire…

Et il s'est esquivé. Il n'avait pas tort sur ce point : ce soir-là, j'ai rencontré pas moins de quatre romanciers en herbe. Sans compter un natif de Chicago imbu de lui-même – je n'ai jamais rencontré un seul citoyen de cette ville qui se soit montré modeste ou discret –, professeur en « communication » à Northwestern University, qui venait de publier un premier roman salué par quelques feuilles de chou confidentielles (et un entrefilet dans le *New York Times Book Review*, m'a-t-il précisé avec fierté) ; ayant obtenu je ne sais quelle bourse universitaire, il passait un an à Paris aux frais de la princesse, et il s'est lancé dans un interminable monologue selon lequel nous autres, expatriés du début du millénaire, serions reconnus dans les décennies à venir comme la « nouvelle génération perdue » fuyant le conformisme totalitaire des années Bush, bla, bla, bla.

— La génération paumée, oui, ai-je remarqué, pince-sans-rire.

— Vous êtes ironique ? a-t-il rétorqué, vexé.

— Vous croyez ?

Il m'a laissé en paix, du coup, et je me suis mis à boire sérieusement. Le rouge était râpeux, acide, à peine meilleur que du vinaigre, mais j'en ai descendu plusieurs verres d'affilée, ce qui m'a donné le courage de continuer à jouer les mondains. J'ai même pris la résolution de tenter ma chance avec la première femme sans cavalier qui croiserait mon chemin et qui ne serait pas d'une laideur à faire fuir les animaux domestiques. C'est ainsi que j'en suis venu à bavarder avec Jackie, une divorcée de Sacramento – « un trou paumé, je sais, mais Howard a été obligé de me laisser notre maison de trois cents mètres carrés, et j'ai une agence de relations publiques qui a des contrats avec le gouvernement californien, et puis on n'est pas loin de Lake Tahore, et c'est tellement excitant d'être ici ce soir, avec tout ce que Paris compte d'artistes en vue… Et vous êtes écrivain, c'est ça ? Qui est votre éditeur ?… Ah, d'accord… » –, puis avec Alison, une grande Anglaise aguicheuse travaillant pour le fil financier de Reuters qui m'a confié qu'elle détestait son job, qu'elle adorait Paris – « parce que c'est autre chose que Birmingham, ce cauchemar où j'ai passé toute mon enfance » –, qu'elle fréquentait le salon L'Herbert presque chaque semaine, qu'elle y avait rencontré des amis mais pas encore l'« ami très spécial » dont elle rêvait.

— C'est parce que je suis trop possessive.

— Vous êtes sûre ?

— C'est ce que mon dernier amant m'a dit. Que je ne savais pas lâcher prise.

— Et il avait raison ?

— C'est ce que sa femme pensait, en tout cas. Il m'a promis deux fois qu'il allait se séparer d'elle pour vivre avec moi, mais comme ça traînait en longueur, j'ai monté la garde devant son immeuble à Passy pendant tout un week-end. Et comme il ne se montrait toujours pas, le lâche, j'ai envoyé une brique dans le pare-brise de sa Mercedes.

— C'était peut-être pousser un peu loin, non ?

— C'est ce que tous les hommes disent. Parce que ce sont tous des trouillards… et des salauds.

J'ai fait un pas en arrière.

— Eh bien… Content de vous avoir parlé.

— C'est ça, c'est ça, débinez-vous, comme n'importe quel poltron, la queue entre les jambes !

Je me suis éloigné en hâte. J'avais terriblement besoin de remplir mon verre de piquette mais je n'osais pas revenir vers le bar, craignant que la Britannique antimâle ne se soit attardée dans les parages. Le niveau sonore de l'assemblée avait atteint un niveau presque insoutenable. Je me suis senti de plus en plus accablé par ces échanges artificiels, par la voix perçante et les inflexions sudistes de notre hôtesse, par la tristesse sous-jacente de toutes les conversations que j'avais essayé d'avoir, et ma maladresse… La preuve était là, si j'en avais eu besoin : au lieu de m'ouvrir au monde, ces semaines à Paris avait fait de moi un véritable asocial, incapable de la moindre amabilité, ou même de tenir une conversation banale avec d'autres. Je détestais cet endroit – non seulement parce que tout n'y était qu'imposture, mais aussi parce qu'il mettait en lumière ce que je détestais dans ma personne.

Juste un peu pompette, j'ai pensé que l'air frais me ferait du bien et je suis parti en zigzaguant à travers la foule, cherchant à gagner le balcon le plus proche. La nuit était claire et froide, sans étoiles mais la pleine lune brillait au-dessus de Paris. Posant mon verre sur la balustrade, j'ai inspiré profondément, mais c'était comme si le froid intensifiait mon ivresse, au lieu de l'émousser, comme si je vivais une illusion, là, perché sur un balcon, au milieu de ce décor grandiose. Il n'était même pas neuf heures, à ma montre. Je me suis dit que je pouvais attraper la séance de neuf heures et demie à l'Accatone, ou dans la demi-douzaine de salles qui se trouvait à cinq minutes. Mais dans tous les cas il ne me resterait que très peu de temps pour rejoindre mon poste à minuit, un risque que je ne voulais pas courir, et si jamais le patron apprenait que j'étais arrivé en retard, il me virerait certainement et qu'est-ce que je deviendrais si je perdais...

Mon Dieu, quelle vue du Panthéon, d'ici !

— Je devine ce que vous êtes en train de penser : que vous mériteriez d'avoir un appartement comme celui-là.

J'ai sursauté. Féminine, un peu rauque, la voix émanait du coin opposé du balcon tout en longueur. Plissant les yeux, j'ai distingué une silhouette dans la pénombre, le bout incandescent d'une cigarette perçant la nuit.

— Vous ne pouvez pas savoir à quoi je pense.

— Non, c'est vrai, mais je peux faire des suppositions, a-t-elle continué en français. Et il suffisait de voir votre air malheureux dans ce salon, ce soir, pour supposer que vous n'êtes pas à votre aise ici.

— Vous m'avez observé toute la soirée ?

— Ne vous haussez pas du col, jeune homme ! Disons que je vous ai surpris à quelques reprises avec une expression abattue, presque désespérée. Un petit garçon qui essaie de charmer les femmes sans y arriver, va se réfugier sur le balcon, contemple le Panthéon et se met à penser à...

— Merci pour ce profil psychologique impitoyable mais si vous voulez bien m'excuser, je crois que je vais aller me faire voir ailleurs.

J'ai fait deux pas vers la porte-fenêtre.

— Vous réagissez toujours aussi mal quand on vous taquine un peu ?

Je me suis retourné vers la silhouette, le point rougeoyant de la cigarette.

— Étonnamment, je trouve un peu étrange d'être « taquiné » par une complète inconnue.

— Et moi, je crois que vous n'acceptez pas facilement d'être taquiné par une femme, quelle qu'elle soit.

120

— Merci pour cette nouvelle amabilité.

— Vous voyez, c'est bien ce que je disais ! Une remarque anodine et vous montez sur vos grands chevaux.

— Peut-être parce que je n'aime pas les petits jeux de ce style.

— Jeux ? Qui joue à un jeu, ici ?

— Vous.

— Première nouvelle ! Je croyais simplement me livrer aux joies de la conversation... et même de la séduction, pour être très précise.

— C'est de cette façon que vous séduisez les gens ?

— Et vous, comment vous y prenez-vous ? En essayant d'avoir un échange raisonnable avec une cinglée telle que cette monstrueuse Alison ?

— « Monstrueuse » me semble un peu exagéré.

— Oh, je vous en prie ! Ne me dites pas que vous allez prendre sa défense alors qu'elle vous a tout bonnement châtré en public.

— Ce n'est pas exactement ce qui s'est produit...

— C'est pourtant comme cela que je l'ai compris. « Poltron, la queue entre les jambes » n'est pas précisément flatteur et stimulant.

— Comment savez-vous qu'elle m'a dit ça ?

— Je me trouvais dans la cuisine, à ce moment-là.

— Je ne vous ai pas vue.

— Bien sûr ! Vous étiez tellement captivé par cette hystérique que vous ne m'avez même pas remarquée, alors que j'étais juste à côté.

— En train d'écouter chacune de nos paroles ?

— Mais oui.

— Votre mère ne vous a jamais appris que c'était impoli, d'espionner les conversations des autres ?

— Non.

— Ma question se voulait ironique.

— Vraiment ?

— Désolé.

— De quoi ?

— D'avoir dit une idiotie.

— Vous êtes toujours aussi dur avec vous-même ?

— Je... Je crois, oui.

— Et la raison, c'est que... Attendez, je devine encore : vous avez vécu un drame terrible, et depuis vous ne cessez de douter de vous ?

Silence. J'ai saisi la balustrade à deux mains, je me suis mordu les lèvres et je me suis demandé : « Pourquoi est-ce que tu es toujours prévisible à ce point, merde ? »

— C'est à moi de vous demander pardon, a-t-elle repris. Il est clair que j'ai dit quelque chose qu'il ne fallait pas.

— Non, non. Vous avez tapé dans le mille, juste entre les deux yeux...

Sa cigarette a grésillé une dernière fois, puis elle est tombée dans la nuit. Au même moment, l'inconnue est sortie de l'ombre et s'est approchée de moi, éclairée par les rayons de la lune. C'était une femme qui avait atteint depuis quelques années ce qu'il est convenu d'appeler l'« âge mûr », mais qui n'en était pas moins remarquablement bien conservée. De taille moyenne, une belle chevelure auburn coupée au niveau des épaules et coiffée avec style... J'ai remarqué une ancienne cicatrice qui courait sur son cou, souvenir d'une lointaine opération, sans doute. Vingt ans plus tôt, les hommes avaient dû la trouver fascinante et elle conservait un charme rare. Sa peau, souple et ferme, était légèrement striée autour des yeux mais, curieusement, ces rides paraissaient ajouter à sa beauté plutôt que l'amoindrir.

— Vous avez bu, a-t-elle remarqué.

— Ah, quelle perspicacité !

— Non. Je sais voir quand un homme est ivre, c'est tout.

— Vous voulez une confession signée ?

— Ce n'est pas un crime, vous savez. En fait, j'apprécie qu'un homme boive. Surtout lorsque c'est pour rendre son passé plus tolérable.

— L'alcool ne rend pas le passé « plus tolérable ». Il l'abolit... jusqu'au lendemain matin. Rien ne devient « plus tolérable ». Jamais.

— C'est une conception de la vie très manichéenne.

— Non. C'est une conception de soi-même très mani-chéenne.

— Vous ne vous aimez pas beaucoup, à ce que je comprends.

— Mais qui êtes-vous, bon sang ?

Elle a eu un sourire amusé qui a rempli ses yeux d'une lueur malicieuse. Et là, brusquement, j'ai eu furieusement envie de coucher avec elle.

— Qui je suis ? Je suis une femme sur un balcon du Ve arrondissement, en train de regarder le Panthéon et de bavarder avec un Américain qui a de toute évidence perdu ses repères.

— Puis-je baiser l'ourlet de votre *schmata*, docteur Freud ?

Elle a allumé une autre cigarette.

— « Schmata ». Du yiddish. Vous êtes juif ?

— Ma mère l'était.

— Donc vous l'êtes aussi. La religion juive est transmise par la mère.

— Comme la chtouille, oui.

— Et le reste de vos origines ?

— Midwest. Presbytérien. Atroce.

— Votre père ne vous inspirait pas de respect, alors ?

— Vous posez des tas de questions.

— Vous avez l'air prêt à y répondre.

— Je n'aime pas parler de moi.

— Tous les Américains parlent d'eux, tout le temps. C'est comme ça qu'ils se forgent une identité.

— Que c'est original...

— Je vous remercie.

— À mon tour de deviner, d'accord ? Vous enseignez la sémiotique à la Sorbonne et votre thèse de doctorat était

« La quête du symbolique dans la culture nord-américaine ».

— Non. Mais je suis sûre que « votre » thèse de doctorat avait un titre similaire.

— Comment savez-vous que j'ai été enseignant ?

— Une intuition. Et votre spécialité est… ?

— *Était*. Études cinématographiques. Je n'enseigne plus.

— Vous avez perdu votre poste ?

— On s'est déjà rencontrés ? Ou vous avez un dossier sur moi ?

Elle a souri encore une fois.

— La réponse aux deux questions est « non ». Je ne fais que « baratiner », comme on dit dans votre pays.

— Et comment on dit « baratiner », dans le vôtre ?

— *Buta beszéd.*

— Europe de l'Est ?

— Bravo. Hongrie.

— Mais votre français est… impeccable.

— Il ne l'est jamais, à moins d'être né français. Après quarante-neuf années passées à Paris, le mien est correct, disons.

— Quarante-neuf années ? Vous êtes arrivée ici bébé, alors ?

— La flatterie est toujours agréable, et toujours repérable. Non, j'avais neuf ans lorsque je suis arrivée en France, en 1957. Et voilà, je vous ai révélé une information capitale, mon âge.

— Vous le portez admirablement.

— D'outrageusement flatteur, vous devenez ridiculement flatteur.

— Ça vous déplaît ?

Elle a effleuré ma main de ses doigts.

— Au contraire.

— Vous avez un nom ?

— En effet.

— Et c'est… ?

— Margit.

Elle le prononçait « Marjitte ».

— Margit comment ?

— Kádár.

— Margit Kádár, ai-je répété pour m'essayer à la prononciation.

— Et vous ? Vous avez un nom ?

— Vous essayez de changer de sujet.

— Nous reviendrons à moi plus tard, mais pas tant que vous ne m'aurez pas dit comment vous vous appelez.

— Harry. Avec un « H », pas comme tous les Français que j'ai croisés ici le prononcent.

— Donc vous n'aimez pas qu'on vous appelle « Arry », c'est noté. Vous parlez très bien français, soit dit en passant.

— « Très bien », parce que je suis un Américain et que le reste du monde pense que tous les Américains sont des ignares et des provinciaux ?

— « Dans chaque idée reçue, il y a une vérité fondamentale. »

— George Orwell ?

— Bravo ! Orwell était un écrivain très apprécié en Hongrie.

— À l'époque communiste, vous voulez dire ?

— C'est ce que je voulais dire, oui.

— Mais puisque vous êtes partie en cinquante-sept, vous avez échappé au stalinisme et à tout ça, non ?

— Pas exactement, a-t-elle répondu après avoir longuement tiré sur sa cigarette.

— Ce qui signifie ?

— « Pas exactement. »

Son ton était calme mais catégorique. De quoi me faire comprendre qu'elle ne désirait pas aller plus loin dans cette direction. Je n'ai pas insisté.

— La seule blague hongroise que je connaisse, je la tiens de Billy Wilder. Il a dit que les Hongrois étaient les seuls êtres au monde qui peuvent entrer dans une porte à tambour derrière vous et en ressortir devant.

— Vous êtes vraiment professeur de cinéma, je vois.

125

— Je l'ai été, nuance.

— Et maintenant…, je continue à deviner, vous essayez de devenir romancier, comme la moitié des invités de cet insupportable salon.

— Je fais semblant d'être un écrivain, oui.

— Pourquoi parler de vous ainsi ?

— Parce que je n'ai encore jamais rien publié.

— Écrivez-vous presque tous les jours ?

— Tous les jours.

— Alors vous « êtes » un écrivain. Puisque vous écrivez, pour de bon. C'est ce qui différencie un véritable artiste d'un poseur.

J'ai posé ma main sur la sienne, brièvement mais avec chaleur.

— Merci pour cette remarque.

Elle a haussé les épaules.

— Mais vous, je suis certain que vous ne faites pas semblant d'être une artiste.

— Vous avez raison. Je ne fais pas semblant, car je n'en suis pas une. Je suis traductrice.

— Français-hongrois ?

— Et hongrois-français.

— Vous trouvez suffisamment de travail ?

— Je me débrouille. Dans les années soixante-dix et quatre-vingt, il y avait beaucoup de traductions. Les Français réclamaient toujours plus de littérature hongroise moderne. Cela va sans doute vous paraître risible mais l'une des rares choses que j'ai toujours appréciées dans ce pays, c'est la curiosité des gens pour d'autres cultures.

— L'une des « rares » choses ?

— Mais oui.

— Donc, vous ne vous plaisez pas, ici.

— Je n'ai pas dit cela, j'ai dit que…

— Je vous ai bien entendue. Mais vos mots sous-entendent une profonde antipathie pour ce pays.

— Pas une antipathie, non. Une ambivalence. Qu'y a-t-il de répréhensible à ressentir de l'ambivalence envers un pays, un mari, un travail, ou même un ami cher ?

— Vous êtes mariée ?

— Réfléchissez, Harry. Si je l'étais, est-ce que je viendrais perdre mon temps dans cet appartement ?

— Si vous étiez mariée et insatisfaite par votre mariage, pourquoi pas ?

— Non, je prendrais un amant. Ce serait plus simple.

— Vous avez un amant ?

— Je pourrais... s'il menait bien sa barque. – Je me suis tendu tandis qu'un sourire énigmatique revenait sur ses lèvres. J'ai voulu poser à nouveau ma main sur la sienne mais elle l'a retirée sur-le-champ. – Qu'est-ce qui vous fait croire que je parlais de vous ?

— L'arrogance.

— Joliment répondu.

C'est elle qui a effleuré mes doigts, cette fois.

— Conclusion, vous n'êtes pas mariée.

— En quoi cela vous intéresse-t-il ?

— Simple et vaine curiosité.

— J'ai eu un mari.

— Et... ?

— C'est une histoire assez compliquée.

— Des enfants ?

— J'ai eu une fille.

— Je vois...

— Non. Vous ne voyez pas. Personne ne peut « voir » ça. Silence.

— Je suis désolé. Je peux comprendre ce que ça doit être, de...

Elle a posé son index sur mes lèvres. J'ai déposé un baiser sur son doigt, un autre, un autre encore, mais quand ma bouche a commencé à remonter sur son avant-bras, elle m'a repoussé doucement.

— Pas maintenant, a-t-elle chuchoté. Pas tout de suite.

— D'accord, ai-je concédé sur le même ton.

— Et quand votre femme a-t-elle demandé le divorce ?

— Pour ruiner l'ambiance, voilà la question parfaite…

— Vous m'avez demandé si j'avais un mari, des enfants. Cela me donne le droit de savoir, moi aussi.

— Elle m'a jeté il y a quelques mois. Le divorce est en cours.

— Combien d'enfants ?

— Comment savez-vous que j'en ai, d'abord ?

— À la façon dont vous m'avez regardée lorsque je vous ai dit que j'avais perdu ma fille. C'était le regard d'un père.

— On ne s'en remet jamais, n'est-ce pas ?

— Jamais, a-t-elle murmuré.

Soudain, elle m'a attiré contre elle. En une seconde, nous n'avons plus fait qu'un. J'avais ma cuisse entre ses jambes, une main sur l'une de ses fesses. Elle a déboutonné ma chemise et étreint ma poitrine. Nous avons titubé contre le mur. Son autre main a cherché mon sexe, dur et tendu contre ma braguette. Au moment où je passais la mienne sous sa robe, pourtant, elle s'est dégagée.

— Pas ici…

Je me suis rapproché d'elle et je l'ai embrassée sur les lèvres, posément, tout en combattant mon désir de la caresser, de sentir son corps sous mes paumes.

— Où, alors ?

— J'habite près d'ici. Mais pas ce soir.

— Ne me dites pas que vous avez rendez-vous avec quelqu'un…

— Non. Des choses à faire, c'est tout.

J'ai jeté un coup d'œil à ma montre. Neuf heures et demie.

— Je n'aurais pas pu ce soir, moi non plus. Je commence mon travail à minuit.

— Quel travail ?

— Veilleur de nuit.

— Vraiment ?

Elle a sorti une nouvelle cigarette de son sac.

— Pour arrondir les fins de mois.

— Je me doutais que ce n'était pas pour la stimulation intellectuelle. Sur quoi vous veillez, alors ?

— Un dépôt de fourrures, ai-je improvisé, me rappelant en avoir vu un, rue du Faubourg-Poissonnière.

— Et comment avez-vous trouvé un emploi aussi inhabituel ?

— C'est une longue histoire.

— Elles le sont toujours. – Elle a pris un petit briquet ancien pour allumer sa cigarette. – Où vivez-vous ?

— Dans le Xe.

— Sans doute un loft de bobo au bord du canal Saint-Martin ?

— Si je suis obligé de bosser comme veilleur de nuit...

— ... et si c'est un stock de fourrures que vous gardez, ça doit être près de la rue des Petites-Écuries, non ?

— C'est la rue parallèle à la mienne.

— Donc vous habitez rue de Paradis ?

— Très fort.

— Au bout de quarante-neuf années dans la même ville, on ne la connaît pas seulement... on finit par hanter ses moindres recoins.

— Ou bien c'est elle qui vous hante ?

— Exactement. Vous avez une ligne fixe ?

— Non.

— Alors vous habitez une chambre de bonne ?

— On ne peut rien vous cacher.

— C'était une déduction assez logique. Mais tout le monde a un portable, de nos jours.

— Sauf moi.

— Et moi.

— Nous sommes tous les deux des ennemis du progrès, si je comprends bien ?

— Je ne vois pas la nécessité d'être joignable à tout moment, simplement. Mais si vous voulez me contacter...

Après avoir cherché dans son sac, elle m'a tendu une carte de visite :

Margit Kádár
Traductrice
13, rue Linné
75005 Paris
01 43 44 55 21

— Pas le matin, si possible, a-t-elle continué. Je dors jusqu'au milieu de l'après-midi. N'importe quand après dix-sept heures. Je suis comme vous, je commence à travailler à minuit.

— C'est le meilleur moment pour écrire, oui.

— Vous écrivez. Moi, je traduis. Et comme dirait je ne sais plus qui, la traduction, c'est transformer les mots du matin en mots du soir.

— Je vous appellerai, ai-je affirmé.

— J'y compte bien.

Je me suis penché pour l'embrasser encore mais elle a tendu la main entre nous et joint légèrement les lèvres.

— À bientôt, a-t-elle murmuré.

— À bientôt.

Elle est rentrée dans l'appartement. Moi, je suis resté sur ce balcon un long moment, envoûté par l'extraordinaire rencontre que je venais de faire, insensible au froid et au vent qui s'était à nouveau levé. J'ai essayé de me rappeler une situation analogue où je m'étais retrouvé passionnément enlacé à une femme dont je venais de faire la connaissance, mais je connaissais la réponse : c'était une première. À chaque fois, le sexe n'avait eu lieu qu'après plusieurs rencontres, sans doute parce que je n'avais jamais été capable d'initiative audacieuse, toujours trop méfiant, trop sur mes gardes. Jusqu'à…

Non, ne recommence pas avec ça. Pas ce soir ! Pas après ce qui vient de t'arriver.

Brusquement, Montgomery est apparu dans mon champ de vision.

— Eh bien, on se cache ?

— Mais non.

— Nous aimons qu'il y ait une interaction entre nos invités, vous savez.

— Je parlais avec quelqu'un, ici, ai-je expliqué tout en me blâmant d'être autant sur la défensive. Elle vient juste de partir.

— Je n'ai vu personne quitter ce balcon.

— Vous surveillez chaque recoin de l'appartement ?

— Absolument. Bon, vous revenez avec nous ?

— Il faut que j'y aille.

— Quoi, si tôt ?

— Eh oui.

Il a remarqué la carte de visite que j'avais gardée entre mes doigts.

— Une rencontre intéressante ?

Je me suis hâté de glisser le petit carton dans la poche de ma chemise.

— Peut-être.

— Vous devez prendre congé de Madame avant de vous en aller.

Ce n'était pas une suggestion, mais un ordre.

— Montrez-moi le chemin.

Lorraine L'Herbert se tenait au pied de l'un de ses nus hallucinés, celui-ci dépeignait des armes jaillissant de son vagin pour être aussitôt enveloppées par un Éden floral et bestial symbolique d'une bêtise confondante. Elle avait une flûte vide à la main et semblait passablement éméchée – mais ce n'était pas à moi de froncer les sourcils.

— M. Ricks doit nous quitter, a annoncé Montgomery.

— Mais la nuit ne fait que commencer ! a-t-elle gloussé.

— C'est que j'écris la nuit, voyez-vous.

— Se vouer ainsi à son art, c'est admirable. N'est-ce pas, Montgomery ?

— En effet, a-t-il confirmé d'une voix morne.

— Eh bien, trésor, j'espère que vous avez passé un moment fabuleux.

— Fabuleux, oui.

— Alors n'oubliez pas : quand vous avez besoin de compagnie un dimanche soir, nous sommes là.

— Je n'oublierai pas.

— Et je meurs d'impatience de lire ce livre que vous êtes en train de nous écrire.

— Moi de même.

— Ah, Monty, il est d'un drôle ! Il faut qu'il revienne chez nous !

— Oui, il le faut.

Elle m'a pris par le bras.

— En plus, trésor, j'ai bien vu que vous étiez un redoutable don Juan. Un séducteur consommé !

— Pas vraiment, non.

— Mais si, mais si ! Ce… comment dire ? Cette « vulnérabilité de l'artiste solitaire » que vous avez, les femmes adorent. – J'ai senti ses doigts se frayer un passage entre les miens. – Vous vous sentez seul, mon chou ?

J'ai libéré ma main avec tout le tact dont j'étais capable.

— Merci encore pour cette intéressante soirée.

— Vous avez quelqu'un dans votre vie, n'est-ce pas ? a-t-elle demandé d'un ton où perçait l'amertume.

— Oui. Je crois que oui.

10

ASSIS À MA TABLE PLUS TARD CETTE NUIT-LÀ, j'ai tenté en vain de me concentrer sur mon travail, mais la scène du balcon continuait à défiler dans ma tête, le visage de Margit occupait mes pensées. Six heures après notre premier contact physique, je sentais toujours son parfum épicé, comme s'il avait pénétré mes vêtements, ma peau. Je gardais son goût dans ma bouche et sa voix grave, chaude, résonnait encore dans mes oreilles.

J'ai dû ressortir sa carte de visite une dizaine de fois pour la contempler. Par crainte de la perdre ou de l'égarer, j'ai noté son numéro de téléphone dans mon agenda et sur le bloc-notes que j'avais à côté de mon ordinateur portable. J'ai essayé de me plier à ma discipline des cinq cents mots quotidiens. En vain : j'étais trop distrait, trop ensorcelé.

Les heures se traînaient, interminables. J'étais pressé de sortir à l'air libre, de marcher sans but jusqu'à ce que je retrouve mes esprits. Mais si je quittais mon poste avant l'heure... bla, bla, bla. Oui, d'accord, je connaissais ma leçon d'employé modèle. Je ne partirai pas tant que six heures n'auront pas sonné, entendu. Mais dès que je serais libre... Je l'appellerais, lui expliquerais qu'il m'était impossible d'attendre la fin de l'après-midi pour la voir, et puis je sauterais dans un taxi, j'arriverais au 13 de la rue Linné et... j'aurais bousillé cette histoire avant même qu'elle n'ait commencé.

Non, mon pote ! Avec cette femme, il va falloir du doigté, du sang-froid, un peu de détachement...

Et donc, après m'être réveillé à deux heures, je suis passé prendre mon salaire, j'ai déjeuné d'un steak-frites dans un petit troquet proche de la gare de l'Est, j'ai longuement flâné le long du canal Saint-Martin et je me suis présenté à neuf heures trente au Brady, qui proposait une mini-rétrospective Claude Chabrol, pour voir *La Femme infidèle*.

En marchant jusqu'à mon « bureau » ensuite, j'ai médité à loisir sur la subtilité morale avec laquelle Chabrol avait traité le thème banal et éternel du mari qui découvre que sa femme le trompe et qui tue l'amant. Car c'est là que le réalisateur sort un lapin très inattendu de son chapeau : au lieu de piquer une crise de nerfs ou de s'indigner et de prévenir la police en découvrant la vérité, l'épouse collabore avec le meurtrier. Ce retournement est très révélateur de la « complicité », dans tous les sens du terme, qu'induit n'importe quelle relation sentimentale, surtout quand elle dure depuis des années. Il montre aussi comment nous devenons en quelque sorte des otages du destin dès que nous sommes liés sexuellement à autrui : on peut rationaliser et compartimenter, se répéter que son partenaire obéit à la même logique et aux mêmes valeurs que soi... et puis on découvre un des grands truismes de l'existence : il est impossible de connaître vraiment le paysage intérieur de celui ou celle qui couche dans le même lit que soi.

C'était pourtant un risque que j'étais prêt, non, que je mourais d'envie dc courir avec Margit. Mais je me devais de rester discipliné et je me suis donc contraint à attendre le lendemain après-midi pour lui téléphoner. Entré dans une cabine de la rue des Écoles, j'ai glissé ma carte France Telecom dans l'appareil et composé son numéro. Une sonnerie, deux, trois, quatre... *Zut, elle est sortie !...* cinq, six...

— Allô ?

Sa voix était assourdie, ensommeillée.

— Margit ? C'est moi... Harry.

— Je m'en doutais.

— Je vous ai réveillée ?

— Je… Je m'étais assoupie.

— Je peux rappeler, si vous…

— Pas tant de politesses ! Je m'attendais à ce que vous téléphoniez maintenant. Tout comme je savais que vous ne le feriez pas hier.

— Et comment en étiez vous si sûre ?

— Disons que je me suis dit que vous ne voudriez pas paraître trop pressé de me revoir, même si vous l'étiez. Que vous attendriez un jour, mais pas plus : autrement, cela aurait été la marque d'un manque d'intérêt. Et que vous appeliez à cinq heures, exactement, alors que je vous ai expliqué que je ne voulais pas être dérangée avant, prouve à quel point…

— … les hommes sont tous les mêmes : grotesquement prévisibles ?

— C'est votre opinion, pas la mienne.

— Et donc, vous voulez me voir, ou non ?

— Ah, la franchise américaine… J'adore. Bien. Où êtes-vous, exactement ?

— Près de Jussieu.

— Comme c'est pratique ! C'est ma station, justement. Laissez-moi une demi-heure. Vous avez mon adresse ?

— Oui.

— Le code est A877B. Deuxième escalier, troisième étage à droite. À plus tard.

C'était à trois minutes du métro Jussieu. Vu dans le demi-jour d'une fin d'après-midi de mars, le quartier était une juxtaposition d'immeubles anciens et de résidences en béton agressif des années soixante qui, ainsi que je m'en suis aperçu, appartenaient à l'université de Paris. Dans mes flâneries parisiennes, je ne m'étais encore jamais aventuré dans ces parages, m'arrêtant toujours au Grand Action rue des Écoles, avant de tourner à gauche vers la Seine. C'est donc avec surprise que j'ai découvert la végétation du Jardin des Plantes, curieusement exubérante, au milieu de cet espace très urbanisé. Une

135

fois entré, j'ai suivi une allée sinueuse qui montait entre des arbres de haute taille avant de parvenir à un kiosque à coupole en pierre. Le décor idéal pour une version citadine du *Songe d'une nuit d'été*, me suis-je dit. Il y avait même une modeste colline surmontée d'une plate-forme d'observation au style orientalisant. La vue n'avait rien de panoramique, de là-haut – toits en zinc, chapeaux de cheminée, lucarnes –, cependant elle avait une qualité picturale surprenante : une nature morte urbaine monochrome dans la lumière déclinante d'une fin d'après-midi hivernale.

Les toits d'une ville produisent toujours une émotion poétique, je trouve, non seulement parce qu'ils sont plus près du ciel, mais parce qu'on a rarement l'occasion de les apercevoir. Ils offrent à la fois une perspective plus élevée sur les infinies possibilités de l'existence et la tentation sans cesse renouvelée de l'autodestruction. Sur un toit, on lève les yeux vers l'azur et l'on se dit que tout est possible, ou que l'on n'est rien ; on les baisse et l'on pense : « Deux pas en avant et c'en est fini de moi... Serait-ce vraiment un grand malheur ? » Pas étonnant que les romantiques aient été fascinés par le suicide, cette conclusion créative d'une vie essentiellement sans espoir, cette acceptation définitive de la tragédie qui a au moins le mérite de la cohérence... Mais pourquoi ces idées noires alors que la promesse d'une aventure érotique se trouvait à moins de dix minutes de là ? Ah, le sexe ! Infaillible antidote à tous les doutes, à tous les découragements...

J'ai descendu la colline, je suis sorti du jardin et j'ai traversé la rue, avisant une petite boutique à la vitrine sale qui vendait de tout, y compris du champagne. Le patron, maghrébin, en avait justement une bouteille au frais et me l'a cédée pour quelques billets. Quand je lui ai demandé s'il vendait des préservatifs, il a baissé les yeux et répondu à voix basse :

— Il y a une machine au carrefour, par là...

Je suis allé au distributeur, j'ai introduit une pièce de deux euros, tiré sur le levier métallique et récupéré un sachet en plastique contenant trois Durex. Cinq heures vingt-huit à ma montre.

Le 13 de la rue Linné était un immeuble sans attrait du début du XIXᵉ siècle, avec un marchand de kebabs à gauche et un italien qui n'avait pas l'air trop mauvais à droite. Ouvrant mon calepin, j'ai composé le code devant la porte peinte d'un noir brillant. J'ai poussé le battant. J'étais nerveux.

Encore une cour intérieure, mais celle-ci ne ressemblait à aucune de celles que j'avais vues à Paris : bien éclairée et aérée, décorée d'arbres en pots et de treillis tapissés de lierre, le sol pavé propre et bien entretenu. Pas de lessive aux fenêtres, mais des jardinières fleuries. Pas de musique agressive, mais le silence feutré de la bourgeoisie. Des plaques professionnelles en cuivre étincelant bordaient l'accès de la première cage d'escalier :

M. Claude Triffaux
Psychologue
2ᵉ étage, gauche

Mme B. Semler
Expert-comptable
1ᵉʳ étage, droite

M. François Maréchal
Kinésithérapeute
1ᵉʳ étage, gauche

J'ai souri en lisant les plaques : sur le même palier, une comptable, c'est-à-dire quelqu'un qui aide ses clients à surmonter le stress des vicissitudes financières et des déclarations fiscales, et un kiné, dont la vocation est de dénouer les musculatures et de soulager les vertèbres malmenées par ces mêmes soucis...

Le deuxième escalier n'était précédé par aucune plaque, seulement une liste de noms sur un panneau. N'y voyant aucune Margit Kádár, je suis passé de la nervosité à l'appréhension :

j'avais bien suivi toutes ses indications, pourtant, et le code était le bon.

J'ai gravi les trois étages, non sans noter que, contrairement à mon immeuble à la dérive, les murs étaient ici peints de frais, les marches en bois verni couvertes au centre d'un tapis moelleux. Au troisième, il y avait deux portes. La sonnette de celle de gauche était surplombée par une petite plaque au nom de Lieser ; celle de droite ne présentait aucune indication particulière, et c'est là que j'ai sonné, les mains moites, déjà prêt à sortir un boniment de touriste américain égaré au cas où une vieille dame exaspérée m'ouvrirait. Mais c'est Margit que j'ai eue devant moi, soudain.

Elle portait un pull à col roulé noir qui soulignait le contour ferme de ses seins, et une jupe paysanne en mousseline très élégante et féminine. Même dans la lueur crue du plafonnier, son visage rayonnait, mais j'ai retrouvé dans ses yeux cette tristesse indélébile que j'avais captée le premier soir. Elle m'a gratifié d'un demi-sourire :

— J'ai oublié de vous dire que mon nom n'apparaît pas sur le panneau d'en bas.

— Oui, et j'ai même pensé un moment que...

S'avançant d'un pas, elle a effleuré mes lèvres des siennes.

— Vous avez eu tort.

J'ai voulu passer mon bras autour de sa taille, mais elle s'est écartée avec vivacité.

— Chaque chose en son temps, cher monsieur. Et pas avant que vous soyez un peu moins sur les nerfs.

— Ça se voit tant que ça ?

— C'est assez manifeste, oui.

Je l'ai suivie dans un deux-pièces de taille plutôt modeste. On entrait d'abord dans une chambre à coucher occupée par un grand lit et un coin salle de bains puis, après avoir dépassé un petit couloir et une porte basse – les toilettes, ai-je supposé –, on parvenait dans un living spacieux, bien éclairé par deux hautes fenêtres, avec un grand canapé en velours rouge, une chauffeuse tendue de velours à motifs

138

cachemire lie-de-vin et un vénérable fauteuil en cuir marron. Un coin cuisine avait été aménagé sur l'un des côtés, équipé de placards et d'appareils domestiques qui dataient visiblement des années soixante-dix. Au fond de la pièce, sur la droite, un très beau bureau à cylindre accueillait l'une de ces machines à écrire Olivetti rouge vif qui avaient fait fureur trente ans plus tôt. Les murs étaient couverts de livres, essentiellement de vieux volumes en français et en hongrois, même si j'ai remarqué quelques œuvres en anglais, des romans de Hemingway, Greene, Dos Passos. Trois de ces rayonnages étaient occupés par une vaste collection de disques vinyle, pour la plupart de musique classique, qui révélaient un goût très sûr, de Tallis à Berg en passant par Scarlatti, Schubert ou Bruckner. Pas de lecteur de CD, rien qu'un amplificateur et une platine ; pas de téléviseur, non plus, mais un vieux poste de radio Telefunken. Et puis, un peu partout, des photos encadrées jaunissantes de Budapest ou de membres de sa famille, d'après ce que je pouvais supposer.

Ce qui m'a le plus frappé, à vrai dire, ç'a été la propreté immaculée des lieux, et leur sobriété de bon aloi. Elle n'avait pas modernisé son intérieur, certes, mais la discrétion très *mitteleuropa* du décor lui conférait un effet apaisant que l'on aurait attendu d'un cabinet de psychanalyste. Oui, Freud aurait été à son aise ici, ai-je pensé, tout comme un écrivain – ou un traducteur – exilé...

— C'est un appartement très agréable, ai-je commenté.

— Si on apprécie ce qui est passé de mode, sans doute. Il y a des fois où je voudrais rafraîchir tout ça, faire entrer la modernité. Mais cela m'est impossible.

— Parce que vous êtes une « ennemie du progrès » ?

— Peut-être.

— Sérieusement, vous travaillez sur une machine à écrire ?

— Je ne comprends rien aux ordinateurs.

— Ni aux CD ?

— Mon père avait une merveilleuse collection de disques, qui a été envoyée ici quand nous sommes venues vivre à Paris, ma mère et moi.

— Il ne vous a pas accompagnées ?

— Il est mort avant notre départ de Hongrie.

— Un décès inattendu ?

— En effet, a-t-elle répliqué d'un ton qui voulait me dissuader de continuer sur ce sujet. Bref, c'était un mélomane accompli, qui chérissait ses disques... Nous avons quitté Budapest avec une petite valise chacune, ma mère et moi. Ensuite, lorsque nous avons eu des papiers en règle, nous avons réclamé nos effets personnels aux autorités hongroises, dont la collection de papa. Au cours des années, je l'ai complétée, et quand les CD sont apparus, je me suis dit : « J'ai déjà toute la musique qu'il me faut, à quoi bon changer ? »

— En d'autres termes, vous n'êtes pas une adepte de la consommation.

— La consommation est un acte de désespoir.

— Vous exagérez.

Elle a allumé une cigarette.

— Mais c'est vrai. C'est ce à quoi les gens consacrent leur temps, désormais. La grande activité culturelle de notre époque. Cela en dit long sur le vide sidéral de la vie moderne.

J'ai ri. Un peu nerveusement, en vérité.

— Eh bien, moi je ne refuserais pas un verre, après ce sermon. Il se trouve que, dans un « acte de désespoir », j'ai acheté ceci. – Je lui ai remis la bouteille de champagne. Elle l'a sortie de son sac en plastique. – Je ne sais pas s'il est bon...

— Ça conviendra parfaitement. Vous l'avez pris à la boutique du coin de la rue ?

— Comment le savez-vous... ?

— C'est là que je fais toutes mes courses. Je me rappelle encore quand Moustapha l'a ouverte, au début des années soixante-dix. Il arrivait de Mondovi. C'est un village en Algérie et...

— ... c'est là que Camus est né.

— Chapeau ! Mais donc, au début, il a eu du mal à se faire accepter par les résidents du quartier, il était timide et voulait bien faire, il a accepté pas mal de rebuffades et de remarques désobligeantes. Et le résultat, trente ans plus tard ? Il est complètement assimilé, et il peut être aussi désagréable que l'ont été autrefois les résidents de la rue Linné à son égard.

Après avoir rapporté deux verres de la cuisine, elle a soigneusement retiré le papier métallisé et le fil de fer, libéré peu à peu le bouchon, qui est parti avec un joyeux « pop », puis elle nous a servis.

— Quelle maestria…

— Je pourrais vous servir un cliché dans le style…

— … « Si on apprend quelque chose, pendant tout ce temps à Paris, c'est à ouvrir correctement une bouteille de champagne » ?

Elle m'a tendu l'un des verres en me souriant.

— Exactement, a-t-elle approuvé.

— Mais vous ne vous laissez pas aller aux clichés, vous.

— Non, ce serait contraire à mon humour noir de Hongroise.

— Tandis qu'un Américain comme moi…

— … n'a pas honte de vider d'un trait un verre de champagne, ainsi que vous venez de le faire.

— Vous êtes en train de me traiter de béotien ?

— On ne peut rien vous cacher.

Son visage était tout près du mien. Je l'ai embrassée.

— La flatterie ne nous conduira…, ai-je commencé.

— Elle me conduira partout, a-t-elle rétorqué. Puis elle m'a rendu mon baiser avant de me prendre mon verre des mains et de le poser sur le comptoir près du sien.

En quelques secondes, nous nous étions affalés sur le canapé et elle baissait mon jean. Mes mains couraient sur son corps, et les siennes sur le mien. Bouche contre bouche, c'était comme si nous cherchions à nous entredévorer. Brusquement, j'ai été en elle, répondant à ses furieux coups de reins, ses ongles plantés dans ma nuque. J'ai oublié le

141

monde qui nous entourait, et avec lui le préservatif que je m'étais pourtant promis d'utiliser.

Après, nous sommes restés un long moment l'un sur l'autre, à bout de souffle, à moitié nus. Margit, les yeux clos, avait abandonné ses bras sur mon dos. Soudain, ses paupières se sont ouvertes et elle a dit :

— Pas mal...

Nous avons fini par nous relever du canapé. Elle m'a proposé d'emporter le champagne et les verres au lit, et je l'ai suivie dans sa chambre. Pendant que nous retirions les quelques vêtements que nous avions encore sur nous, j'ai remarqué :

— Me déshabiller après avoir fait l'amour, ça ne m'était jamais arrivé.

— Qui a dit que c'était terminé pour aujourd'hui ?

— Pas moi, ai-je soufflé en me glissant entre les draps blancs amidonnés.

Je l'ai regardée se dénuder entièrement, mais elle a protesté :

— Ne me fixe pas comme ça, s'il te plaît.

— Pourquoi pas ? Tu es si belle...

— Oh, voyons ! J'ai les hanches trop larges, et j'ai de la cellulite sur les cuisses, et...

— Tu es belle.

— Et toi, tu es dans un état de stupeur postcoïtal où tu n'as plus aucun sens de l'esthétique.

— Je maintiens ce que je dis.

Elle s'est blottie près de moi en souriant.

— Merci d'être si myope.

— Je croyais qu'il ne fallait pas être trop dur avec soi-même ?

— Après cinquante ans, toutes les femmes pensent la même chose : « C'est foutu ! »

— Mais tu ne les as pas.

— Tu connais parfaitement mon âge.

— Ton secret.

— Ce n'est pas mon secret.

— C'est quoi, alors ?

— C'est un secret.

Je lui ai caressé les épaules, et j'ai déposé un baiser sur sa nuque.

— Non, c'est vrai ? Tu as un secret ?

— Mon Dieu, tu prends tout au pied de la lettre.

— D'accord, d'accord, je me tais...

— Mais tu peux m'embrasser.

Nous avons fait l'amour encore une fois, d'abord sans hâte, mais bientôt emportés dans le même paroxysme que lors de notre première étreinte sur le canapé. Elle s'abandonnait au plaisir avec une passion débridée, sans retenue. Je n'avais encore jamais rencontré une femme comme elle, et j'ai espéré en mon for intérieur que mon ardeur approche la même intensité. Ensuite, comme auparavant, il y a eu un moment de calme et de silence. Elle s'est levée, revenant bientôt avec des cigarettes et un cendrier. J'ai rempli à nouveau nos verres. Elle m'a lancé un regard malicieux.

— Ça a dû te corrompre, de vivre à Paris.

— Pourquoi tu dis ça ?

— Parce que tu ne bronches pas en me voyant fumer. Quel genre d'Américain es-tu ? Tu devrais me brandir les statistiques du cancer du poumon, plaindre les malheureux fumeurs passifs comme toi...

— Nous ne sommes pas tous hystériques à ce point.

— Les Américains que j'ai connus l'étaient.

— Tu es déjà allée aux États-Unis ?

— Non, mais...

— Mais quoi ? Tu te réfères aux Yankees coincés que tu as pu croiser chez Mme L'Herbert ?

— Oh, je n'y vais que très rarement, tu sais...

— Alors c'était mon soir de chance ?

— Tu peux dire ça.

— Mais pourquoi y aller, s'il te déplaît tant, ce « salon » ?

— Il ne me déplaît pas. L'absurdité de tout ça est même... cocasse, parfois. Car, enfin, cette femme qui croit que sa vie tout entière est une œuvre d'art parce qu'elle a eu sa minute de célébrité dans les années soixante, quand elle était l'égérie d'un barbouilleur et brièvement mariée à un homme riche...

— Ce qui explique l'immense appartement ?

— Évidemment. Son mari s'appelait Pierre Jacquemin, un producteur de cinéma spécialisé dans le porno soft, ce qui a dû lui rapporter gros, pendant un temps. Il a épousé Lorraine quand elle était un mannequin tendance hippie, « libérée » et tout, mais sans arrêter de fréquenter ses deux maîtresses de longue date. Il faut croire que le moralisme américain de Mme L'Herbert l'a emporté sur l'« amour libre », parce qu'elle n'a pas pu supporter le ménage à quatre. Elle a pris l'initiative du divorce, il s'est bien défendu : elle a eu l'appartement, mais rien de plus. Et puis elle a perdu de son charme, elle n'a pas su s'adapter à la nouvelle époque, et elle allait vraiment sombrer quand elle a eu cette idée géniale : se réinventer comme arbitre des élégances intellectuelles parisiennes. Elle a trouvé un créneau, le salon lui rapporte de quoi survivre et, pendant quelques heures, chaque dimanche soir, elle se donne l'impression d'être quelqu'un d'important. Voilà toute l'histoire de Mme L'Herbert. Je trouve son manège amusant deux fois par an, pas plus. Et c'est un moyen de rencontrer des gens.

— Tu n'as pas beaucoup d'amis, à Paris ?

— Pas vraiment. Mais ça ne me gêne pas. Depuis que j'ai perdu mon mari et ma fille, je...

— Ton mari aussi ?

— Oui... Depuis ce temps-là, j'ai appris à vivre par moi-même, et je m'en satisfais. Il y a beaucoup à dire sur la solitude.

— Elle a ses vertus, en effet.

— Que tu sais apprécier, en tant que romancier.

— Je n'ai pas d'autre choix que d'apprendre à vivre seul. En plus, l'écriture me permet de tuer le temps, pendant que je suis au travail.

— Tu n'as rien d'autre à faire de toute la nuit ?

— Je suis dans une salle de contrôle, je guette d'éventuels cambrioleurs, je laisse entrer les manutentionnaires qui transportent les fourrures. C'est tout.

— Je n'aurais jamais cru qu'un fourreur travaille vingt-quatre heures sur vingt-quatre.

— Celui-là, oui.

— Et tu as trouvé cette place comment ?

Je lui ai résumé mon odyssée parisienne, depuis mes démêlés avec le sinistre Brasseur – « Si tu hais vraiment quelqu'un, conseille-lui cet hôtel. » – jusqu'au concours de circonstances qui m'avait amené rue de Paradis.

— C'est pittoresque, a-t-elle apprécié. Et une excellente matière première pour un roman. J'imagine que tu ne te voyais pas échouer dans une chambre de bonne du quartier turc, au temps où tu perfectionnais ton français à... Où habitais-tu, en Amérique ?

— Eaton, dans l'Ohio.

— Jamais entendu parler. Évidemment, je n'ai jamais mis les pieds dans ton pays.

— Même si tu étais américaine, il y aurait peu de chance que tu connaisses. C'est un trou. Avec une petite université qui ne fait pas d'étincelles, Crewe College, et c'est là...

— ... que ta vie a pris la mauvaise direction ? – J'ai acquiescé. – Mais ce sera le sujet d'une autre conversation, n'est-ce pas ?

— Ou pas. Je préfère ne pas en parler.

— Entendu. – Elle s'est penchée, m'a embrassé passion-nément, puis s'est redressée et, après avoir vidé son verre a déclaré : – Et maintenant, je dois te demander de partir.

— Comment ?

— J'ai des choses à faire.

— Mais il n'est même pas... – j'ai consulté ma montre – ... huit heures !

— Et nous avons eu un très charmant « cinq à sept »... La preuve, c'est qu'il s'est transformé en cinq à huit.

— Je pensais qu'on passerait la soirée ensemble.

— C'est impossible.

— Pourquoi ?

— Je te l'ai dit : j'ai à faire.

— Je vois.

— On croirait un petit garçon à qui on vient de dire qu'il doit arrêter de jouer pour aller prendre son bain.

— Merci, ai-je répliqué, froissé.

Elle a pris mon visage entre ses mains.

— Ne le prends pas mal, Harry. Il faut que tu acceptes que je ne suis pas libre, ce soir. Mais nous passerons d'autres après-midi ensemble.

— Quand ?

— Dans trois jours, disons.

— Tant que ça ?

Elle a posé un doigt sur mes lèvres et murmuré :

— Sois raisonnable.

— Je voudrais te revoir avant, c'est tout.

— Tu me reverras. Dans trois jours.

— Mais…

— Ne pousse pas trop loin, Harry.

— OK.

Elle m'a embrassé à nouveau.

— À quelle heure ? ai-je demandé.

— Comme aujourd'hui.

— Tu vas me manquer d'ici là, ai-je soupiré.

— Tant mieux.

11

LES TROIS JOURS SUIVANTS ONT ÉTÉ UNE ÉPREUVE. J'ai respecté ma routine : lever à deux heures, tuer le temps à la Cinémathèque, dîner dans les cafés et les petits traiteurs bon marché que je fréquentais, arrivée au travail, écriture, sortie à six heures, les deux pains au chocolat, retour à la maison... La différence, c'était que je pensais sans cesse à Margit, désormais. Notre après-midi de sexe repassait en boucle sur l'écran blanc de mes rêveries éveillées. J'avais encore le goût de sa peau salée, la sensation de ses ongles plantés dans mon dos quand elle jouissait ou celle de ses jambes se resserrant autour de moi pour m'attirer encore plus contre elle. Je revivais le long moment de calme après la furie de nos ébats, quand j'avais repensé à ce que mon ex-épouse avait prétendu si souvent – que je ne valais rien au lit –, à son refus de tout contact sexuel avec moi pendant les six derniers mois, à mes tentatives de lui faire dire ce qui était venu à lui déplaire dans notre relation, à ma découverte de son aventure avec le doyen de la faculté, à cet instant où j'avais compris que je l'avais perdue à jamais et... « Arrête ! Tu recommences à convoquer tous ces mauvais souvenirs uniquement pour nier le bonheur que tu ressens maintenant », a protesté une voix en moi, mais une autre a répliqué : « Bonheur ? C'est pas son truc, le bonheur. » Et d'ailleurs, il n'était pas question de bonheur, ici, mais de pure attirance sexuelle dans laquelle je voulais discerner, peut-être, ce qui

147

ressemblait au frémissement de l'amour… « Non, mais écoutez un peu cet ado follement amoureux juste après un simple après-midi de passion… – Oui, et je compte les minutes qui me séparent de nos retrouvailles. – Parce que tu n'as rien d'autre à te mettre sous la dent. – Elle est belle. – Elle a plus de cinquante-cinq balais. – Elle est belle – Prends un café, ça te calmera ! – Elle est belle. – Prends trois cafés ! » Dans ce débat intérieur, j'essayais de me préparer à la déception : Margit allait m'accueillir la prochaine fois en m'annonçant qu'elle avait changé d'avis, qu'elle ne voulait pas de notre petite aventure. C'était trop beau pour être vrai.

Le jour dit, j'étais de retour bien avant cinq heures, le temps de flâner au Jardin des Plantes, puis de m'arrêter dans la même épicerie et d'acheter une autre bouteille de champagne. J'ai attendu l'heure exacte devant l'entrée de l'immeuble avant de composer le code. Parvenu devant sa porte, j'ai été saisi par une vague d'anxiété. J'ai sonné. Pas de réaction. Au bout de trente secondes, j'allais appuyer une nouvelle fois sur la sonnette lorsque j'ai entendu des bruits de pas à l'intérieur, celui d'une serrure qu'on déverrouillait… La porte s'est ouverte. Elle était en col roulé et pantalon noirs, une cigarette entre ses doigts, légèrement souriante. Superbe.

— Vous êtes un amant très ponctuel, a-t-elle remarqué. – J'allais la prendre dans mes bras lorsqu'elle m'a retenu d'une main levée, tel un agent réglant la circulation. Puis elle l'a placée sur ma poitrine et a posé ses lèvres sur les miennes avec délicatesse. – Du calme, monsieur. Chaque chose en son temps…

Elle m'a entraîné vers le canapé. Il y avait de la musique dans le living. Un quatuor contemporain de musique de chambre, un peu dissonant. Elle m'a débarrassé de la bouteille.

— Tu ne vas pas te ruiner à chaque fois. Un bordeaux bon marché suffirait.

— Tu veux dire que tu n'aimerais pas recevoir cinquante roses rouges, un ours en peluche avec un diamant au cou, un magnum de Chanel n° 5 ?

— J'ai eu un soupirant dans ce style, m'a-t-elle informé avec un petit rire. Un homme d'affaires qui avait un goût épouvantable, bouquets en forme de cœur, boucles d'oreilles aux allures de lustre Louis XV...

— Il devait être fou de toi.

— Un caprice, rien de plus. Les hommes sont vraiment des petits garçons : quand ils veulent quelque chose, notamment une femme, ils la couvrent de joujoux en pensant qu'elle sera suffisamment flattée.

— Si je comprends bien, il faut être radin et ascète, pour te plaire. Une boîte de trombones en guise de diamants ?

Elle s'est levée pour prendre deux verres.

— Je vois que ton sens de l'humour t'est revenu.

— Parce que je ne l'avais pas, l'autre jour ?

— J'aime que tu plaisantes, c'est tout.

— Au lieu d'être...

— Un peu trop sérieux. Un peu trop en demande.

— Avec toi, les choses sont claires, au moins !

Elle a débouché le champagne, a rempli les verres.

— C'est une manière de voir les choses.

J'allais risquer une riposte un brin revendicatrice, par exemple : « Moi, je respecte les règles, puisque je ne t'ai pas appelée une seule fois en trois jours », mais j'ai préféré changer de sujet :

— Cette musique que tu écoutes, c'est... ?

— Tu es cultivé. Devine.

— XXe siècle, une pointe de nostalgie tsigane, ai-je avancé en sirotant mon champagne pendant qu'elle revenait s'asseoir près de moi. Europe de l'Est, c'est sûr.

— Bien, a-t-elle approuvé en me tapotant la cuisse.

— Ça pourrait être du Janáček...

149

— Ça pourrait, a-t-elle soufflé en remontant sa main sur mon entrejambe et en la laissant quelques secondes sur mon érection naissante.

— Mais il est tchèque, et toi hongroise...

Elle s'est penchée en avant pour effleurer mon cou de ses lèvres.

— Ça ne signifie pas que je n'écoute que de la musique hongroise.

— Attends... C'est Bartók, Béla Bartók.

Sa main était de retour. Pour déboutonner la braguette de mon jean.

— Bravo. Quel morceau, plus précisément ?

Ses doigts étaient dans mon pantalon, maintenant.

— Un... Un quatuor à cordes.

— Merci pour cette évidence, a-t-elle persiflé en sortant mon sexe du jean. Lequel ?

— Je... Je ne sais pas, ai-je fait, les dents serrées, car elle avait entrepris de passer son index de haut en bas sur ma verge tendue. Ou... Le troisième ? Le... mouvement lent ?

— Comment as-tu deviné ?

— Je... Je l'ai dit comme ça, pour...

Je n'ai pas pu terminer ma phrase : elle m'avait pris dans sa bouche, accompagnant de sa main le va-et-vient toujours plus rapide de ses lèvres. Quand j'ai été proche de l'orgasme, j'ai bredouillé que j'aurais voulu jouir en elle, ce qui n'a fait qu'accélérer ses allées et venues. Plus que jouir, j'ai explosé dans sa gorge. Margit s'est relevée, a vidé son verre d'un trait, allumé une cigarette.

— On se sent mieux ? s'est-elle enquise.

— Un peu, ai-je répondu en tendant le bras pour l'attirer à moi.

Elle a résisté, prenant cependant ma main dans la sienne. Je me suis redressé, je l'ai embrassée sur la bouche avec passion.

— Pas aujourd'hui, a-t-elle chuchoté.

Elle s'est dégagée et a tiré une bouffée de sa cigarette.

— Je... J'ai fait quelque chose qu'il ne fallait pas ?

150

Un petit rire.

— Ton ex-femme a réellement démoli le peu de confiance que tu avais en toi, on dirait...

— Ce n'est pas le problème.

— Si. Je t'annonce que je ne veux pas faire l'amour aujourd'hui et ta première réaction est de penser que tu as dû faire une « bêtise ». D'où ma conclusion.

— Je me demandais pourquoi, c'est tout.

— Pourquoi quoi ? Pourquoi je te fais une pipe et je n'exige rien en retour ?

— Si tu veux le présenter aussi crûment...

— Tu réagis comme si je t'avais rejeté, alors que la vérité, c'est que...

— D'accord, je me tais.

— Très bien, a-t-elle approuvé en remplissant à nouveau mon verre.

— Il faut que je te dise, quand même : c'est la première fois que je me fais sucer avec du Bartók en musique de fond.

— Il y a un début à tout.

— Tu utilisais Bartók avec ton homme d'affaires, aussi ?

— Monsieur est jaloux, je vois.

— C'était juste une question.

— Et j'y réponds : comme j'étais mariée, en ce temps-là, nous nous retrouvions dans un studio qu'il louait près de son bureau. Son baisodrome.

— Et tous les cadeaux ? Il les envoyait ici ?

— Oui.

— Et ton mari ne s'est jamais fâché ?

— Tu es vraiment curieux. – Elle a allumé une autre cigarette sitôt après avoir écrasé la précédente. – Non. Zoltan, mon mari, n'avait aucun soupçons. Il était parfaitement au courant de toute l'histoire.

— Il... ? Je ne comprends pas.

— Je t'explique, alors. C'était en 1975. Zoltan venait de perdre son travail dans un observatoire sur les pays de l'Est. Il écoutait les radios hongroises pour eux. C'était une institution financée par la CIA, qui a décidé de réduire le budget. Notre fille, Judit, n'avait que deux ans. Moi, je ne trouvais des contrats de traduction qu'au compte-gouttes... Bref, nous étions fauchés à un point critique. Et puis, miraculeusement, on m'a proposé un boulot : traduire des brochures techniques affreusement ennuyeuses pour une société française qui importait du matériel dentaire fabriqué en Hongrie.

— Je ne savais pas que ç'avait été une spécialité de la Hongrie communiste.

— Moi non plus, jusqu'à ce que je prenne ce travail. À un moment donné, j'ai été convoqué au siège de cette société, dans un quartier neuf de Boulogne, pour clarifier quelques points techniques avec le directeur, M. Corty. La cinquantaine bedonnante, des bajoues, les paupières lourdes... Typique, le bonhomme. Il s'est mis à me reluquer dès que je suis entrée dans son bureau. Au bout d'une demi-heure à vérifier des documents, il m'a proposé de venir déjeuner avec lui. Je n'avais plus mis les pieds dans un restaurant depuis très longtemps, donc je me suis dit : « Pourquoi pas ? » Il m'a emmenée dans un endroit très chic, a commandé un vin excellent. Il m'a interrogée sur ma famille, nos difficultés financières, puis il a été en veine de confidences. Il s'est plaint d'être marié à une femme impossible, qui se montrait tellement froide avec lui qu'il n'arrivait plus à « fonctionner » au lit, et qui se moquait de lui à cause de ça, et ça durait depuis des années mais il ne pouvait pas divorcer, parce qu'il restait prisonnier des conventions catholiques françaises, pourtant il aurait aimé trouver une femme avec laquelle il aurait un « arrangement », comme il a dit. Il a déclaré qu'il me trouvait très séduisante, intelligente, et puis j'étais mariée, ce qui était parfait pour lui, parce que cela signifiait que j'avais mes propres engagements... Et là, il m'a proposé trois cents francs par semaine, une fortune, à l'époque, tout cet argent, pour le retrouver pendant deux heures, deux après-midi hebdomadaires.

152

— Et tu... tu n'as pas été choquée ?

— Bien sûr que non. Il a exposé son offre avec beaucoup de tact. Je lui ai dit que j'allais réfléchir et le soir même, après avoir couché Judit, j'ai rapporté à Zoltan tout ce qui s'était passé. Le lendemain, j'ai téléphoné à M. Corty pour lui annoncer que j'étais d'accord, mais que ce serait quatre cents francs par semaine. Il a accepté sur-le-champ.

— Ça lui était égal, à ton mari ?

— Je sais ce que tu penses. Me laisser faire la pute avec un homme gros, laid, vieux... Mais son attitude, comme la mienne, était avant tout pragmatique. Nous étions pratiquement sans ressources, et c'était une somme considérable. Pour moi, ce n'était qu'un rapport sexuel, toujours très bref, en plus, parce que M. Corty était rapide... Ce qu'il cherchait, surtout, c'était un peu de tendresse. Parler à une femme qui l'écouterait, pour changer... Alors j'allais au petit studio qu'il avait loué à Boulogne, je me déshabillais, lui aussi, mais il gardait toujours ses sous-vêtements, il sortait son pénis, j'ouvrais les jambes, il...

— Je crois que je sais comment ça marche, l'ai-je interrompue.

— Tu es gêné ? Ne me dis pas que tu es un puritain, Harry...

— Pas vraiment, mais...

— Un écrivain comme toi, tu devrais être sensible aux détails, quand on te raconte une histoire. Le fait que M. Corty ne se soit jamais complètement déshabillé pour me faire l'amour, que le sexe pour lui n'ait été qu'un acte mécanique, cela devrait t'amener à penser que...

— Que c'était un triste et sordide compromis ?

— Ce n'était ni triste ni sordide. C'était ce qu'il voulait.

— Combien de temps ça a duré ?

— Trois ans.

— Grands dieux !

— Trois années de prospérité, pour nous. Nous avons pu acheter cet appartement, et...

— Où dormait votre fille ?

— Il y a une petite chambre supplémentaire. Toute petite.

— Où ça ?

— Là.

Elle m'a montré une porte sur la gauche, près de la porte-fenêtre.

— Je n'avais pas remarqué.

— Ne néglige pas l'importance des détails.

J'ai failli lui demander à quoi cette chambre lui servait, désormais. (J'ai préféré m'abstenir.)

— Qu'est-ce qui a mis fin à cet « arrangement » ?

— Les circonstances.

— Ton mari devait être un homme remarquablement tolérant.

— Il était aussi complexe que n'importe qui. Des points forts remarquables, de grandes faiblesses… Je l'aimais à la folie mais je le haïssais, souvent. Et je crois que c'était pareil pour lui, envers moi. Et quand il s'agissait d'autres femmes, ce n'était pas un saint.

— Il avait des maîtresses ?

— Un jardin secret… avec beaucoup de fleurs.

— Et tu ne t'y opposais pas ?

— Il a toujours été discret, là-dessus, et il ne m'a jamais fait me sentir moins importante pour lui. Au contraire, je crois que ce sont toutes ses aventures qui lui ont permis de rester avec moi.

J'ai secoué la tête. Elle a ajouté :

— Ça t'intrigue, n'est-ce pas ?

— J'avoue que oui. Je n'imagine pas un seul couple américain qui accepterait ce genre d'arrangement.

— Je suis sûre qu'il y en a beaucoup, moi. Mais, évidemment, ils gardent ça pour eux.

— Peut-être, mais à la base de la culture américaine il y a une conviction profonde : qui dit transgression dit punition.

— Tu es bien placé pour le savoir.

— Comment en es-tu si certaine ?

— Ça se lit partout sur toi. Tu as été pris en flagrant délit de quelque chose. N'est-ce pas une autre règle de la vie américaine, « Ne jamais se faire prendre » ?

— Non. La règle, c'est : « Il y a un prix à payer pour tout. »

— Quelle triste philosophie... penser que le plaisir doit toujours être puni.

— Le plaisir illicite, seulement.

— Mais les plus grands plaisirs sont toujours illicites, tu ne crois pas ? m'a-t-elle demandé à voix basse et en approchant ses lèvres des miennes.

Nous nous sommes embrassés avec fougue, puis elle s'est reculée.

— J'ai dit « Pas aujourd'hui », a-t-elle murmuré. Mais dans trois jours, ce sera oui... Et maintenant, tu dois partir.

— Déjà ?

— J'ai à faire.

— OK.

Dix minutes plus tard, je marchais vers l'entrée du métro en essayant de décoder ce qui venait de se produire entre Margit et moi. « Pas aujourd'hui »... Pourquoi ? Et qu'avait-elle donc toujours « à faire » pour me congédier ainsi ? Sa mention de l'homme d'affaires m'avait heurté plus que je ne voulais l'admettre, également, parce que j'avais l'impression que c'était une façon pour elle de m'éprouver et de me laisser entendre, pas très subtilement d'ailleurs, que notre « liaison » – si on pouvait l'appeler ainsi – devrait se dérouler selon ses conditions et selon ses règles. Au cas où je refuserais, ce serait la fin.

Mais je n'avais aucune intention de refuser. Et en descendant les escaliers de la station Jussieu, la déception s'intensifia. Trois jours me semblaient une éternité. Et en me rendant au travail, ce soir-là, je me suis dit que la perspective de ces six heures passées enfermé dans un cagibi devenait toujours plus pénible, que je commençais à me lasser de ce train-train, et que j'aurais aisément renoncé à soixante-cinq euros pour avoir enfin une nuit libre.

Lorsque j'ai soumis cette idée au barbu le lendemain après-midi, sa réaction n'a pas été positive :

— Je crois pas que le patron voudra. Il a besoin de toi là-bas toutes les nuits.

— Mais au début, Kamal avait dit que je pourrais ne travailler que six soirs par semaine.

— Il est mort, Kamal. Et c'est sept soirs qu'on a besoin de toi.

— Vous ne pourriez pas engager quelqu'un d'autre, juste une nuit ?

— Pas possible.

— Vous pourriez quand même demander à votre patron.

— Je peux poser la question au patron, mais je connais sa réponse : « Pas possible. »

Le lendemain, cependant, il m'a gratifié d'un sourire hostile lorsque je suis passé prendre mon enveloppe.

— J'ai parlé au patron. Il est d'accord. « Tout le monde mérite un jour de repos », il a dit. Ce sera le vendredi, pour toi. Mais en échange, il veut que tu fasses en plus une vacation de six à minuit, une fois par semaine.

— Mais ça fera douze heures d'affilée.

— Comme ça, tu perdras pas d'argent.

Certes, mais comme Margit ne pouvait apparemment me voir qu'à cinq heures tous les trois jours…

— Et si je faisais six heures du matin à midi ?

— Pas possible.

— Posez la question au patron.

Le lendemain, le barbu m'a pratiquement jeté mon enveloppe à la figure, puis :

— Le patron veut savoir pourquoi tu veux pas faire ces heures sup.

— Parce que je vois une femme, en fin d'après-midi.

Il a essayé de ne pas se montrer choqué, mais sa surprise était visible. Il a détourné les yeux.

156

— Je vais lui dire ça.

Comme j'en avais l'habitude deux fois par semaine, je suis allé me payer un steak-frites à mon petit café de la gare de l'Est. Quand le serveur a pris ma commande, je lui ai demandé s'il n'aurait pas un journal. Il est revenu avec *Le Parisien*, que je me suis mis à feuilleter avec plaisir. J'aimais ce quotidien pour sa rubrique de faits divers – les petits crimes et infractions insignifiants en disent long sur la vie d'une grande ville. Ce jour-là, nous avions deux petits voyous arrêtés alors qu'ils mettaient le feu à une voiture à Clichy-sous-Bois, un agent d'assurances tué en percutant un camion sur l'autoroute de Versailles et dont l'autopsie avait prouvé qu'il conduisait en état d'ivresse, une vendetta entre deux familles de Bobigny qui s'était terminée par un pare-brise de Renault Mégane défoncé, un employé d'hôtel renversé rue La Fontaine dans le XVIe arrondissement par un chauffard qui avait pris la fuite... Quoi ! J'ai approché la feuille de mes yeux.

« Philippe Brasseur, 43 ans, réceptionniste de jour à l'hôtel Select, rue François-Millet (XVIe), souffre d'une paralysie générale après avoir été percuté par un véhicule devant cet établissement hier après-midi. D'après des témoins, la voiture, une Mercedes Classe C garée en double file en face de l'hôtel, a démarré brusquement alors que M. Brasseur en sortait. Mme Tring Ta-Sohn, propriétaire du restaurant asiatique situé de l'autre côté de la rue, a affirmé à la police que le conducteur semblait "avoir cherché à écraser" la victime. Selon l'inspecteur Guibet, en charge de l'enquête, les plaques d'immatriculation de la Mercedes avaient été masquées, ce qui confirmerait l'hypothèse d'un acte délibéré. De source médicale à l'hôpital de Saint-Cloud, où la victime a été hospitalisée, on indique qu'il est trop tôt pour savoir si la paralysie sera définitive. »

Seigneur ! J'avais beau détester ce salaud, et souhaité plus d'une fois que le destin lui fasse payer le comportement abominable qu'il avait eu à mon égard, je ne serais pas allé jusqu'à imaginer une chose pareille... Il devait s'être fait de terribles ennemis, dans sa carrière d'ordure patentée. C'est ce que j'ai déclaré à Margit quelques heures plus tard, en lui racontant ce que j'avais lu. Nous étions dans son lit, un dénouement que je n'osais plus trop espérer, depuis notre dernière rencontre. Mais elle m'avait quasiment sauté dessus sitôt après m'avoir ouvert, m'avait entraîné dans sa chambre, débarrassé de mon jean, avait remonté sa jupe et s'était ouverte à mes coups de reins avec une fougue très communicative.

Après l'amour, elle m'a dit :

— Déshabille-toi complètement et reste un peu.

Puis elle a disparu dans l'autre pièce.

Lorsqu'elle est revenue avec deux verres et la bouteille de champagne – « Je ne vais pas te le dire à chaque fois, mais tu dois arrêter d'être extravagant. » –, elle a fait sauter le bouchon et la cendre de la cigarette qu'elle tenait entre les doigts est tombée sur les draps.

— La femme de ménage va avoir plus de travail, ai-je observé.

— Je suis la femme de ménage. Tout comme toi.

— Tu es belle, ai-je murmuré en passant ma paume sur sa cuisse.

— Tu l'as déjà dit.

— Mais c'est vrai.

— Quel menteur ! s'est-elle esclaffée. Tout ça pour ne pas répondre à ma question.

— Quelle question ?

— Celle que je t'ai posée la dernière fois.

— C'est-à-dire ?

— À quel point ton ex-femme a bousillé le peu de confiance que tu avais en toi.

J'ai hésité un instant.

— À un point grave. Mais, fondamentalement, c'est moi qui me suis bousillé tout seul.

— Tu dis ça parce que tu as fini par croire à tous ses sophismes. Parce que tu as passé toute ta vie à entendre que tu étais un vilain garçon.

— Arrête de jouer à la psy, s'il te plaît.

— Tu n'as pas à te sentir coupable, de quoi que ce soit.

— Oh si ! ai-je lâché en détournant mon visage.

— Quoi, tu as tué quelqu'un ?

— N'essaie pas de relativiser, parce que tu…

— Non, c'est une vraie question : tu as tué quelqu'un ?

— Bien sûr que non.

— Alors d'où elle vient, cette culpabilité ? D'avoir trompé ta femme, peut-être ?

— Peut-être.

— Ou plutôt de t'être fait prendre la main dans le sac ? – Je n'ai pas répondu. – C'est ce que nous désirons tous, Harry. Nous faire pincer. C'est tristement humain, tristement vrai. Tous, nous sommes incapables d'échapper à la culpabilité.

— Tu veux savoir à quel point je me sens coupable, chaque jour ? Et à quel point j'essaie de surmonter ça ?

C'est à ce moment-là que je lui ai raconté l'accident subi par le sinistre Brasseur. Quand j'ai eu terminé, Margit m'a regardé attentivement.

— Ça ne paraît pas du tout accidentel.

— C'est bien ce qui me tourmente ! Le fait que j'aie pu penser à…

— Pitié ! Tu ne vas pas me dire que la foudre divine est tombée sur ce saligaud juste parce que tu l'avais maudit.

— C'est un peu ça, oui.

— Il l'a cherché. Quelqu'un a décidé qu'il méritait de recevoir la monnaie de sa pièce, quelqu'un qui n'a rien à voir avec toi, et tu ressens quand même… de la « culpabilité » ?

— J'ai souhaité qu'il lui arrive quelque chose, c'est un fait.

— Et ça te rend complice ?

— Ma conscience est… détraquée, il faut croire.

— Manifestement, oui, a-t-elle commenté en remplissant à nouveau mon verre. Mais cette haine de soi n'a pas commencé du jour au lendemain, j'en suis sûre. Est-ce que ta mère t'a... ?

— Écoute, je préfère vraiment ne pas en parler.

— Parler du fait qu'elle te blâmait sans arrêt ?

— De ça, oui, et de ce qu'elle a toujours été profondément malheureuse, ne cessant de me répéter que j'étais la source de tous ses problèmes.

— Et c'était le cas ?

— D'après elle, oui. J'ai fichu sa vie en l'air.

— Comment ?

— Avant que je naisse, c'était une journaliste très lancée.

— « Très lancée », mais encore ?

— Elle tenait la chronique judiciaire au...

— C'est ça que tu appelles « très lancée » ?

— ... au *Cleveland Plain Dealer*.

— C'est un journal important, ça ?

— Oui... quand tu habites Cleveland, dans l'Ohio.

— Donc c'était une journaleuse de province qui se croyait très importante parce qu'elle couvrait les procès à Cleveland, dans l'Ohio.

— Si tu veux... Ma naissance a été un accident. Elle approchait la quarantaine, c'était une femme qui n'avait jamais été mariée, qui n'avait vécu que pour son travail. Mais elle commençait à sentir qu'elle risquait bien de devenir une vieille fille desséchée dans un petit appartement, mise à la retraite par son journal, et personne pour se soucier de savoir si elle était encore en vie. Enfin, ça, je ne l'ai su que bien plus tard.

— Aucun homme dans sa vie ?

— Pas jusqu'à ce qu'elle fasse la connaissance de Tom Ricks. Ancien militaire divorcé après la guerre, pas d'enfants, à la tête d'une compagnie d'assurances dans la région de Cleveland qui marchait plutôt bien... Il a rencontré maman un jour qu'il était venu témoigner à un procès d'accident de la route. Il se sentait seul, elle aussi. Ils ont commencé à se fréquenter. Au début, c'était « assez sympa », comme elle me l'a dit par la suite, surtout qu'ils aimaient boire sec, tous les deux...

— Et elle s'est retrouvée enceinte.

— Ouais. Pas de veine. Elle s'est tourmentée pendant des semaines, se demandant s'il fallait avorter ou non...

— Elle t'a raconté tout ça ?

— Oui. J'avais dans les treize ans, on a eu une dispute terrible parce que j'avais refusé d'effectuer je ne sais plus quelle corvée idiote... Sortir les poubelles, peut-être. En deux secondes, elle était là, à hurler que la « pire erreur » de sa vie avait été de ne pas m'avoir « éliminé de son ventre quand il était encore temps »...

— Charmant, a noté Margit en écrasant sa cigarette.

— Elle avait beaucoup bu, ce jour-là. Mais donc, quand elle a appris qu'elle était enceinte, papa l'a convaincue de garder l'enfant, il lui a promis qu'il ne l'empêcherait jamais de continuer à travailler, etc. Sauf que la grossesse a tourné au cauchemar. Elle a dû rester sur un lit d'hôpital pendant trois mois. Et c'était en 1963, au temps où les congés maternité n'étaient pas bien vus... Le journal s'est débarrassé d'elle. Ç'a été un coup très, très dur pour elle. Le plus dur. Des années plus tard, je l'entendais parler du *Plain Dealer* avec une mélancolie dans la voix, comme si un amour de jeunesse l'avait plaquée... « Mon journal », elle disait tout le temps.

— Et donc tu es devenu le responsable de toutes ses déceptions. Elle vit toujours ?

— Non. Mon père est parti le premier, en quatre-vingt-sept. Tabac. Ma mère en quatre-vingt-quinze : tabac *et* alcool.

— Un suicide, alors.

— À petit feu. Je suis certain qu'elle a résolu de se tuer lentement mais sûrement dès que ce fichu canard l'a virée, et que... Bon, on peut parler d'autre chose ?

— Mais c'est tellement instructif ! Cela explique en particulier ta culpabilité permanente...

— La culpabilité est un processus qui obéit à une logique étrange.

— Étrange au point de te ronger à cause d'un employé d'hôtel renversé ?

— Je ne me ronge pas... Simplement, j'aurais préféré ne pas lui avoir souhaité le pire.

— Tu vas pleurer sur une crapule ? Tu ne crois pas que ceux qui traitent mal les autres méritent d'être maltraités ?

— Si tu t'en tiens à la vision de l'Ancien Testament, oui.

— Ou si tu crois que nous sommes responsables de nos actes.

— Mais tu rejettes toi-même l'idée de punition...

— Je crois en la « réparation ». Je trouve même que c'est un concept... délectable. – Elle m'a souri. – Tu ne penses pas ?

— Tu plaisantes, hein ?

— Non, pas vraiment.

Elle a jeté un coup d'œil à ma montre, que j'avais gardée au poignet.

— Tu ne vas pas me dire que le temps est venu que je m'en aille...

— Presque.

— Formidable ! D'accord, je ne veux pas avoir l'air fâché, mais...

— À dans trois jours, Harry.

— Je... Même heure ?

Elle m'a caressé rapidement les cheveux.

— Tu apprends vite.

Et moi, j'ai pensé : « Apprendre quoi ? »

12

AYANT DÉCIDÉ DE ROMPRE LA MONOTONIE DE MES JOURNÉES, j'ai pris la résolution d'explorer de nouveaux quartiers à pied. Je me suis même forcé à faire trois joggings hebdomadaires le long du canal Saint-Martin, petite concession à la nécessité de me remettre en forme. De temps à autre, aussi, je décidais d'observer un « jour sans films » et j'allais visiter les musées au lieu de m'enfermer à la Cinémathèque. Mais tout cela était bien terne, à côté de mes rendez-vous avec Margit. Ce n'était pas seulement pour le sexe : l'espace d'une heure ou deux (quand j'avais de la chance), ils me donnaient le sentiment d'échapper à la banalité de ma vie. Rien d'étonnant à ce que nous soyons tous à la recherche d'intimité. Non seulement, elle nous permet de nous accrocher à quelqu'un et de nous convaincre que nous ne sommes pas seuls au monde, mais elle offre aussi une échappatoire à la routine prosaïque de notre existence.

Non que Margit ne m'ait débarrassé entièrement de ma sensation de solitude, puisqu'elle continuait à maintenir une stricte distance entre nous. À notre quatrième rencontre, elle m'a conduit au canapé, m'a fait asseoir, a ouvert mon jean et a entrepris de me sucer, mais lorsque j'ai voulu à mon tour la caresser elle a repoussé doucement ma main, avec la phrase fatidique : « Pas aujourd'hui. » Trois jours plus tard, c'était une autre femme : passionnée, avide, enchantée par ma compagnie, désireuse de bavarder,

163

presque… amoureuse, si j'osais le mot. Et c'est pourquoi, lorsqu'elle a laissé à nouveau entendre à huit heures qu'il était temps que je parte, je me suis risqué :

— Je ne veux surtout pas avoir l'air de m'imposer, tu sais, mais c'était tellement merveilleux, on est tellement bien ensemble, là, que je me demandais si on ne pouvait pas aller dîner tous les deux, ou…

— J'ai du travail. Toi aussi.

— Mais je ne commence qu'à minuit ! Ça nous laisse amplement le temps de…

— Alors vraiment, tu passes la nuit là-bas, à regarder des fourrures arriver et repartir ?

— C'est ça.

— Il t'arrive de rencontrer tes employeurs ?

— Juste le renfrogné qui tient le cybercafé et qui me donne mon salaire chaque jour.

— L'intermédiaire.

— On peut l'appeler comme ça.

— Tu t'es déjà demandé ce qui se passait réellement, dans cet immeuble ?

— Mais je te l'ai dit : c'est un dépôt de fourrures.

— Et moi, je sais que c'est un mensonge. – Il y a eu un silence. – Ne me dis pas que tu es soudain envahi par la culpabilité pour ne pas m'avoir dit la vérité, Harry…

— La vérité, c'est que j'ignore la vérité. Pardon.

— Pourquoi « pardon » ? Tous les hommes sont des menteurs.

— Comme tu voudras.

— Tu te sens coupable, encore. Attends que je devine : ton ex-femme ne cessait de dire qu'il fallait une « confiance totale » dans un couple ? Que sans une « complète honnêteté », il ne pouvait y avoir de véritable intimité ?

À nouveau, je me suis trouvé sur la défensive, à fouiller ma mémoire en essayant de me rappeler quand j'avais bien pu lui confier cet aspect de Susan. Elle a pris les devants :

— Ce n'était qu'une supposition. Fondée sur mes connaissances rudimentaires en matière de moralisme américain, dans toute son hypocrite complexité.

— Tandis que la méthode française, c'est de...

— C'est de compartimenter. D'accepter la logique cartésienne de deux univers distincts dans une seule vie. De ne pas nier la tension contradictoire entre le sens des responsabilités familiales et l'illusion de la liberté. Reconnaître, pour paraphraser Alexandre Dumas, que les liens du mariage sont des chaînes si lourdes à porter qu'il vaut souvent mieux s'y mettre à plusieurs. Mais veiller à ce que les deux univers ne se rencontrent jamais, et toujours nier, quoi qu'il arrive. Alors que toi, tu as « tout » avoué, n'est-ce pas, Harry ?

— Oui. Et j'ai été idiot, c'est entendu.

— Mais tu avais besoin de « partager » ta culpabilité.

— J'ai été démasqué.

— Être démasqué et se confesser sont deux choses très différentes. Tu connais l'histoire du gars qui se fait surprendre par sa femme dans un lit avec une autre, qui se lève d'un bond et se met à crier : « C'est pas moi, c'est pas moi » ?

— J'admets que je n'ai jamais eu ce genre de sang-froid.

— Non. C'est juste que mentir te met mal à l'aise. Tu trouves le mensonge moralement répréhensible, alors que c'est la réaction humaine la plus commune, et la plus nécessaire.

— Il est « nécessaire » de mentir, d'après toi ?

— Bien sûr ! Comment résisterions-nous à l'absurdité de la vie, sans les faux-semblants ? Le plus énorme de tous étant, comme tu dois le savoir : « Je t'aime »...

— Je croyais que tu avais aimé ton mari.

Elle a attrapé son paquet de cigarettes.

— C'est ce que tu fais chaque fois que je pose une question gênante. Tu allumes une clope.

— Très observateur. Mais oui, c'est vrai, j'ai aimé mon mari... *parfois.*

— Pas plus ?

— Tu vas me raconter qu'on peut aimer quelqu'un « tout le temps » ?

— Eh bien… Je ferais n'importe quoi pour ma fille, oui.

— Même si elle ne veut plus te parler ?

— Est-ce que je t'ai dit ça aussi ?

— Tu as toujours l'air ébahi, quand je fais la moindre supposition à propos de ta vie. Je ne suis pas voyante, c'est simplement que ton histoire…

— … est aussi prévisible que banale.

— Toute existence est à la fois banale, prévisible et extra-ordinaire. À partir de sous-entendus ici et là, d'éléments que tu m'as donnés sans même t'en rendre compte, il est facile de déduire certains aspects de ton caractère et de ton expérience. Mais puisque tu ne veux pas en parler…

— Pas plus que tu ne veux parler de ce qui est arrivé à ta propre fille…

— Ma fille ? Elle est morte.

— Comment ?

— Tu tiens vraiment à l'entendre ?

— Mais oui.

Elle a laissé dériver son regard vers la fenêtre près du lit. Après avoir plusieurs fois tiré sur sa cigarette, elle a commencé à parler d'une voix sourde :

— Le 21 juin 1980, Zoltan a emmené notre fille au jardin du Luxembourg. Judit venait d'avoir sept ans. Je lui ai dit que je comptais servir le dîner d'ici une heure et qu'il serait donc préférable qu'ils aillent plutôt à côté, au Jardin des Plantes, mais Judit voulait faire un tour au manège du Luxembourg et Zoltan, qui l'adorait, ne pouvait rien lui refuser. Il m'a dit : « Nous prendrons un taxi pour y aller et pour revenir. D'ailleurs, c'est la journée la plus longue de l'année, aujourd'hui, pourquoi tu ne viendrais pas avec nous ? On peut faire des folies, ce soir. On ira au restaurant, et après on pourrait même emmener Judit voir *Fantasia*, non ? » Je me rappelle que j'avais déjà commencé à préparer une sauce pour les spaghetti, et à l'époque j'étais assez inflexible sur la régularité des repas, le train-train domestique. J'ai répondu à Zoltan qu'ils devraient être de retour dans une heure, au plus tard. Il a rétorqué que je faisais le rabat-joie, « comme d'habitude », j'ai riposté qu'il fallait bien que quelqu'un soit raisonnable, dans cette maison, pour maintenir la famille à flot... C'est là qu'il m'a traitée de garce. Judit s'est mise à pleurer en demandant pourquoi nous nous disputions tout le temps. J'ai crié à Zoltan que c'était seulement pour notre fille que je restais ici, il a hurlé qu'il en avait assez de ce mariage et de mon besoin de contrôle permanent... Il a pris Judit par le bras et m'a annoncé qu'ils dîneraient ailleurs, que je pouvais me noyer dans ma foutue sauce, il a claqué la porte derrière eux et...

Elle a marqué une longue pause.

— Les heures ont passé. Trois, quatre, cinq. Je me suis dit qu'ils avaient dû aller au cinéma après avoir mangé un morceau, mais la salle en question était tout prêt de chez nous, à dix minutes à pied... À vingt-trois heures, je me suis fait du souci. À minuit, j'étais affolée. Et à une heure du matin, en proie à la panique, j'ai commencé à imaginer toutes sortes de scénarios : Zoltan avait décidé de passer la nuit dans un hôtel avec notre fille, sans m'avertir pour me punir d'avoir été aussi agressive... En même temps, je savais qu'il n'aurait jamais agi de la sorte. Il manquait d'ambition, c'est vrai, mais il avait un bon fond. C'est une chose que j'aimais en lui, et pourtant je n'arrivais pas à me montrer plus indulgente à son égard. C'est affreux, comme nous pouvons être durs avec les gens qui comptent le plus pour nous, en sachant souvent que l'on fait une erreur, mais juste pour exprimer des frustrations qui ne tiennent qu'à nous-mêmes...

Elle s'est encore interrompue et a tiré longuement sur sa cigarette.

— La police est arrivée juste avant deux heures. Quand j'ai entendu les voix dans l'escalier, j'ai tout de suite compris... Ils ont été très prévenants, très calmes. Il y a eu un accident, m'ont-ils dit ; est-ce que je pouvais les accompagner à l'hôpital de la Pitié-Salpêtrière ? Je suis devenue hystérique, j'ai tempêté pour qu'ils me disent la vérité. L'un des policiers a expliqué qu'ils n'étaient pas autorisés à en dire plus. L'autre m'a touché le bras, comme pour me préparer au pire. C'est là que j'ai compris qu'ils étaient morts, tous les deux. J'ai eu l'impression… de tomber dans une cage d'ascenseur, une chute dans le vide, interminable. Mes jambes se sont dérobées mais j'ai eu la force de me traîner jusqu'à la salle de bains. J'ai vomi dans les toilettes. J'ai plongé ma tête dans la cuvette pour mourir comme ça, tout plutôt que… L'un des policiers est entré dans la pièce, il me surveillait, comme s'il avait senti que j'étais prête à commettre l'irréparable. Il a posé sa main sur mon épaule et a déclaré : « Vous devez rester forte. » Il m'a aidée à me remettre debout. Je me rappelle avoir tiré la chasse d'eau, rempli le lavabo d'eau froide et plongé ma tête dedans. Puis le policier a saisi une serviette qu'il m'a enroulé autour de la tête avant de crier quelque chose à son collègue. Ensuite, ils m'ont aidée à enfiler mon manteau, et je suis montée à l'arrière de leur voiture… À l'hôpital, nous avons attendu presque un quart d'heure, que les « responsables » viennent nous chercher. Ça m'était égal d'attendre. C'était comme un répit, même, parce que je savais que tant que je n'aurais pas à faire face à…

Elle s'est tue pour allumer une nouvelle cigarette.

— J'ai dû fumer quatre cigarettes en l'espace de quinze minutes. Deux hommes sont entrés, la quarantaine rondelette, l'un en blouse blanche, l'autre en costume sombre. Les traits fatigués, graves. Un médecin et un inspecteur. Quand le premier s'est obligé à me regarder dans les yeux et a dit : « Madame, j'ai l'immense regret de vous informer… », j'ai perdu le combat que je livrais contre moi depuis le moment où les flics étaient arrivés chez moi. J'ai pleuré pendant au moins dix minutes – des cris de bête blessée. Le médecin m'a pris les mains, je l'ai repoussé, il m'a proposé ensuite un calmant. J'ai hurlé que rien ne pourrait calmer ma douleur. Alors il a commencé à me raconter. Je ne captais que des bribes : « Un chauffard… Ils étaient sur le passage clouté, pourtant… Votre mari a été tué sur le coup, votre fille est décédée il y a quinze minutes… Nous avons tout fait pour la sauver, mais elle a eu les cervicales brisées et… » L'inspecteur a pris le relais, me disant qu'un passant avait noté le numéro de la voiture, une Jaguar noire, que c'était sans doute un homicide involontaire mais que si je soupçonnais quelqu'un qui aurait pu en vouloir à Zoltan… « En vouloir à cet être merveilleux, rêveur, qui se contentait d'un rien ? » ai-je vociféré. L'inspecteur s'est alors excusé de m'avoir posé une telle question à un moment pareil.

Soudain, je me suis mise à hurler : « Je veux les voir ! » Ils m'ont expliqué que les blessures étaient trop graves, que ce serait trop traumatisant. Que le crâne de Zoltan avait été écrasé par une roue, que Judit avait été traînée sur plusieurs mètres et que son visage… Là, je suis devenue complètement folle. J'ai renversé le bureau, retourné les chaises, je me suis griffé les joues avec mes ongles, j'ai essayé de fracasser ma tête contre le mur, je me rappelle m'être battue avec le policier et le médecin qui essayaient de me maîtriser… Le médecin est ensuite sorti précipitamment. Il est revenu avec une infirmière. Je me suis mise à crier que je voulais mourir. Quelqu'un m'a ôté ma veste de force, j'ai senti une aiguille pénétrer dans mon bras et je suis tombée dans un trou noir… Quand j'ai repris conscience, je me trouvais attachée sur un lit, dans le service psychiatrique. L'infirmière m'a dit que j'avais été sous sédatifs pendant deux jours. Puis un policier est arrivé et le médecin de garde m'a libérée de mes entraves. J'étais assise dans le lit, avec un goutte-à-goutte au bras parce que je refusais la moindre nourriture. Il m'a annoncé qu'ils avaient arrêté le coupable. Un certain Henri Dupré, cadre supérieur dans un grand laboratoire pharmaceutique, résidant à Saint-Germain-en-Laye. Appréhendé chez lui, le lendemain de l'accident, le test sanguin avait révélé encore une forte présence d'alcool, de sorte qu'ils présumaient qu'il était ivre, au moment de l'accident. Complètement soûl. Il m'a aussi dit que l'un de nos voisins avait identifié les corps, que ceux-ci étaient maintenant « présentables » et que si je voulais les voir… J'ai répondu que non, jamais, jamais je ne pourrais les voir morts…

Silence.

— Nous n'avions pas beaucoup d'amis, à Paris. Mais M. Corty, qui avait été mon « amant », est venu me voir. J'étais encore sous calmants, toujours surveillée de peur que j'attente à mes jours. Il a été d'une gentillesse inouïe. Il a dit qu'il se chargerait des frais d'obsèques, que la cérémonie pourrait avoir lieu une fois que je serais rétablie. Mais j'ai répondu que je ne voulais pas, qu'il fallait les incinérer tout de suite, et se débarrasser des cendres. Il m'a suppliée d'être raisonnable mais je me contentais de répéter : « Brûlez-les, brûlez-les tout de suite… » Il a fini par se résigner. Une semaine plus tard, je suis sortie de l'hôpital. M. Corty m'avait envoyé une voiture. J'ai retrouvé l'appartement affreusement vide, mais aussi figé dans le temps : la casserole avec la sauce pour les spaghetti était encore sur la cuisinière, les dessins et les poupées de Judit toujours éparpillés devant la cheminée, les lunettes de lecture de Zoltan posées sur le bras du fauteuil où il aimait s'asseoir… Et le livre qu'il lisait avant de mourir. Une traduction hongroise du *Mépris*, de Moravia. Tu connais ce roman ?

— Oui. Godard en a tiré un film.

— Nous l'avions vu au temps où nous étions encore heureux. Quand les choses se sont mises à aller de travers, Zoltan a développé une véritable obsession, à la fois pour le livre et pour le film. Il s'identifiait au personnage de Moravia. Comme lui, il avait perdu le respect de sa femme. Et puis il est mort, et depuis je ne passe pas une minute sans pleurer son absence et, celle de notre merveilleuse Judit…

— Tu t'es sentie coupable ?

170

— Bien sûr. Surtout que, peu après, j'ai été convoquée au commissariat du VIᵉ, et là j'ai appris quelque chose de terrible. Le passant qui avait pu relever le numéro a témoigné qu'au moment de l'accident il avait vu Zoltan traverser la rue en courant. Mon mari avait levé le bras pour arrêter un taxi libre qui arrivait dans l'autre sens. Et c'est en essayant de l'attraper qu'ils ont été...

— Tu ne penses quand même pas que c'était ta faute ?

— C'était foutrement ma faute, oui ! Si je n'avais pas fait cette scène pour qu'ils rentrent à l'heure que j'avais fixée, si j'avais été plus souple, moins obnubilée par les horaires et ma stupide sauce...

Un nouveau silence s'est installé, que je n'ai pas osé rompre. C'est elle qui a repris la parole :

— Il est temps que tu partes.

— D'accord.

— Toi aussi, tu me trouves rigide, n'est-ce pas ?

— Je n'ai pas dit ça.

— Non, mais je sais que tu m'en veux parce que je te mets à la porte après quelques heures, et que je n'accepte de te voir que tous les trois jours.

— Ce n'est pas grave, Margit.

— Menteur ! Si, c'est grave. Tu tolères, mais tu détestes, aussi.

— Si c'est ce que tu préfères croire, je...

— Arrête de faire le raisonnable, d'autant plus que je sais que tu joues la comédie.

— Tout le monde joue un rôle, dans une relation sentimentale... Surtout quand elle est aussi étrange que celle-ci.

— Voilà, tu l'as dit. « Étrange. » Puisqu'elle l'est autant, pourquoi tu ne laisses pas tomber ? Dis-moi que je suis une garce rigide, toi aussi, que je veux toujours tout contrôler, que...

— Qu'est-ce qui se passe ici, quand je suis parti ?

— Je travaille.

— Foutaise.

— Pense ce que tu veux.

— Bon. Qu'est-ce que tu traduis, en ce moment ?

— C'est mon affaire.

— En d'autres termes : rien du tout.

— Ce que je fais après ton départ ne regarde que moi.

— Il y a un autre homme ?

— Tu me crois débordante d'énergie à ce point ?

— Non. Complètement incompréhensible, ça c'est sûr.

— Fais-toi du bien, Harry : va-t'en, et ne reviens plus jamais.

— Pourquoi ce mélodrame, brusquement ?

— Parce que ça se terminera mal. C'est toujours comme ça, avec moi.

— Peut-être parce que tu n'as jamais pu surmonter le…

— Ne joue pas au psy, maintenant ! Tu ne sais rien de moi ! Rien !

— Je sais ce que tu viens de me raconter. Cette histoire terrible…

— Et quoi ? Elle t'a touché ? Ou elle a réveillé tes instincts protecteurs, qui dormaient depuis longtemps en toi et que tu n'as jamais pris la peine de mettre en pratique pour ta femme et ta fille ?

— C'est dégueulasse de dire ça.

— Alors va-t'en, et ne reviens pas.

— C'était le but de cette dernière remarque, hein ? Voir si tu peux mc pousser à bout, m'amener à penser que je ne devrais plus jamais te revoir. Mais si tu arrêtais de faire retomber le blâme sur toi et de…

Elle s'est levée d'un bond.

— Suffit ! Habille-toi et disparais !

Mais je l'ai empoignée brutalement, l'obligeant à retomber sur le lit. Comme elle se débattait, j'ai plaqué ses bras sur le matelas, emprisonné ses jambes sous les miennes.

— Et maintenant, tu vas répondre à deux questions.

— Va te faire voir.

— Premièrement, ta cicatrice sur le cou... – Elle m'a craché à la figure. J'ai répliqué en accentuant ma pression sur ses poignets et ses cuisses. – Cette cicatrice... Dis-moi...

— Un suicide raté. Content ?

J'ai relâché ses bras. Elle les a laissés sur le lit.

— Est-ce après ta sortie de l'hôpital que tu as essayé de te supprimer ?

— Deux jours après. Dans le studio où je venais de baiser Corty.

— Il... Il t'a demandé de faire ça alors que tu venais de...

— C'est moi qui le lui ai proposé. Il a hésité, il a dit qu'il ne fallait pas précipiter les choses, mais j'ai insisté, moi. Et quand il a eu ses deux petites minutes de plaisir je suis allée à la cuisine, j'ai pris le couteau à pain et...

— C'était lui que tu voulais punir, non ?

— Absolument. Même s'il a toujours été très bon pour moi. Aussi bon qu'on peut l'être pour une putain, en tout cas.

— Mais que tu aies attendu qu'il soit dans la pièce d'à-côté pour le faire...

— Ce n'était pas un appel à l'aide, non. Si on se coupe la gorge comme il faut, on meurt sur-le-champ. J'ai raté mon coup. Corty a réussi à stopper l'hémorragie, il a appelé une ambulance...

— Et tu t'en es tirée.

— Oui. Hélas.

— Et lui ?

— Il est venu me voir deux fois, puis il m'a envoyé un chèque de dix mille francs... Un pactole, en ce temps-là. Avec un mot dans lequel il me souhaitait bonne chance. Je n'ai plus jamais entendu parler de lui, depuis.

— Et l'homme à la Jaguar, le chauffard ?

— C'était quelqu'un qui avait le bras très long. Il s'est arrangé pour que les journaux n'en parlent pas. Le juge chargé de l'instruction a abandonné l'accusation d'homicide, si bien qu'il s'en est sorti avec une réprimande et une amende. Ses avocats m'ont offert un dédommagement. Cinquante mille francs. J'ai d'abord refusé mais mon avocat m'a dit que je me punissais moi-même si je ne prenais pas cet argent et qu'il se faisait fort d'obtenir cinquante pour cent en plus... Il y est arrivé.

— Et donc tu as accepté.

— Soixante-quinze mille francs en dédommagement de la mort des deux êtres auxquels je tenais le plus au monde.

— Et ensuite il a disparu de la circulation ?

— Curieusement, non. Les voies du destin sont impénétrables : trois mois après l'accident, en pleine nuit, il y a eu une tentative de cambriolage à son domicile. Dupré a surpris le voleur, ils se sont battus, il a reçu un coup de couteau dans le cœur. Fatal.

— Et tu t'es sentie vengée ?

— En partie, je pense. D'autant que Dupré avait manifesté peu de remords pour le meurtre de ma famille et laissé ses avocats faire tout le sale boulot... Quand on m'a envoyé son chèque, il n'y avait aucun message de regret ou de sympathie, rien.

— Donc, la vengeance a des vertus ?

— On dit généralement qu'elle ne laisse qu'une impression de vide. Quelle connerie... N'importe qui attend que celui qui lui a fait du mal soit puni. Tout le monde veut « être quitte ». « Remboursé », comme vous dites, vous les Américains. Et pourquoi pas ? Si Dupré n'avait pas été tué, j'aurais passé ma vie à penser qu'il s'en était tiré à bon compte. Ce cambrioleur m'a rendu service en supprimant quelqu'un qui ne méritait pas de vivre. Je lui en ai été reconnaissante.

— Mais est-ce que ç'a soulagé la douleur, la blessure ?

— Non. On peut finir par accepter la mort d'un mari, même s'il continue à vous manquer terriblement, mais la mort d'un enfant... Jamais. Le meurtre de Dupré n'a pas effacé le chagrin mais m'a apporté une sorte de satisfaction lugubre... Je te choque encore, n'est-ce pas ?

— Une partie de moi dirait : « Oui, je suis scandalisé. »

— Et l'autre ?

— L'autre comprend parfaitement ce que tu as ressenti.

— Parce que toi aussi, tu désires la vengeance.

— Je n'ai pas souffert la moitié de ce que tu as supporté.

— Oui, personne n'est mort, dans ton cas. Mais tu as vécu la fin de ton mariage, de ta carrière. Et ta fille ne veut plus te parler.

— Merci de me le rappeler encore une fois.

— Moi ? Tu te le répètes à chaque instant du jour et de la nuit. C'est ainsi que ça fonctionne, la culpabilité.

Je me suis levé sans ajouter un mot. J'ai commencé à m'habiller.

— Quoi, on part déjà ? a lancé Margit d'un ton où perçait l'amusement.

— Il est presque l'heure, non ? Un peu plus et ton carrosse risque de se transformer en citrouille.

— Certes, mais cette fois tu ne te fais pas prier... Comment expliquer ce changement ? – Je n'ai pas répondu. – Avant de décamper, répondez honnêtement à la question suivante, monsieur Ricks : la personne – je devine que c'est un homme – qui vous a causé du tort, n'aimeriez-vous pas voir un malheur lui arriver ?

— Bien sûr. Mais ça ne viendra pas de moi.

— Vous êtes trop moral, monsieur Ricks !

— Je ne pense pas, non. – Je me suis redressé. – Alors, à dans trois jours ?

— Tu es insensé, de t'entêter ainsi.

— Je sais.

— À dans trois jours, a-t-elle répété en saisissant son paquet de cigarettes.

L'histoire de Margit m'a hanté pendant presque toute ma nuit alors que je veillais dans mon bureau sans fenêtre. Elle venait me prouver à nouveau ce que le destin peut avoir d'implacablement arbitraire mais aussi, d'après moi, expliquer la fragilité émotionnelle de Margit et son besoin de maintenir une certaine distance entre nous. Plus j'y réfléchissais, plus je me rendais compte à quel point ce drame terrible la hantait. Son chagrin ne finirait qu'avec la mort. Elle avait raison : il est des tragédies dont on ne se remet jamais. On peut finir par s'habituer à la sensation de perte qui imprègne chaque heure de ses journées, à la tristesse désespérée qui teinte de gris tout ce que l'on perçoit, et on peut même apprendre à vivre avec ; mais cela ne signifie pas que la plaie a été définitivement cautérisée, la douleur contenue dans un coffre hermétique et finalement vaincue.

Il était déjà tard quand je suis enfin arrivé à me concentrer sur mon clavier et à pondre mes cinq cents mots quotidiens. Lorsqu'il a été six heures, cependant, je n'ai pas pu fuir ma prison nocturne comme chaque matin, puisque c'était la première journée où je devais enchaîner une vacation dans la foulée. Ce marathon m'a paru interminable. Je me suis obligé à écrire encore deux feuillets, j'ai lu encore une cinquantaine de pages de *La neige était sale*, fasciné par la description magistrale de la France sous l'Occupation que donne Simenon. J'ai terminé en faisant nerveusement les cent pas dans ma cage, ainsi que des pompes afin de stimuler ma circulation sanguine et empêcher mon cerveau de s'engourdir. Il y a eu quelques visiteurs, dont l'image vidéo était plus claire, à la lumière du jour ; tous d'origine turque, apparemment, qui gardaient la tête baissée tandis qu'ils récitaient la formule magique dans l'interphone. Comme souvent, je me suis demandé qui pouvait bien être ce M. Monde... *Tu n'as pas besoin de savoir.*

À midi, je suis sorti en chancelant dans un grand soleil, respirant l'air à pleins poumons. Sans mes deux pains au chocolat rituels, je suis monté à ma chambre, j'ai réglé le réveil pour dix-neuf heures et j'ai sombré dans un sommeil vide. Je me suis réveillé en sursaut et ma première idée a été : « Comme ta vie est devenue bizarre. Un travail qui n'en est pas un mais qui te prend toute la nuit, une maîtresse qui ne veut te voir que tous les trois jours, et même si tu es théoriquement en congé, ce soir, tu es tellement décalé dans tes habitudes que tu ne pourras jamais t'endormir à une heure décente... »

Je suis parti pour la rue des Écoles, au Grand Action, où une copie neuve du *Spartacus* de Stanley Kubrick était projetée à huit heures et quart. Ressorti à onze heures et demie, je me suis dit que l'appartement de Margit était à cinq minutes de là, mais je me suis éloigné dans la direction opposée. Près du boulevard Saint-Germain, j'ai découvert un mexicain qui servait un très authentique guacamole – ou du moins ce que je considérais comme tel –, des margaritas encore plus convaincantes et d'excellentes enchiladas que j'ai accompagnées de bière Bohemia. L'addition de cinquante euros ne m'a pas fait sourciller : je venais de travailler douze heures d'affilée, après tout, et puis c'était ma première soirée de liberté depuis près de deux mois. L'événement devait être dignement célébré, en oubliant un moment ma nécessaire parcimonie pour enfin profiter à fond de la vie nocturne parisienne.

Après un arrêt au tabac du coin pour m'acheter un Cohiba Robusto hors de prix, j'ai retraversé la Seine en tirant joyeusement sur mon cigare cubain. À Châtelet, j'ai mis le cap sur la rue des Lombards et sa kyrielle de clubs de jazz. Comme il était près d'une heure et demie, le portier du Sunside m'a laissé entrer sans m'extorquer l'admission habituelle de vingt euros. En avalant deux ou trois whiskys, j'ai écouté une chanteuse locale mince comme un clou, la tête auréolée d'une masse de cheveux frisottants, s'acquitter passablement de classiques d'Ellington et de Strayhorn, sa voix aiguë soutenue par un trio de musiciens. Le spectacle terminé, je suis sorti avec les autres et je suis parti à pied vers le Xe arrondissement. À une heure aussi tardive, cette partie de la capitale était presque déserte à l'exception de quelques couples enlacés, des sans-abri qui s'apprêtaient à passer encore une nuit à la dure, et de rares poivrots comme moi. Au niveau de Château-d'Eau, sur le boulevard Sébasto-pol, les Africains qui traînaient encore dans les parages ont prudemment reculé dans l'ombre, comme s'ils me prenaient pour un flic. Rue de Paradis, tout était fermé, les bars pour travailleurs turcs comme les restaurants branchés. Pas de circulation, pas de bruit sinon celui de mes chaussures sur le trottoir… Un filet de pop music exécrable, soudain, m'a appris que mon troquet minable était encore ouvert. La femme derrière le comptoir m'a souri en me voyant entrer et, sans rien dire, m'a tiré une pression qu'elle a posée devant moi. Puis elle s'est retournée, elle a pris une bouteille et deux verres au fond desquels elle a versé un peu d'un liquide transparent. Lorsqu'elle y a ajouté de l'eau, le breuvage s'est troublé. Elle a poussé un verre dans ma direction, a levé l'autre et lancé : « *Séréfé !* » Santé, en turc.

Nous avons trinqué et, suivant son exemple, j'ai bu cul sec. L'alcool est descendu en laissant un goût d'anis sur mes papilles, mais dès qu'il a atteint mon estomac il a libéré tout son potentiel corrosif, m'obligeant à avaler ma bière dans l'espoir d'éteindre ce brasier. Apercevant ma grimace, la femme a souri une nouvelle fois.

— Raki, a-t-elle annoncé en remplissant à nouveau les verres.

Dangereux, ce truc.

Elle s'appelait Yanna. Elle était la femme du patron, Nedim, pour l'heure parti pour la Turquie où il devait assister aux obsèques d'un oncle.

— On se marie à un Turc et on découvre qu'ils ont toujours un foutu oncle à enterrer, a-t-elle plaisanté, ou bien qu'il passe son temps assis dans un coin à conspirer avec une bande de copains, à propos de quelqu'un qui a eu le malheur de faire une remarque de rien du tout sur sa famille, ou bien..

— Vous n'êtes pas turque, vous ?

— En théorie, non. Mes parents viennent tous les deux de Samsun, mais ils ont émigré dans les années soixante-dix et je suis née ici, moi. Donc je suis française, sauf que quand on naît dans une famille turque, difficile de s'en échapper… C'est à cause de ça que j'ai fini par épouser Nedim. C'est un cousin issu de germain, et un abruti.

Elle a fait tinter son verre contre le mien et l'a vidé d'un coup. Je l'ai imitée, acceptant avec joie la nouvelle bière qu'elle me servait.

— Le raki, c'est bon que pour une chose : se soûler.

— Et nous avons tous besoin de faire ça de temps à autre, ai-je approuvé. Se soûler, je veux dire.

— Tout à fait. Mais attends, je voulais te demander un truc : Omar, ce cochon d'Omar, il me dit que tu es américain ?

— C'est très exact.

— Alors pourquoi tu es obligé de vivre à côté d'un cochon pareil ?

— Vous avez déjà entendu le terme d'« artiste fauché » ?

— J'ai jamais rencontré d'artistes. Dans ce boulot, on rencontre que des nazes.

— On peut être artiste *et* naze.

— Oui, mais naze et intéressant, non ?

Avec trois autres rakis, et seulement interrompue par deux pochards réclamant une dernière tournée avant de retourner s'effondrer dans leur coin, elle m'a offert un résumé de sa vie : l'enfance dans « cet arrondissement pourri », les insultes à l'école, le travail dans la petite épicerie paternelle à dix-sept ans, le mariage arrangé avec Nedim par ses très traditionnels parents, ou plutôt « le cadeau d'anniversaire de mes vingt et un ans que ces connards m'ont choisi », pour reprendre son expression…

— Ç'aurait pu être pire. Au moins, il tenait un bar, pas une laverie…

Mais Nedim était également un « bon à rien » qui attendait que sa femme nettoie derrière lui, et qu'elle « lui ouvre ses jambes deux fois par semaine, un moment vraiment dur à passer ». Nous avons continué à boire tandis qu'elle enchaînait les cigarettes tout en toussant abondamment. Finalement, elle a intimé aux deux soûlards l'ordre d'aller se faire voir ailleurs, et après leur départ elle a jeté un coup d'œil circulaire à la débâcle d'une journée, aux verres sales, aux cendriers qui débordaient, aux tables qu'il fallait encore éponger, au sol qu'elle allait devoir balayer. Elle a eu un frisson :

— Voilà, c'est ça, le résumé de ma vie...

— Je vais y aller, ai-je annoncé.

— Pas tout de suite.

Elle s'est levée pour aller fermer la porte et tirer une grille intérieure sur la devanture. Revenue près de moi, elle m'a adressé un sourire éthylique, m'a fait quitter mon tabouret et, prenant ma main droite, l'a glissée sous sa jupe courte, dans sa petite culotte. Sa fente était déjà mouillée sous mes doigts. Avec un petit gémissement, elle m'a attrapé par la nuque et a enfoncé sa langue jusque dans ma gorge. Bien que très ivre, j'avais vaguement conscience d'être sur le point de commettre une folie, mais mon index est entré en elle. Comme il fallait s'y attendre, sa bouche avait un goût de raki et de tabac. L'hémisphère rationnel de mon cerveau a cédé le terrain à l'autre, celui qui appartient à l'imbécile imbibé et guidé par son pénis en érection. Avant d'avoir pu dire ouf, je me suis retrouvé avec elle dans une arrière-salle nauséabonde. Il y avait un lit de camp près d'un évier constellé de taches de rouille. Elle a défait ma ceinture pendant que je descendais sa culotte le long de ses jambes. Elle a envoyé ses chaussures valser et nous nous sommes abattus sur la couverture rêche. Le lit métallique a bruyamment grincé sous nos contorsions. Comme j'hésitais à la pénétrer, elle a chuchoté dans mon oreille : « Y a pas de risque... » Dès que j'ai été en elle, elle est devenue violente : elle m'a tiré par les cheveux, lacéré les fesses de ses ongles, elle a agité sa main libre entre nous pour se frotter brutalement le clitoris. Quand elle a joui, elle a dû réveiller les deux arrondissements voisins par ses cris et ses soupirs. Puis elle a planté ses dents dans ma langue et ne l'a plus lâchée jusqu'à ce que j'explose en elle.

Deux secondes après, elle était debout :

— Il faut que je nettoie la salle, maintenant.

Me laissant à peine le temps de remonter mon jean et de cracher un jet de salive ensanglantée dans l'évier, elle m'a conduit sur le trottoir. Pas d'au revoir, juste un coup d'œil inquiet en amont et en aval de la rue de Paradis afin de s'assurer qu'aucune de ses connaissances n'était en vue, puis elle a refermé la porte sur moi. J'ai fait quelques pas avant de m'adosser à une façade, cherchant à décider si ce qui venait de se passer au cours des dix dernières minutes s'était réellement produit – mais mon cerveau était encore paralysé par l'alcool et l'insanité de cette copulation sauvage. Le sang était revenu dans ma langue, soudain terriblement doulou-reuse. J'ai regagné mes pénates tant bien que mal, je me suis gargarisé à l'eau salée pendant deux minutes ou plus. Je me suis dépouillé de mes vêtements, j'ai avalé un cachet de Zoplicone et trois d'analgésiques. Ce cocktail chimique m'a terrassé, et lorsque je me suis réveillé à deux heures de l'après-midi, ç'a été pour découvrir que je ne pouvais plus parler.

Si j'ai été amené à ce constat, c'est parce que mon radio-réveil, ce jour-là, a été remplacé par une série de coups frappés à la porte. Je me suis levé péniblement. Dès que ma langue a touché mon palais desséché, je me suis crispé sous la dou-leur. Je suis allé devant le petit miroir accroché au-dessus du lavabo et, en ouvrant la bouche, j'ai eu un nouveau spasme à la vue de ce morceau de chair noirâtre et grotesquement enflé qui se trouvait désormais là. Les coups ayant redoublé, je suis allé ouvrir. Omar était devant moi, en tee-shirt sale et pantalon de coton constellé de taches d'urine encore humides. Il n'a pas dit bonjour, mais :

— Tu me donnes mille euros.

— Com... Hein ?

181

C'était comme si j'avais la bouche pleine de pansement dentaire, et c'est là que je me suis rendu compte que j'étais virtuellement privé de parole.

— Tu me donnes mille euros aujourd'hui, a-t-il repris. Ou bien tu es mort.

— Je... ne comprends... pas, ai-je tenté d'articuler.

— Pourquoi tu peux pas parler ?

— Je... La grippe.

— Conneries ! Elle te l'a mordue, oui ?

J'étais complètement réveillé, maintenant. Et affligé d'une trouille bleue.

— Je... ne comprends pas.

— Je t'ai vu ce matin. Tu sors du bar, très, très tôt.

— Je n'étais dans aucun bar.

Ce qui a sonné plutôt comme : « Chéétouinba. »

— Il était fermé, le bar. Tout fermé. La porte s'ouvre, et elle, « elle » !, regarde dehors. À droite, à gauche comme ça. Pas danger, alors tu sors. Et moi je t'ai vu !

— Ce... Ce n'était pas moi.

— Conneries ! J'étais dans la rue, j'ai tout vu. Je me cache quand elle sort. Caché, je vois tout. Maintenant, je raconte à Nedim. La semaine prochaine, quand il revient. Je lui dis : « L'Américain, il a baisé ta femme. » Quoi qu't'en dis ? Il te coupe les couilles, Nedim. Ou bien tu me paies et j'écrase. – Je lui ai claqué la porte au nez. Il s'est mis à tambouriner dessus en beuglant : « Tu me donnes mille euros avant week-end ou tu perds tes couilles ! Tu déconnes pas avec moi ! »

Il y a des moments de l'existence où l'on se sent littéralement tomber en piqué. Une spirale désordonnée qui vous entraîne vers le bas, vous coupe le souffle, mais ne vous prive pas de la conscience de vous être fourré dans une situation cauchemardesque, et tout cela parce que vous avez cédé à la tendance la plus commune de la condition masculine, celle qui consiste à penser avec sa bite.

Je me suis forcé à prendre une douche, à m'habiller et je suis descendu. Le barbu m'a lancé un regard mauvais quand je suis entré prendre ma paie au cybercafé. Était-il déjà au courant ? Nous n'avons pas échangé un seul mot, cependant, ce qui n'était pas plus mal pour moi, vu l'état de ma langue. Mon estomac gargouillait mais je me doutais que l'ingestion de la moindre nourriture solide allait se révéler impossible, et je me suis donc rabattu sur un déprimant pis-aller : un milk-shake chocolat au McDonald's de la gare de l'Est, où je me suis rendu sous une pluie battante. Cet après-midi de grisaille, il y avait là une poignée de voyageurs en quête de bouffe synthétique à consommer dans le train, mais les tables étaient majoritairement occupées par des sans-abri, ou des immigrés, africains ou maghrébins, venus se réchauffer et se sustenter à bas prix. En observant la salle, j'ai ressenti une curieuse solidarité avec ces gens qui vivaient à Paris mais en réalité habitaient un autre monde, qui n'avaient pratiquement aucune chance d'améliorer leur situation, qui restaient ignorés ou méprisés par les autres, ceux qui arrivaient à « s'en tirer ». Ce sentiment de camaraderie d'infortune était très hypocrite de ma part, je le savais : après tout, je ne cessais de lorgner sur l'autre côté de la fracture parisienne, moi. Un bel appartement, une petite amie cultivée, cinéphile intellectuelle mais sexy, dîner dans les meilleurs restaurants, prendre un verre au Flore sans se soucier des tarifs exorbitants qui y étaient pratiqués... Et un peu plus tard, qui sait, une certaine notoriété littéraire et ses avantages annexes – invitations au Salon du livre, contributions épistolaires sur de graves sujets sollicitées par la rédaction de *Libération* ou de *Lire*, d'autres rencontres féminines... Ma marginalité n'était que le résultat de mes propres choix, et l'anxiété qui me rongeait pour l'heure, la conséquence de ma stupidité, tandis que la même question revenait m'assaillir : Omar allait-il vraiment me balancer au mari de Yanna ?

183

Le pessimiste en moi envisageait déjà une dizaine de scénarios catastrophe qui incluaient tous quelque foudroyante maladie sexuellement transmissible, ainsi que des représailles physiques innommables, perpétrées par une bande de Turcs en colère. Mais, même si je donnais à Omar ce qu'il réclamait, que se passerait-il, ensuite ? Payer un maître chanteur n'est jamais une garantie de paix future ; mon goût prononcé pour les films noirs et les polars à deux balles m'indiquait au contraire que c'était généralement le début d'une longue série de menaces. D'autant qu'Omar était assez idiot pour se croire capable de me coincer et spéculer que son chantage allait me transformer en inépuisable vache à lait. Conclusion : il était exclu de céder à ce gros lard. Mais comment le neutraliser, alors ?

Je me suis dit que Margit aurait sans doute une réponse intéressante à cette question. Je me suis dit aussi qu'elle était la dernière personne à laquelle je pourrais raconter cette mésaventure, pour de très évidentes raisons... Du coup, la perspective de la revoir dans deux jours m'inspirait plus de terreur que de délectation : il était exclu, en effet, qu'elle ne remarque pas ma langue distendue, ou les égratignures laissées sur mon fessier par les ongles particulièrement acérés de Yanna.

Les quarante-huit heures suivantes m'ont paru atrocement longues, assombries par la peur d'être dénoncé, d'être puni, d'être malade... J'ai cependant fini par prendre une décision raisonnable, pour changer : je suis allé dans une clinique du boulevard de Strasbourg où ils recevaient sans rendez-vous. Le médecin de garde était un quinquagénaire corpulent qui perdait ses cheveux et affichait l'air blasé de celui qui a tout vu. En découvrant l'état de ma langue, pourtant, il n'a pu cacher son ébahissement.

— Comment vous vous êtes fait ça ? – Je lui ai raconté. – Ouais, ça arrive, a-t-il reconnu avant de m'expliquer qu'il existait peu de remèdes pour une langue sauvagement mordue. Continuez les gargarismes d'eau salée, pour éviter une infection. Ça va guérir tout seul. Dans une semaine, elle aura désenflé. Ah ! et puis-je me permettre de suggérer à votre petite amie qu'elle se montre un peu moins agressive dans ses transports, la prochaine fois ?

— Il n'y aura pas de prochaine fois, ai-je affirmé.

Il a haussé les épaules.

— Ça vous regarde.

Je lui ai alors exposé mes inquiétudes à propos de mon rapport sexuel non protégé avec Yanna.

— Elle est française ? s'est-il enquis.

— Oui, mais… euh, son mari est turc.

— Mais il vit en France ?

— Oui.

— Est-ce qu'elle se pique ?

— Je… Je ne crois pas.

— Son mari ?

— C'est un alcoolique.

— Vous pensez qu'elle couche avec d'autres hommes ? Et, pour être très spécifique, avec des Africains ?

— Elle ? Elle est raciste.

— La vie m'a appris qu'on peut être raciste et attiré sexuellement par des personnes de la race que l'on est censé mépriser. Avez-vous eu des relations sexuelles sans protection avec quelqu'un d'autre, récemment ?

— Oui, mais… mais je ne crois pas qu'il y ait des risques.

— Ah bon ? Dernière question : avez-vous constaté que vous aviez une coupure, une blessure ouverte sur vos parties génitales, ou tout près ?

— Pas à ma connaissance. Mais si vous voulez vérifier…

Avec un soupir résigné, il m'a fait signe de me lever et de baisser mon pantalon. Après avoir enfilé des gants chirurgicaux, il a pincé mon pénis flasque entre deux doigts, l'a examiné avec une mini-torche électrique, passant ensuite aux testicules et au scrotum. L'expérience aurait pu être humiliante, mais il a terminé en moins d'une minute et a procédé avec le même air que s'il inspectait un navet.

— Généralement, la transmission du sida à un homme par une femme nécessite une coupure, quelque chose qui permette au virus de pénétrer le système immunitaire. Très rarement, il remonte par l'urètre, et il faut vraiment manquer de veine pour que ça se produise.

— Cela m'arrive souvent d'en manquer, docteur.

— La probabilité est quand même très réduite... Enfin, si vous y tenez, on peut faire une analyse sanguine. Et une autre dans six mois, afin d'être complètement sûr.

— Je préférerais, oui.

Dix minutes plus tard, j'étais dehors, avec dans la poche une carte portant le numéro de téléphone que je devrais appeler le lendemain afin d'obtenir les résultats. Je savais que le médecin avait conclu en son for intérieur que c'était la mauvaise conscience qui m'avait fait réclamer ces tests, et je savais aussi que j'allais devoir tout avouer à Margit d'ici... très peu de temps. Après avoir gagné le Quartier latin en métro, j'ai traîné un moment au Jardin des Plantes en essayant de préparer ma présentation des faits, d'imaginer la réaction de Margit et en me maudissant d'avoir placé au bord du gouffre une relation qui comptait tant pour moi. Tout ça pour quelques minutes de sexe... Apprend-on jamais de ses erreurs ? Apparemment pas dans ce domaine où nous restons à jamais des récidivistes.

Tout en gravissant les marches, je me disais : du moment que tu es prêt pour le pire, il n'y a vraiment rien à craindre. Mais j'étais loin d'être convaincu. J'étais coupable, tellement coupable. Le moment est venu où j'ai frappé à sa porte. Une bonne minute s'est écoulée avant qu'elle n'ouvre. Elle était en robe de chambre noire, une cigarette allumée à la main.

— Bonsoir, ai-je prononcé rapidement en me penchant pour l'embrasser et en me demandant si elle remarquerait déjà ce que ma voix avait de bizarre.

Elle m'a rendu mon baiser, m'a conduit par la main à un fauteuil du salon, m'a fait asseoir, est allée à la table roulante qui lui servait de bar, a rempli un verre de whisky, me l'a apporté. Sans un mot, et tout en observant ma grimace lorsque l'alcool a brûlé ma langue tuméfiée, elle s'est assise en face de moi, m'a souri, et :

— Alors, raconte. Avec qui tu as baisé, Harry ?

13

— JE NE VOIS PAS DE QUOI TU PARLES.

Elle a eu un petit rire amusé.

— Menteur ! – J'ai tenté de boire encore une gorgée de whisky. Toujours aussi pénible. – Qu'est-ce que tu as à la bouche ?

— Je me suis mordu la langue.

— Encore un mensonge.

— Quoi, ça ne t'est jamais arrivé ? lui ai-je demandé en essayant de prendre un air innocent.

— Comment s'appelle-t-elle ?

— Je te dis que…

— Tu dis n'importe quoi. Ce qui m'est complètement égal. De même que je me fiche que tu aies couché avec quelqu'un d'autre. Parce que je sais que c'est ce qui s'est passé. Comment elle s'appelle ?

— Eh bien… Yanna.

— Turque ? Balte ?

— Moitié française, moitié turque.

— Comment l'as-tu rencontrée ? – J'ai expliqué. – Comment en êtes-vous venus au sexe ? – J'ai raconté. – Est-ce qu'elle t'a mordu avant ou après la pénétration ? – Je lui ai donné la précision qu'elle réclamait. – Et après, quand vous avez terminé ?

— Elle m'a fichu dehors.

— Oui… Et je parie que tu n'as pas utilisé de préservatif.

— Je… Je suis désolé.

— Désolé de quoi ?

— Mais parce que… maintenant, tu ne vas sans doute plus vouloir…

— Vouloir quoi ? Faire l'amour avec toi. – Elle a ri, à nouveau. – Tu es parfois d'une puérilité, Harry !

J'ai baissé la tête, me sentant en effet très puéril.

— Le médecin que tu es allé voir…

J'ai relevé les yeux pour la regarder.

— Hein ? Comment sais-tu que je… ?

— Ah, tu recommences ! Tu es prévisible à un point attendrissant, Harry. Et tellement américain, avec ta façon de considérer le sexe comme une source de mauvaise conscience permanente. Laisse-moi deviner : ce toubib t'a dit que tu n'avais pas de soucis à te faire, mais il ne t'a pas convaincu, et tu es encore en train de calculer combien de chances sur un million il y aurait pour que tu aies attrapé…

— Arrête ! ai-je soufflé.

— Mais pourquoi, chéri ? Tu as honte d'avoir sauté une autre femme, mais au lieu de te débrouiller pour me le cacher tu me le brandis sous le nez. Et dès que je te démasque, tu t'empresses de déballer ton sac… pour me refiler une part de ta culpabilité.

— Ce n'était pas mon but, non.

— Je me moque de ce que tu peux faire, je te le répète. Je me moque de savoir par quel trou tu as baisé cette femme, ou si c'était par tous les trous. Tout ce qui m'importe, c'est d'être traité en adulte par un adulte. Mais tu arrives ici tout penaud…

— Il n'y a pas que le sexe, ai-je lancé brusquement.

— Alors quoi ? Puisque le toubib t'a pratiquement déclaré hors de danger.

— Je… Je suis victime d'un chantage.

— Un chantage ? De la part de qui ?

Je lui ai fait un tableau complet d'Omar et de ses menaces et j'ai conclu :

— C'est une brute, mais une brute assez rusée. Évidemment, il s'imagine que je suis à sa merci alors que...

— Ce n'est pas ce qu'il imagine, c'est la réalité.

— Et... qu'est-ce que je dois faire, d'après toi ?

— Ne pas lui donner d'argent, surtout.

— Mais il mettra sa menace à exécution...

— Et puis quoi ? Tu n'auras qu'à tout nier. Je te prie de croire que c'est ce que va faire ta bouffeuse de langue, aussi.

— Ça ne suffira pas. Je me ferai casser la figure, au mieux.

— Tu dois jouer sur le temps. Dis à cet Omar que tu vas le payer mais que tu n'as pas encore la somme en liquide. Il te faut plusieurs semaines pour la réunir. S'il insiste, montre-toi ferme. Quel choix lui reste-t-il ? Aller tout raconter au mari ? Dans ce cas, il perd toute chance de recevoir son argent. C'est ce qui l'intéresse, et rien d'autre : mille euros, plus ceux qu'il pense pouvoir encore te soutirer après. Fais-le lanterner. Et, entre-temps, je pense que tu devrais entrer en contact avec ta bouffeuse de langue et la mettre au courant. Elle peut t'aider à limiter les dégâts, c'est évident. Suggère-lui de raconter à son mari qu'Omar a essayé de la sauter, pendant qu'il était absent. Qu'il a cherché à lui mettre la main entre les jambes quand il n'y avait plus personne au bar. Il faut qu'elle ajoute des détails graveleux, ça chauffera encore plus son bonhomme... Et là, Omar n'aura plus aucune crédibilité. Il pourra raconter n'importe quoi à ton sujet, le petit mari n'en croira pas un mot. Parce qu'il sera persuadé qu'Omar tente simplement de rejeter la faute sur toi.

Je l'ai dévisagée, très impressionné.

— C'est en effet une solution très élaborée, astucieuse, et cruelle.

— Elle a un prix, toutefois.

— Lequel ?

— Je veux savoir ce qui s'est passé aux États-Unis. Ce que tu as pu faire pour n'avoir d'autre choix que t'enfuir jusqu'ici.

Un ange est passé. Je me suis forcé à finir mon verre malgré la douleur.

— Tu me dois ça, Harry, a-t-elle repris.

— À cause de mon faux pas ?

— Non. Tu me le dois parce que je t'ai dit beaucoup de choses sur mon passé, tandis que toi...

— Tu vas trouver ça tellement banal...

— Une vie fichue en l'air, tu appelles ça « banal » ? En plus, tu as besoin de me raconter. C'est ce que tu veux, au fond de toi.

— Je peux avoir un autre whisky ?

— Le verre du condamné ?

— Sans doute.

Elle m'a servi une dose impressionnante, dont j'ai avalé la moitié. L'alcool et la souffrance m'ont fait venir des larmes aux yeux. J'ai pris ma respiration.

— Il faut sans doute que je parle de ma femme, d'abord. J'ai connu Susan à la fac. À l'université du Michigan. Elle étudiait l'art dramatique, avec tout un tas de projets grandioses – devenir metteur en scène de théâtre, etc. Moi, je préparais mon doctorat en études cinématographiques et je ne désirais rien d'autre qu'une confortable planque d'enseignant sur un campus tranquille, ce qui me permettrait de transmettre des choses qui me plaisaient vraiment et me laisserait le temps d'écrire les livres... Oui, « les » livres que j'étais sûr de porter en moi. Dès les premiers moments, j'ai pensé que Susan serait la compagne idéale. Jolie, dans toute la simplicité d'une fille du Midwest. Pas sophistiquée du tout. Mais vraiment mignonne.

— Quel mot horrible, m'a interrompu Margit. Je parie qu'elle était toujours en jean, chaussures de marche, pull pastel, parka, et qu'elle...

— Tu veux que je raconte, ou non ?

— Mais j'ai raison ?

— Oui, tu as raison. Donc, on s'est mariés avant même de terminer notre troisième cycle, et on a trouvé tous les deux un travail dans la même université de taille et de réputation moyennes, Crewe, dans l'Ohio. Une prouesse, on peut le dire, quand on sait que les postes universitaires se font rares. Je suis tout de suite devenu très apprécié de mes étudiants, et...

— Et Susan ? Est-ce qu'elle s'est révélée une star de l'enseignement de l'« art dramatique » ?

— Eh bien... Disons qu'elle avait du mal à s'intégrer. Tout le monde voyait bien qu'elle avait des idées très intéressantes sur la mise en scène mais, en tant que pédagogue... Plusieurs étudiants se sont plaints, affirmant qu'elle était trop sévère, qu'elle exigeait d'eux un niveau qu'on ne pouvait pas attendre d'un campus comme Crewe College, que...

— Avec toi aussi, elle était critique à ce point ?

— Oui... Dans la vie courante, elle ne faisait guère de concessions. Et puis elle me poussait beaucoup, sur le plan professionnel. Comme nous n'étions que maîtres-assistants, il fallait qu'on publie le plus possible d'articles, si on voulait devenir titulaires...

— Je devine la suite : tu as été titularisé, mais pas elle.

— Exactement. Ils l'ont coincée sur son « inaptitude pédagogique ».

— Du coup, elle était au chômage alors que, toi, tu avais tout ce que tu avais voulu. Mais en même temps, tu étais condamné à rester dans cette petite ville, même si c'était le plan à l'origine, sauf que maintenant ta femme n'avait plus aucune perspective professionnelle.

— Elle a réussi à avoir quelques contrats de production dans des théâtres de la région, mais là aussi ça finissait toujours mal : une dispute avec la troupe, ou avec le chef décorateur, ou bien elle se mettait la direction à dos.

— Bref, c'était quelqu'un qui était perpétuellement en colère. Oui ? Et le chapitre suivant de l'histoire, c'est : elle se retrouve brusquement enceinte. Comme ta mère.

— Bravo.

— Qu'est-ce qu'elle pouvait faire d'autre ? Pas de travail, la trentaine…

— Trente-deux ans, pour être précis. Et ça lui est tombé dessus juste deux mois après le refus de Crewe… Megan est née, et on l'adorait, tous les deux, mais, évidemment, c'était Susan qui passait le plus de temps à la maison, et au bout d'un an, environ, cette existence a commencé à lui peser sérieusement.

— Elle n'a pas essayé de trouver d'autres boulots ?

— Si, bien entendu. Le problème, c'est qu'après s'être fermé la porte de tous les théâtres du coin, qu'est-ce qui lui restait, à Eaton dans l'Ohio ? La mise en scène de productions lycéennes. Tellement ringard que ça n'a fait qu'ajouter à sa frustration.

— Et la frustration a continué à s'accumuler pendant… Quel âge a Megan, maintenant ?

— Treize ans. Je dois dire que Susan a été une mère très attentive, très dévouée. Mais quand Megan est allée à l'école, elle a été moins occupée, et elle a de plus en plus souvent laissé entendre que cette vie de femme au foyer lui pesait. Lors de nos petites disputes, par exemple, elle en est venue à affirmer qu'elle était bloquée à Eaton à cause de son mari et de sa fille, qu'autrement elle aurait pu avoir une belle carrière dans une grande ville comme Chicago, là où les gens auraient su l'apprécier et n'auraient pas été effrayés par sa rigueur.

— Le portrait même de la femme épanouie. Bon, et comment tu réagissais à ça, toi ?

— J'essayais d'ignorer… d'autant qu'elle se lançait toujours dans ce genre de récriminations quand elle avait forcé sur le vin.

— Tu veux dire qu'elle buvait ?

— Écoute, dans un trou comme Eaton, qu'est-ce qu'il y a à faire le soir, surtout quand on est déprimé ? Et moi aussi, je me suis mis à taquiner la bouteille sérieusement. En grande partie parce que j'étais miné par sa noirceur, sa vision négative de tout, sa...

— Et tu as estimé que le seul moyen de combattre cette « négativité », c'était d'avoir une liaison extraconjugale ?

— En fait, c'est Susan qui a commencé. Mais ça, je ne l'ai pas su tout de suite.

— Et qui était l'heureux élu ?

— Il y a environ deux ans, l'université a eu le privilège d'accueillir un nouveau doyen, l'exceptionnel Gardner Robson.

— Gardner ? Il y a vraiment des gens qui ont des prénoms pareils, aux États-Unis ?

— Parmi les WASP, oui. Et ce gars était l'archétype du Blanc de la côte Est, propre sur lui, bonne famille, ancien pilote de l'US Air Force, ex-consultant en management, la cinquantaine bien conservée, sportif, patriote, et tout et tout... Le conseil d'administration l'a choisi pour « rationaliser les procès de gestion » de la fac, si ça veut dire quelque chose... Pour fêter sa nomination, il y a eu une réception où je suis allé avec Susan. Comme je l'avais déjà rencontré, je me rappelle avoir affirmé à ma femme en chemin qu'elle allait sûrement le haïr dès la première seconde, qu'il était la personnification de l'Amérique réac et bornée qu'elle détestait tellement, le supporter de Bush tout craché... À cette soirée, Robson était très entouré, mais j'ai vu à un moment qu'il parlait assez longuement avec Susan. Ce n'est qu'après coup que je me suis souvenu d'un échange de regards...

— Comme c'est romantique.

— En rentrant à la maison, le seul commentaire de Susan a été : « Il n'est pas si mal, pour un républicain. » Environ une semaine plus tard, elle m'a annoncé qu'elle allait donner des cours privés à une fille d'Eaton qui terminait le lycée et espérait entrer à la section d'art dramatique de l'école Julliard. Tous les mardis et jeudis, de quatre à six.

— Tu n'as pas eu de soupçons ?

— Non. C'était peut-être naïf de ma part, mais c'est ainsi. J'ai été simplement content qu'elle ait trouvé à s'occuper.

— Quelle confiance, dis donc.

— Je voulais qu'elle cesse d'être aussi amère, qu'elle retrouve confiance en elle et, du coup, qu'elle abandonne son hostilité envers moi. Le fait est qu'elle a été tout de suite de meilleure humeur, quand ses « cours privés » ont commencé. Elle a même accepté à nouveau de coucher avec moi. En surface, les choses se sont améliorées entre nous. Et puis il s'est produit un revirement très inattendu : la prof qui avait eu le poste au département d'art dramatique est partie enseigner ailleurs et Crewe College a proposé à Susan de prendre sa place pour un an.

— Merci, monsieur le doyen...

— Là encore, je n'ai rien soupçonné. Susan était au septième ciel, naturellement. Et elle a paru avoir compris la leçon : plus d'ultimatums et de perfectionnisme outrancier avec ses étudiants, tact et diplomatie avec ses collègues. Elle est enfin devenue un membre à part entière de l'équipe pédagogique. L'année suivante, quand son contrat a été renouvelé et qu'elle a été titularisée, je n'avais toujours pas compris ce qui se passait en arrière-plan.

— Mais d'autres ont été plus clairvoyants, non ?

— C'est un petit campus, donc sa promotion a fait jaser, certainement, surtout que personne n'avait jamais vu ça, une titularisation après un premier refus. Mais je n'en ai eu aucun écho, moi : quand on médit, on ne le fait jamais devant celui qui est le plus concerné par les commérages. Ce que m'a appris récemment un ami et ancien collègue, en tout cas, c'est qu'ils ont tenu leur liaison secrète bien après ma...

— ... chute ?

— Oui, ai-je murmuré.

— Qui s'est produite...

— ... quand j'ai fait la connaissance de Shelley, une étudiante. Mais avant d'en venir à ça, je dois dire qu'après l'euphorie initiale, le changement de situation de Susan nous a ramenés exactement à la case départ. Forte de sa réussite professionnelle, elle est redevenue coupante, plus arrogante que jamais. Elle a par exemple décrété que je devais m'arranger pour être de retour à la maison chaque jour à quatre heures, quand Megan rentrait de l'école, parce qu'elle était maintenant plus occupée que moi. Et elle a recommencé à me refuser les rapports sexuels. Ou bien, lorsqu'elle daignait le faire, elle m'interrompait en plein milieu, me repoussait et me sortait une remarque du style : « Ça ne sert à rien, tu n'assures pas. »

— Charmant. Donc elle a voulu te montrer que tu ne lui inspirais ni désir, ni amour, ni rien d'autre que de l'agacement. Et toi, tu ne te doutais toujours de rien…

— Si. Un soir, je me suis même jeté à l'eau, je lui ai demandé carrément si elle voyait quelqu'un d'autre. Sa réponse a été : « J'aimerais bien avoir cette chance »… En réalité, j'étais un grand naïf, oui, mais je préférais aussi ne pas voir ce qui devenait de plus en plus évident.

— Et c'est à ce stade que Shelley l'étudiante entre en scène.

— Shelley Sutton. De Cincinnati. Hyperintelligente, hypercalée en films, et extrêmement jolie, quand on aime le genre artiste intello.

— Cheveux longs, petites lunettes à la Trotski, jean noir, blouson en cuir et des parents impossibles ?

— Et beaucoup trop brillante pour finir à Crewe College, mais son dossier scolaire, comme elle le reconnaissait elle-même, n'était pas fameux.

— Et elle est venue te voir à la fin d'un cours, et elle t'a posé une question « hyperintelligente » à propos de… ?

— Fritz Lang.

— Très romantique.

— Moque-toi ! Mais ce n'est pas tous les jours qu'on rencontre une fille de première année qui connaît tout ce qu'il faut savoir sur la période hollywoodienne de Lang, et qui est très séduisante, en plus.

— Un coup de foudre, donc ?

— Pas exactement. Pas dans l'ambiance actuelle des universités américaines, où les règles concernant les relations entre enseignants et étudiants de sexe opposé sont devenues d'une rigidité aberrante. Un simple déjeuner avec une étudiante sans chercher à aller plus loin peut attirer de sérieux ennuis à un prof. À Crewe, les consignes de l'administration à ce sujet touchaient au grotesque : dans le règlement intérieur destiné aux enseignants, il était explicitement stipulé qu'un professeur, homme ou femme, recevant un étudiant dans son bureau devait garder la porte ouverte et veiller à conserver une distance d'au moins un mètre avec lui.

— Pas étonnant que l'Amérique soit cinglée.

— Enfin, on a tout de même pris un café sur le campus et je dois avouer que le courant est tout de suite passé. C'est surtout sa maturité intellectuelle qui m'a fasciné…

— Oui, c'est ce que disent toujours les hommes, quand ils sont attirés par une fille beaucoup plus jeune : « Hier encore elle jouait avec ses Barbie, mais sa connaissance de Dostoïevski est renversante… »

— Je ne nie pas avoir été un peu dans le trip Humbert Humbert.

— Sauf que Lolita avait quatorze ans, pas dix-huit.

— Il n'empêche que nous devions être extrêmement prudents. Nous nous sommes d'abord vus dans un café en ville, mais au bout de trois fois la patronne a commencé à nous regarder d'un drôle d'air, alors nous avons décidé qu'elle m'attendrait dans une petite rue assez loin du campus, que je passerais en voiture et que nous irions dans une ville encore plus glauque qu'Eaton, Toledo.

— Comme Toledo en Espagne ?

— Comme Toledo, capitale américaine du pneumatique.

— Et c'est là que tu as enfin pu coucher avec elle ?

— Oui. Mais deux mois après…

— Deux mois ! s'est étonnée Margit. Bon Dieu, pourquoi il t'a fallu tout ce temps ?

— Je... J'étais très nerveux. Très attiré par elle, mais aussi très conscient des risques insensés que je courais. Ma situation était absurde : d'un côté, Susan qui me repoussait tout le temps, de l'autre, Shelley qui me répétait que j'étais génial, fascinant, qu'elle voulait « que nous nous "abandonnions l'un à l'autre", même si ce n'était qu'une fois »...

— Tu as gobé ça ? Bon, où s'est passé l'« abandon », alors ? Dans un hôtel ?

— Un « Motel 6 » à Toledo. C'est une chaîne américaine d'hôtels vraiment miteux et déprimants. Avec des chambres à vingt-quatre dollars et quatre-vingt-dix-neuf cents seulement si on la rend avant six heures du soir. Comme ça, je n'avais pas à me servir de ma carte de crédit et... Tu comprends, l'endroit importait peu, tout ce qui comptait pour nous, c'était de...

— ... baiser ensemble ?

— C'est crûment dit mais oui, c'est vrai.

— Et la baise a été mémorable.

— J'étais amoureux d'elle, profondément. Je sais ce que tu penses, que c'était une hallucination, encore une preuve de la bêtise dans laquelle les hommes peuvent sombrer quand ils sont guettés par le démon de midi. Mais c'est la vérité. C'était un amour comme je n'en avais jamais éprouvé. Lorsque j'étais avec elle, je ressentais une sorte de... « complémentarité », oui. L'âge nous séparait et pourtant il n'y avait pas de fossé entre nous, pas de barrière. Elle était sacrément intelligente – et pas seulement en matière de films, de livres, de jazz et de tout ce que j'aimais moi aussi. Elle avait une véritable sagesse de la vie...

— Comme c'est émouvant...

— Tu n'as jamais été envoûtée par quelqu'un au point de ne pouvoir supporter d'être privée de sa présence ?

— Si, une fois, a-t-elle répondu calmement.

— Zoltan ?

— Quelqu'un d'autre.

— Qu'est-ce qui est arrivé ?

— C'est « ton » histoire, d'accord ? Donc, vous avez pris l'habitude d'aller deux fois par semaine dans ce motel de Toledo ?

— Non. Après la première fois, j'ai arrêté.

— Ton sens légendaire de la culpabilité, je présume ?

— Exactement. J'étais très amoureux, certes, mais je savais qu'une fois cette ligne franchie il ne fallait pas aller plus loin, parce que…

— Tu risquais de perdre ton emploi, ta carrière ?

— Oui, mais aussi parce que je ne cessais pas de me répéter que nous allions finir par retrouver un terrain d'entente, Susan et moi. Que son hostilité envers moi était seulement l'un de ces caps par lesquels tout mariage passe.

— Pourquoi ne pas avoir continué à jouir de ton étudiante de temps en temps, en toute discrétion ? C'était ce qu'elle voulait, non ?

— Quand on est enfin passés à l'acte, elle n'a pas du tout compris que je ne veuille plus coucher à nouveau avec elle. J'ai tenté de m'expliquer. À de nombreuses reprises. De lui dire que malgré ce que j'éprouvais pour elle, je ne pouvais pas être son amant, que cet amour n'avait aucun avenir.

— Elle l'a mal pris, évidemment.

— Qui pourrait le lui reprocher ? Mon comportement a été d'une imbécillité rare. Et typiquement masculin. Flirter pendant deux mois avec une fille très sensible, passer à l'acte et puis, juste après, rompre…

— Ce n'est pas aussi idiot que tu le dis, je trouve. Si elle avait été plus mûre, psychologiquement parlant, elle aurait très bien pu comprendre ta logique.

— Elle n'avait que dix-huit ans.

— On peut être mûr sur le plan émotionnel à cet âge-là. Elle ne l'était pas.

— Chaque fois que nous nous prenions la main sous la table d'un café, ou que nous restions les yeux dans les yeux à rêver en silence, je me disais que ça finirait par m'exploser à la figure, si je continuais à la voir. Mais je ne pouvais pas supporter l'idée de ne pas continuer.

— Parce que tu étais amoureux. Et c'est pour ça que tu as arrêté, également : tu savais que si vous commenciez à coucher ensemble régulièrement, tu ne serais plus capable de mettre fin à cette liaison.

— Peut-être, mais tu ne vois pas mon énorme contradiction ? La désirer pendant tout ce temps et puis, juste quand je l'avais enfin dans mes bras...

— Est-ce que nous ne sommes pas tous pétris de contradictions, dès que les sentiments sont en jeu ? Tu connais la maxime de Pascal : « Le cœur a ses raisons que la raison ne connaît pas. » Tu as résisté à la tentation, tu y as cédé une fois, tu as décidé de recommencer à résister. Voilà tout. Mais comme le sexe est toujours synonyme de risque et de catastrophe potentielle, chez vous les Américains, cela ne s'est pas terminé si simplement, n'est-ce pas ?

— Non...

— Qu'est-il arrivé à cette fille, Harry ?

— Eh bien, l'histoire a pris une tournure à laquelle je ne m'attendais pas du tout. Dans les jours qui ont suivi notre après-midi au motel, elle m'a bombardé de lettres sur du papier en couleur qu'elle laissait dans mon casier. Et d'e-mails. « Amour de ma vie », elle m'appelait. Elle insistait pour qu'on couche à nouveau ensemble, tout de suite. Quand j'ai remarqué qu'elle traînait dans le couloir à la fin de mon cours pour essayer d'engager la conversation avec moi, j'ai pensé qu'il fallait agir vite. Je lui ai proposé un tour à la campagne. Nous sommes allés au bord d'un lac et je lui ai expliqué que je tenais à elle mais que notre liaison devait s'arrêter là. Elle a été anéantie. Elle m'a dit qu'elle n'aurait jamais fait l'amour avec moi si elle avait su que ça se terminerait de cette façon. Je n'ai pas voulu lui rappeler qu'elle avait prétendu exactement le contraire, et je lui ai répété que malgré tout l'amour qu'elle m'inspirait, poursuivre notre relation était...

— … de la folie.

— En gros, oui. C'est incroyable, non ? On arrive devant un seuil terriblement dangereux à franchir, on réunit tout son courage et, à la minute où on saute le pas, on le regrette déjà…

— Encore une de nos grandes contradictions, Harry. Est-ce qu'elle a pleuré ?

— Elle ne voulait pas y croire. Ensuite, quand je lui ai répété mes arguments, elle a dit qu'elle s'en moquait, qu'elle ferait tout pour que notre relation continue.

— Est-ce qu'elle était vierge ?

— Non. Elle avait connu un garçon, au lycée, mais ça s'était arrêté avec son entrée à l'université. Elle… Elle nous voyait comme Tristan et Iseult, carrément. Unis pour la vie. Je lui ai dit qu'elle tournerait vite la page sur moi, que j'étais un homme marié, et son professeur, de surcroît, mais elle s'est entêtée. Elle a continué à envoyer des lettres, et une bonne dizaine d'e-mails par jour, et à me suivre dans les couloirs…

— Tes collègues ont dû finir par le remarquer, non ?

— Évidemment. Doug Stanley, mon seul véritable ami à Crewe, m'a pris à part et m'a demandé si je fricotais avec Shelley. Je lui ai tout raconté, et je lui ai demandé conseil : est-ce qu'il n'était pas préférable d'aller voir le doyen et de lui exposer les faits, avant que la situation ne dégénère ? Il a répondu que ce serait du suicide, que Shelley allait finir par redescendre sur terre… Il m'a même proposé de lui parler, de lui suggérer de voir la psychothérapeute du campus.

— Te connaissant, tu devais être rongé de remords.

— Je ne dormais plus. J'ai dû perdre sept ou huit kilos en quinze jours. Je n'arrivais à me concentrer sur rien. Même Susan, qui prenait soin de m'ignorer en permanence, a fini par me demander ce qui n'allait pas. Je lui ai dit que je me sentais déprimé, et c'est là qu'elle m'a annoncé qu'à ses yeux j'avais toujours été quelqu'un de renfermé, un rabat-joie, « sauf ces derniers mois, ce qui m'a convaincue que tu dois avoir une liaison ». Je n'ai pas nié, elle n'a pas insisté. Mais le lendemain soir, en rentrant de la fac, je l'ai trouvée installée devant mon ordinateur à la maison, en train de lire mes e-mails.

— Ne me dis pas que tu n'avais pas tout effacé !

— De ma boîte d'entrée, si, mais pas de la corbeille. Comment elle a trouvé le code d'accès, je ne sais pas exactement. Je me suis rappelé que j'avais dit un jour à Megan que je me servais de son prénom pour mon mot de passe, « Megan 123 », Susan devait être présente... En tout cas, elle avait affiché l'un des messages de Shelley à l'écran. Elle ne s'est même pas retournée. Elle a dit, d'une voix qui m'a fait l'effet d'une douche glacée : « Fais ta valise et va-t'en, immédiatement. Ou bien j'appelle la police et je leur raconte que tu m'as battue. »

— Et tu as cédé à son chantage ? Alors qu'elle s'envoyait en l'air avec un autre type ?

— Je l'ignorais, à ce moment-là.

— Alors qu'elle avait fouillé dans tes e-mails, dans ta vie privée ?

— Et elle s'est certainement empressée d'envoyer les preuves à son amant, le doyen, parce que dès le lendemain matin, vers dix heures, deux gars de la sécurité du campus ont débarqué dans mon bureau. Ils avaient pour consigne de m'escorter hors de l'enceinte de l'université et de me conduire en ville, au cabinet juridique qui représentait Crewe College. Là, un petit avocat de province, une vraie caricature avec son nœud papillon, ses bretelles et son costume de serge bleue, m'a lu une lettre qui me signifiait mon licenciement pour faute déontologique grave, « sans préavis ni indemnités ». Il m'a dit que si je signais le document qu'il avait préparé, avec notamment une clause certifiant que je ne contesterais pas la décision, la version officielle serait que j'avais démissionné pour « raisons de santé ». « Pas de vagues, tout à l'amiable, m'a-t-il assuré. De cette façon, votre carrière d'enseignant ne sera pas compromise. » J'ai signé. Je ne savais pas que l'amant de Susan, « M. le doyen », m'avait préparé une autre surprise. Quand je me suis réveillé sur le canapé-lit de mon ami Doug, je me suis aperçu qu'une bande de journaleux campait à l'entrée, y compris les équipes des télés locales.

— Tout ça pour une petite aventure avec une étudiante ?

— Être limogé pour atteinte à la morale publique, dans une petite ville américaine, c'est un très, très gros truc. Il se trouve que quelqu'un – d'après Doug, ce ne pouvait être que Robson – avait refilé à la presse les passages les plus croustillants de ma correspondance électronique avec Shelley. Le même Robson qui, la veille, avait prétendu devant Doug qu'il était « sincèrement désolé » pour moi... Je me suis claquemuré au sous-sol de chez lui et il a réussi à tenir à distance les reporters jusqu'à ce que...

Je me suis tu. J'ai baissé la tête.

— Jusqu'à ce que quoi ? a insisté Margit.

— Jusqu'à ce que Shelley se suicide.

14

CE MÊME SOIR, AVANT DE ME RENDRE À MON TRAVAIL, je suis passé à ma chambre prendre mon ordinateur portable et le livre que j'étais en train de lire. Ainsi que je l'avais redouté, un bout de papier couvert d'une écriture maladroite était accroché à ma porte : « 1 000 euros demain ou té fouttou ! » Sans perdre un instant, j'ai griffonné au dos de cette missive : « Vous aurez votre argent d'ici quelques jours. Si vous parlez avant, vous n'aurez rien. » Après avoir glissé le mot sous la porte d'Omar, je suis allé m'asseoir un moment sur mon lit. Je me sentais à la fois incroyablement soulagé d'avoir pu confier mon secret à Margit, mais aussi plus vulnérable, et sans doute amoindri à ses yeux, à présent que je lui avais révélé le passé honteux qui me hantait à chaque instant.

Quant à la note menaçante d'Omar, elle n'a fait que renforcer ma résolution, et c'est ainsi que j'ai décidé de m'arrêter au bar de la rue de Paradis avant de commencer mon boulot. Yanna était en train de servir la clientèle habituelle de soûlographes plus ou moins chroniques, la plupart étant des copains de son mari. Elle a ouvert des yeux gigantesques en me voyant entrer, sans doute sous l'effet d'une appréhension qu'elle a essayé de masquer d'un sourire pincé en me versant une pression et un petit verre de whisky. Une fois certaine qu'aucun des poivrots n'était à portée de voix, elle a chuchoté nerveusement à mon intention :

— Qu'est-ce que tu viens faire ici ?

— Il faut qu'on parle, ai-je répondu aussi bas.

— C'est pas le moment.

— C'est urgent.

— Je ne peux pas m'en aller, avec tous ces crétins qui nous regardent.

— Trouvez une excuse. Je finis ça et je m'en vais. Je vous attendrai au coin de la rue de Paradis et de la rue du Faubourg-Poissonnière. Dans dix minutes. C'est important.

Sans surprise, Yanna est arrivée au rendez-vous à l'heure dite. Elle avait une cigarette allumée entre les doigts et paraissait extrêmement tendue.

— T'es cinglé ou quoi ? a-t-elle lancé d'un ton acerbe. Tout le monde a vu que tu essayais de me parler.

— C'est une urgence. À propos d'Omar.

Je lui ai expliqué rapidement le chantage auquel il voulait me soumettre.

— Oh merde ! Mon mari va te tuer, toi d'abord, et ensuite ce sera moi !

— Pas si vous faites ce que je dis.

Et je lui ai expliqué le plan machiavélique conçu par Margit, sans préciser bien entendu que je le tenais d'une tierce personne. Elle n'a pas eu l'air convaincue :

— Il préférera quand même croire l'autre porc, parce que c'est un Turc. C'est le genre de code d'honneur macho qu'ils aiment tant : si un autre mec te dit que ta nana est une pute, tu écoutes le type, pas la nana.

— Vous n'avez qu'à vous mettre à pleurer, vous décrivez comment il vous a tripotée, vous dites qu'il était soûl mais que ça ne justifie pas une conduite pareille, vous...

— Il va quand même me filer une trempe.

— Pas si vous vendez bien votre histoire.

— Il va me battre, même s'il me croit. Parce que je l'aurai mérité, d'après lui ; parce que si je n'étais pas « une salope », Omar n'aurait pas fait attention à moi. Je connais la chanson.

— Il ne faut pas rester avec ce type, alors.

— Merci pour le conseil. Il rentre ce soir. Si tu tiens à ta vie, tu as intérêt à te faire oublier, ces prochains jours. Juste au cas où il déciderait de croire son compatriote, et partirait à ta recherche armé d'une faucille.

— Je serai discret.

— Ouais. Et ne remets pas les pieds au bar. Je veux plus jamais te revoir.

— Le sentiment est tout à fait partagé, ai-je répliqué en tournant les talons.

En réfléchissant à cet échange un peu plus tard, je me suis dit que « me faire oublier » n'allait pas être si facile, dans ce quartier où tout le monde se connaissait et avec un employeur qui ne tolérait aucune absence… J'ai été tenté de filer à ma chambre, de réunir toutes mes affaires – ce qui ne m'aurait pas demandé plus de cinq minutes – et de disparaître dans la nuit. Mais l'éternelle question revenait : « Et après ? » En plus, je savais que Margit serait sérieusement déçue, si je me débinais. Tandis que je lui racontais l'histoire de Shelley, plus tôt dans la soirée, elle était revenue un instant sur le chantage d'Omar, remarquant :

— Ce serait plus simple pour tout le monde si le gros lard dégageait le terrain avant le retour du mari.

— C'est sûr, mais d'après ce que je sais il n'a pas de famille en Turquie. Et il est dans une situation légale, ici. Il m'a même nargué avec son passeport français, une fois.

— Dommage. Autrement, la tâche aurait été facile pour toi : un coup de fil aux autorités concernées…

— Sauf qu'il pourrait me dénoncer, lui aussi. Après tout, je travaille sans carte de séjour.

— Mais c'est un travail au noir, non ? Tu n'apparais pas sur le radar des services sociaux. Et puis, s'ils devaient choisir entre la version d'un Américain cultivé et celle d'un gros Turc illettré, laquelle prendraient-ils, d'après toi ?

— Les préjugés racistes ont de bons côtés, il faut croire…

— Mais oui. Et tu es tout aussi raciste que les flics.

— Ou que toi.

— Exactement. Mais n'oublie jamais une chose : même si un immigré comme Omar, vivant en marge de cette ville, peut détester ceux qui ont la vie facile, son hostilité et son mépris visent avant tout les gens qui lui sont le plus proches. Zoltan disait souvent : « Ne fais jamais confiance à un autre immigré. Il souhaitera toujours que tu te casses la figure, juste pour se prouver qu'il y a quelqu'un encore plus bas que lui. » Conclusion : ce type va te balancer, c'est certain. La solution serait de rentrer chez toi tout de suite, de prendre ton barda et de ne plus jamais revenir rue de Paradis. Mais si tu fais ça…

— Ce sera la fuite, à nouveau.

— Oui. Comme après la mort de ta petite amie. Même si tu n'étais pas responsable. Mais c'est tellement important pour toi, de te sentir coupable de tout… Allez, finis de raconter, Harry. Ce suicide ?

Elle m'a versé un énième verre. J'avais déjà vidé la moitié de la bouteille de whisky et pourtant l'alcool ne me faisait aucun effet.

— Avant ça, il y a eu… Il y a eu l'avortement.

— Quoi ? Elle a dû avorter ?

— Non. C'est ce que la presse locale a prétendu. Le prof qui force une malheureuse étudiante à commettre l'irréparable… Le fait est, et je te demande de le croire, que je ne savais même pas que Shelley était enceinte. Et quand ces ragots me sont arrivés aux oreilles, ou plutôt en pleine gueule, je n'ai pas pu y croire. Tout simplement parce que j'avais utilisé un préservatif, lors de notre unique relation sexuelle.

— Pourquoi la presse a-t-elle inventé une chose pareille, alors ?

— Il se trouve que Shelley tenait un journal. Quand le scandale a éclaté, la directrice de son dortoir, une sainte-nitouche chrétienne « born again » et tout le bastringue, a fait une descente dans sa chambre et l'a remis au doyen. Des pages et des pages de délire romantique à mon sujet, avec

207

des affirmations totalement fantaisistes. Par exemple, que je lui avais promis que je laisserais tomber ma femme et ma fille pour elle. Et une description très imagée de notre « après-midi d'amour » à Toledo, avec des détails dont la presse s'est emparée quand ils ont eu accès à son journal intime...

— Une fuite qui venait de Robson, j'imagine ?

— C'est ce que j'ai découvert plus tard, oui. Mais ils ont surtout fait leurs choux gras de ce qu'elle avait écrit à propos de son désir de porter mon enfant. Après ma décision de ne pas poursuivre cette relation, il semble qu'elle se soit mise à halluciner. Pour preuve, des phrases du style : « Comment peut-il me faire ça, quand il sait que je suis enceinte ? » ou : « J'ai eu les résultats du test aujourd'hui. Je vais être maman ! J'ai couru annoncer la nouvelle à Harry, mais il a réagi horriblement : le bébé ne doit pas vivre ! Il a appelé une clinique de Cleveland et pris rendez-vous pour dans trois jours, mais je n'accepterai jamais qu'il tue notre bébé... » Une pure invention, mais l'impact sur les médias et sur le public a été épouvantable, comme il fallait s'y attendre.

— Ce que le doyen a dû interpréter comme la juste punition divine de tes méfaits.

— Lui, et tous les commentateurs d'extrême droite que compte ce pays. Je suis devenu leur bête noire : le prof « progressiste » qui séduit une jeunette et la force à « tuer » leur enfant... Un exemple typique de la prétendue « élite libérale », dégénérée et sordide... Et bien entendu Shelley était leur héroïne, puisqu'elle avait refusé de détruire un embryon... Les chaînes de télé ont fait le siège de la maison, harcelé Susan et Megan. Tu te rends compte, un des journalistes a même demandé à ma fille : « Qu'est-ce que ça te fait que ton père ait une petite amie qui n'a que cinq ans de plus que toi ? »

Elles ont aussi diffusé une interview de l'avocat véreux que le père de Shelley – un ancien marine, un vrai facho qu'elle ne pouvait pas souffrir – avait engagé. Il a annoncé que la famille demandait cent millions de dommages-intérêts à l'université pour avoir laissé un dégénéré comme moi y enseigner. Du coup, Robson s'est fendu d'une déclaration en prenant une mine de circonstance, dans laquelle il disait compatir entièrement avec « cette pauvre jeune fille » et qu'il s'assurerait personnellement que je ne retrouve jamais un poste dans l'enseignement supérieur.

— Et elle, elle était où, pendant tout ce temps ?

— Ses parents l'avaient ramenée à Cincinnati. Et enfermée à double tour, loin de la presse. Quant à moi, j'ai décidé d'envoyer un e-mail aux journalistes afin de nier tous ces racontars et en leur révélant que j'avais utilisé un préservatif… Ça n'a servi qu'à exciter encore plus les hyènes. Le lendemain, les cameramen ont couru après Shelley et ses parents alors qu'ils se rendaient à l'église, en la sommant de dire si c'était vrai ou non. Un peu plus tard, l'avocat de la famille a publié un communiqué me traitant de monstre et affirmant qu'il aurait une confirmation médicale certifiée de la grossesse d'ici quarante-huit heures. C'est à ce moment-là que Megan m'a téléphoné chez Doug, qui, entre parenthèses, a été fantastique pendant toute cette épreuve. « Je ne veux plus jamais te parler », m'a-t-elle dit en pleurant. Et elle a raccroché. J'ai rappelé tout de suite, et c'est Susan qui a décroché. Avec un calme sidérant, elle m'a déclaré : « Tu ne reverras pas ta fille. N'y compte pas. » Et elle a ajouté : « Si j'étais toi, je me suiciderais. »

— Mais c'est Shelley qui l'a fait…

— Oui. Elle a attendu que tout le monde soit endormi pour se glisser hors de chez elle. À environ un kilomètre et demi de là, elle s'est jetée d'une passerelle au-dessus d'une autoroute. Elle a été tuée sur le coup par un camion. Un témoin a affirmé l'avoir vue se tenir devant la rambarde pendant plusieurs minutes. Elle attendait sans doute un véhicule assez gros pour qu'elle ne puisse pas en réchapper.

— Ou bien elle essayait de trouver la force de sauter.

209

— Elle n'a pas laissé de mot, n'a jamais évoqué ce qu'elle se disposait à...

Ma voix s'est éteinte. J'ai attrapé la bouteille de whisky pour me servir moi-même.

— Je vois ce que tu veux dire. Tu crois qu'elle s'est supprimée parce qu'on allait découvrir qu'elle était une affabulatrice ?

— Peut-être. Ou bien son père l'a poussée à bout en lui menant une vie infernale. Ce qui est certain, c'est qu'elle était très perturbée, conséquence directe de ma décision de rompre avec elle.

— Harry, si son journal prouve quelque chose, c'est qu'elle vivait en plein fantasme. C'est un aspect de sa personnalité que tu n'as pas remarqué quand vous vous êtes liés d'amitié, sans doute parce que c'était une dissimulatrice consommée. Si elle avait manifesté ces tendances obsessionnelles, je suppose que tu...

— J'aurais tout arrêté avant de coucher avec elle.

— Voilà. Donc elle a manigancé cette histoire de bébé, Robson s'en est servi pour t'accabler, tu as contre-attaqué, elle s'est sentie prise au piège de ses propres mensonges et elle s'est tuée.

— C'est une interprétation.

— Ton ami, Doug, c'est lui qui t'a informé de son suicide ?

— Oui.

— Est-ce qu'il t'a aussi prévenu au sujet de Robson et de ton ex-femme ?

— Il m'a parlé des rumeurs. Il a reconnu qu'il avait eu du mal à être franc avec moi à ce sujet, par crainte du scandale possible. J'ai d'autant mieux compris sa réaction que deux ans plus tôt j'avais moi-même caché à Doug que sa femme couchait avec... la bibliothécaire du campus. Quoi qu'il en soit, Doug n'était pas en mesure d'accuser publiquement Robson d'indiscrétion auprès de la presse. Il attendait sa titularisation dans quelques mois : s'il se mettait le doyen à dos, il était fichu. Le dilemme était très cruel pour lui. Il m'a conseillé de disparaître. Il pensait que si j'attaquais Robson, les gens s'imagineraient que j'essayais seulement de reporter le blâme sur lui. Le lendemain, l'autopsie a révélé que Shelley n'était pas enceinte, au moment de sa mort. Dans l'heure, l'avocat de la famille pondait un communiqué prétendant qu'elle avait sans doute été la victime d'un test de grossesse défectueux, mais que la responsabilité de sa mort n'en retombait pas moins sur moi puisque j'avais exigé qu'elle avorte, ce qui avait mis son équilibre mental, déjà fragile, en danger.

Apparemment, tout le monde a accepté cette version, et j'ai donc décidé de suivre le conseil de Doug. Je l'ai chargé d'aller chez moi pendant que Susan était absente pour me rapporter mon ordinateur portable et mon passeport. Ensuite, je suis passé à ma banque. Dès qu'il m'a vu, le directeur m'a annoncé qu'ils ne désiraient plus m'avoir pour client. J'ai rétorqué : « Justement, je viens fermer mon compte. » J'avais vingt-deux mille dollars sur un plan d'épargne ; j'en ai viré quinze sur le compte prévoyance de Megan et j'ai retiré le reste en liquide. Je suis retourné prendre mes affaires chez Doug, j'ai chargé ma vieille Volvo. Huit heures plus tard, j'étais à Chicago. J'ai trouvé un hôtel de troisième catégorie près du lac, à quatre cent cinquante dollars la semaine. Je me suis arrêté chez le premier vendeur de voitures d'occasion que j'ai repéré ; il m'a donné trois mille dollars en liquide pour la Volvo. Je suis retourné à l'hôtel en taxi et j'ai entamé une nouvelle vie... qui n'en était pas une. La chambre était minable mais personne ne me posait de questions. Pendant les six semaines que j'ai passées là-bas, je n'ai pas dû prononcer plus de dix phrases.

— Un mois et demi ? Qu'est-ce que tu as fait, pendant tout ce temps ?

— Rien. J'ai essayé d'oublier. Se lever à midi, déjeuner toujours au même snack, pas de journal ni d'e-mails mais des tas de livres de poche que je trouvais chez un bouquiniste, des heures au cinéma, picoler dans les bars pourris du coin, rester devant la télé tard dans la nuit... Un mort vivant. Et puis, un soir où je revenais après avoir vu trois films d'affilée, le gardien de l'hôtel m'a appris que quelqu'un m'avait demandé : « Une sale tronche, genre huissier. C'est sûr qu'il va revenir demain matin à la première heure. Ces connards font toujours ça. » Je suis monté et j'ai appelé Doug, qui était dans tous ses états : pourquoi n'avais-je pas répondu à aucun de ses e-mails ? Est-ce que je ne savais pas que le père de Shelley avait mis sa menace à exécution et porté plainte contre Crewe College ? Lequel avait riposté, sur la proposition de Robson, en m'attaquant pour négligence professionnelle grave, conduite indécente et autres délits ? Ils avaient engagé un détective privé pour me retrouver. Lorsque j'ai expliqué à Doug qu'un type cherchait visiblement à me présenter une citation en justice, sa réaction a été immédiate : « Quitte le pays sur-le-champ, si tu ne veux pas être broyé par la machine judiciaire. » Je lui ai dit que je prendrais le premier avion pour Paris.

— Et depuis ?

— J'ai réussi à reprendre contact avec Megan, et même à correspondre avec elle par e-mails. Susan l'a découvert et lui a interdit tout nouveau contact. Depuis, aucune nouvelle. Mais Doug m'a appris il n'y a pas longtemps que l'université avait décidé de laisser tomber les poursuites contre moi. Malgré l'opposition de Robson. Si ça n'avait tenu qu'à lui, ils m'auraient poursuivi à l'autre bout de la planète.

— Il veut réellement ta peau.

— Oui. Il ne sera satisfait que quand il m'aura réduit à néant.

— Et si tu pouvais prendre ta revanche sur lui ?

— La vengeance ne m'intéresse pas.

— Mais si. Et tu la mérites, en plus. Et Shelley aussi. S'il n'avait pas monté en épingle toute l'affaire, elle serait sans doute encore en vie, aujourd'hui. D'après toi, quelle serait la juste rétribution de toutes ses crapuleries ?

— Tu veux que je me mette à fantasmer tout haut ?

— Absolument. Le pire qui puisse arriver à ce salaud.

— Je ne sais pas… Qu'il se fasse chopper avec une énorme collection de photos pédophiles sur son ordinateur, par exemple ?

— Pas mal, oui… Et maintenant, une punition qui te semblerait appropriée pour ton ex-épouse.

— Bon, arrêtons de débloquer, d'accord ?

— Allez ! Ça restera entre nous.

— Eh bien, si elle perdait son travail…

— Tu te sentirais vengé ?

— À quoi ça te mène, ce petit jeu ?

— À t'aider.

— M'aider ? Comment ça ? Psychologiquement ?

— Parler, ça fait toujours du bien. Surtout si cela t'aide à mieux exprimer ta colère, ou ta peine, ou les deux. Ça ne panse pas les blessures, évidemment.

— Qu'est-ce qui peut le faire, alors ?

Elle s'est contentée de hausser les épaules, puis :

— Il est temps que tu te mettes en route. On reprendra cette conversation dans trois jours, si tu veux.

— Bien sûr.

— On pourra même faire l'amour, la prochaine fois. Si tu te sens moins coupable d'avoir sauté cette tenancière de bar. À propos, dis-lui bien qu'il faut qu'elle pleure pour de bon, quand elle racontera à son mari comment Omar a essayé d'abuser d'elle.

— Je redoute ce moment, franchement.

— Tu redouteras encore plus une raclée dans une allée sombre. À très bientôt, mon cher.

Après avoir donné à Yanna la ligne de conduite conçue par Margit, j'avais senti un calme inattendu s'emparer de moi. La tentation d'aller trouver le barbu et de lui expliquer que je devais m'absenter quelques jours pour « raisons personnelles » m'a quitté. J'ai décidé de ne pas céder un pouce de terrain en me contentant d'observer comment les choses allaient évoluer. Un peu comme l'adepte de la roulette russe qui conclut qu'il a tout intérêt à continuer à jouer, puisqu'il n'y a qu'une chance sur six qu'il finisse avec la cervelle pulvérisée.

Cette nuit-là, à mon bureau, j'ai allumé mon ordinateur portable et je me suis mis au travail. Mon roman comptait plus de quatre cents pages, maintenant. Les doutes du début avaient cédé la place à un flux impétueux, et à la sensation très nette que le livre s'écrivait de lui-même. C'était l'une des principales raisons qui me ramenaient à ma cellule nocturne, d'ailleurs : ce confinement forcé dans un endroit lugubre était devenu un élément presque essentiel du processus, la garantie que, tenu loin de toute distraction, j'enchaînerais les phrases et laisserais le récit se développer à son rythme. J'en étais venu à redouter que mon énergie créatrice ne me quitte si j'abandonnais cette pièce étouffante, ce job qui pourtant m'inspirait des questions incessantes, ce quartier et ses dangers. Non, j'allais rester à mon poste jusqu'à ce que le roman soit terminé et puis, un beau jour, je prendrais mon sac et je m'en irais. Ce serait... Brusquement, je me suis immobilisé sur ma chaise : quelqu'un s'était mis à crier, en bas. À hurler.

Les cris étaient perçants, d'une intensité animale, presque. Comme une bête sauvage prise dans un piège. Soudain, le silence est revenu, et j'ai entendu la même voix plaider et supplier tandis qu'on lui intimait bruyamment l'ordre de se taire, et... un autre hurlement m'a presque donné un haut-le-cœur. Quelqu'un souffrait, à l'étage en dessous. Une souffrance intolérable lui était infligée. Sans réfléchir, j'ai bondi et je suis allé déverrouiller ma porte. Dès que je l'ai ouverte, cependant, les hurlements se sont tus. Descendant prudemment quelques marches, j'ai observé le couloir du rez-de-chaussée et la porte blindée au fond.

Tu es cinglé ou quoi ?

La raison m'a fait revenir en arrière, rentrer dans mon antre, refermer le battant à double tour le plus discrètement

214

possible, sans pouvoir empêcher un déclic assez sonore. Une minute s'est écoulée. On a hurlé, à nouveau, mais cette fois les autres voix se sont mises à brailler à l'unisson, et l'homme à l'agonie – c'était un homme, j'en étais sûr – à répéter fébrilement quelque chose qui ressemblait à « Yok, yok, yok, yok ! » Encore des cris, et un mugissement déchirant. Auquel a succédé un silence surnaturel, presque aussi terrifiant.

Je me suis rassis à ma table, perdu, bouleversé, serrant les dents pour les empêcher de claquer.

Ne bouge surtout pas. Si tu entends des pas dans les escaliers, tu prends ton ordinateur portable et tu t'enfuis par l'issue de secours.

Dix minutes ont passé, quinze, vingt. Je gardais les yeux éperdument fixés sur l'écran vidéo, qui restait vide. Vingt-cinq minutes. Soudain, la porte d'en bas s'est ouverte. On a marché dans le couloir. La porte principale, maintenant. Un homme est sorti dans le passage. De petite taille, visiblement. Le capuchon de sa parka rabattu sur son visage, il avait... un balai à la main.

Qu'est-ce qu'il fabrique avec ça ?

La seconde suivante, je me suis instinctivement rejeté en arrière en voyant le bout du manche à balai arriver à grande vitesse sur l'objectif de la caméra. Au premier coup, l'image a seulement tremblé ; au second, l'écran est devenu noir. Peu après, j'ai entendu parler à voix basse dans le corridor, des halètements dus à un effort considérable, le bruit d'un objet lourd qu'on traînait sur le sol... Encore des chuchotements. « Est-ce qu'ils se consultent pour savoir si la voie est libre avant de porter le corps dehors ? » me suis-je demandé. Enfin, la porte d'entrée s'est refermée avec un son étouffé.

Pas de panique. Surtout, pas de panique. Oui, mais s'ils reviennent s'en prendre à toi ? Si je sors maintenant, ils peuvent m'attendre dehors. Je risquerais de les voir, ce qui serait... regrettable, au mieux. En restant ici, je montre que j'obéis aux règles, au moins. Que je ne cherche pas d'histoires, que je ne vais pas prévenir les flics...

J'étais follement tenté de m'enfuir, mais c'était impossible. À six heures, toutefois, j'ai quitté mon poste sans perdre une minute. J'aurais voulu aller marcher le long du canal Saint-Martin pour calmer un peu mes nerfs, mais j'ai eu l'intuition qu'il était préférable de respecter ma routine quotidienne au cas où je serais surveillé, et donc je suis allé à la boulangerie, je suis remonté à ma chambre avec mes deux pains au chocolat et ma baguette. Un nouveau bout de papier m'attendait sur la porte. « Tu a 2 jour, pa pluz. 1 000 euro ou je di tou. » J'ai froissé le mot en boule et je l'ai mis dans ma poche. Une fois chez moi : un cachet de Zopiclone, et au lit.

J'étais debout à deux heures de l'après-midi, comme à mon habitude. Trente minutes plus tard, je me suis présenté au cybercafé. J'ai tout de suite vu que le barbu était au courant... Sans un mot, il a quitté le comptoir, est passé derrière moi pour verrouiller l'entrée et m'a fait signe de le suivre dans l'arrière-boutique. Comme j'hésitais, il a assené d'une voix glaciale :

— Tu repars pas d'ici tant qu'on a pas parlé un peu.

— Parlons ici, ai-je proposé, pensant qu'au cas où des gros bras m'attendraient dans l'autre pièce j'avais peut-être une chance de foncer à travers la vitrine et de m'en tirer avec des coupures, aussi vilaines soient-elles.

— C'est plus tranquille, là-bas, a-t-il insisté.

— On parle ici.

Il a lancé un regard inquiet dans la rue avant de se ressaisir.

— T'as vu quoi, cette nuit ?

— J'ai vu un voyou casser la caméra vidéo.

— Avant ça ?

— Rien.

— Rien ?

— Oui, « rien ».

—Je te crois pas. Tu as ouvert la porte. « Ils » t'ont entendu.

— « Ils » se sont trompés.

—Tu mens. Ils t'ont entendu. Ils savent.

—Je n'ai rien entendu. Je n'ai pas bougé de toute la nuit. La seule chose qui soit sortie de l'ordinaire, c'est l'imbécile qui a lancé un truc dans l'objectif de la caméra.

—Tu as vu ? Tu as vu sa tête ?

—Non, il avait une capuche, c'était impossible.

—Pourquoi il l'a cassée, d'après toi ?

—Comment je saurais ?

—Tu mens. Tu sais ce qui s'est passé. Et si la police te pose des questions ?

—Pourquoi la police me poserait des questions ?

—Si la police te pose des questions ?

—Je répondrai la même chose. Que je n'ai rien entendu.

Silence. Il a sorti mon enveloppe de la poche de son veston et l'a jetée par terre. J'ai préféré ne pas protester devant cette provocation et jouer le rôle de larbin qu'il attendait que j'endosse en me penchant pour la ramasser. Lorsque je me suis redressé, il m'a regardé longuement.

—Ils savent que tu as entendu les cris. Et que tu as quitté la pièce. Tu refais jamais ça, compris ?

—Oui, ai-je dit à voix basse.

J'ai suivi autant que possible mon train-train, ce jour-là, mais aussi bien pendant mon rapide déjeuner qu'au cours de mon trajet en métro jusqu'à Bercy pour voir *La Fièvre dans le sang* d'Elia Kazan, et ensuite, tandis que j'avalais un café dans une petite brasserie en face de la Cinémathèque, je n'ai cessé de me demander s'il était possible que je sois épié, suivi. J'en suis venu à observer les gens autour de moi, à la recherche d'un visage ou d'une silhouette qui réapparaîtrait dans mon champ de vision, et même à faire brusquement demi-tour dans une rue pour déjouer une éventuelle filature. Bien que n'ayant rien remarqué de suspect, j'ai résolu de ne prendre aucun risque, par exemple, de ne pas me servir d'un téléphone public pour obtenir les résultats de mon test du sida, par crainte qu'un mouchard n'en conclue que j'appelais la police. Je me suis résigné à passer en personne à la clinique, relativisant quelque peu l'appréhension du verdict médical par tout ce qui s'était passé dans les dernières vingt-quatre heures.

Je suis arrivé à sept heures et demie, trente minutes avant la fermeture de la clinique. Le médecin qui m'avait reçu lors de ma visite précédente se trouvait à la réception quand je suis entré.

— Tiens ! Qu'est-ce qui vous ramène ici ?

— Je suis venu pour mes résultats.

— Vous auriez pu aussi bien téléphoner.

— Je préfère les recevoir en main propre.

Haussant les épaules, il s'est tourné vers la secrétaire et lui a donné mon nom. J'ai été plutôt impressionné qu'il s'en souvienne. Après avoir vérifié les dossiers entrants, elle a sorti le mien, le lui a remis. Il m'a fait signe de le suivre dans son cabinet. Une fois à son bureau, il a rapidement consulté les documents. Debout, j'observais ses traits avec la même anxiété qu'un prévenu regardant le président des jurés se lever avec l'enveloppe du verdict à la main.

— Asseyez-vous donc, monsieur Ricks.

— Mauvaises nouvelles ?

— Quel pessimisme ! Non, le test HIV est négatif. Mais vous êtes visiblement porteur d'une autre MST : une chlamydiose.

— Ah…

— Ce n'est pas une affection très grave. Ça se soigne facilement avec des antibiotiques.

— Je pensais que c'était seulement les femmes qui attrapaient ça…

— Vous vous trompiez. – Il s'est mis à griffonner sur un bloc d'ordonnances. – Vous allez prendre ça quatre fois par jour. Et boire au moins trois litres d'eau quotidiennement.

Et pas de rapports sexuels non protégés pendant trois semaines.

Génial...

— Il est également conseillé de ne pas consommer d'alcool pendant le traitement.

Encore mieux ! Trois semaines sans picoler ! Comment me passer d'alcool, avec cette existence pourrie que j'ai ?

— Naturellement, vous allez aussi informer vos partenaires de votre état. Et j'aimerais que vous refassiez un examen sanguin lorsque vous aurez terminé les antibiotiques. Pour qu'il ne demeure aucune ambiguïté.

Il y a « toujours » une ambiguïté, docteur... Et toujours de quoi se faire un sang d'encre, ainsi que les derniers jours viennent encore de me le montrer.

Je me suis contenté de marmonner :

— Bien compris.

Après avoir acheté mon médicament dans une pharmacie de garde du boulevard Sébastopol – au prix effarant de trente-huit euros –, j'ai décidé de commencer à m'acquitter du sale boulot qui m'incombait et je me suis donc rendu au bar de Yanna, la première étape. Il n'y avait que trois clients, heureusement, et ils étaient installés à une table du fond. Elle n'a pas eu l'air ravie de me voir m'asseoir à un tabouret du comptoir.

— Je t'avais dit de plus jamais remettre les pieds ici, a-t-elle sifflé entre ses dents.

— Vous avez parlé à votre mari ?

— Il a été retardé. Il rentre que demain. – Elle a jeté un regard inquiet aux trois consommateurs. – Commande quelque chose, ou ils vont trouver ça bizarre.

— Un verre d'eau.

— Quoi ?

— J'aurais préféré autre chose, mais je suis sous antibiotiques.

— À cause de quoi ?

Quand je le lui ai expliqué à voix basse, son visage est devenu gris cendreux.

— Salaud ! a-t-elle chuchoté, tu m'as refilé cette co...

— Pardon ? Réfléchissez un peu avant de m'accuser, d'accord ? C'est quelque chose que la femme transmet à l'homme, pas le contraire ! – Je ne savais pas du tout si c'était vrai, mais autant jouer cette carte. – Et comme je ne couche pas avec n'importe qui, moi...

— Menteur !

— C'est vous qui m'en avez fait cadeau. Qui vous l'a donné, c'est une autre question...

— Dégage d'ici !

— Pas avant que vous ayez lu ça.

Je lui ai tendu une boule de papier. Le mot qu'Omar avait laissé sur ma porte. Elle l'a déplié, l'a regardé et me l'a rendu en pestant tout bas :

— Le porc !

— Il faut que vous parliez à votre mari dès son retour.

— Fais-moi confiance ! Je vais même lui dire qu'Omar m'a violée et que c'est lui qui m'a refilé cette chtouille.

— Euh, vous êtes sûre ? ai-je objecté en me disant que cette information constituerait certainement une condamnation à mort pour mon voisin.

— J'espère bien qu'il va le zigouiller ! Et si tu te tires pas d'ici dans la seconde, je lui dirai que tu as essayé avec moi, aussi !

En observant ses traits tordus par la fureur, j'ai conclu qu'il était en effet préférable d'abréger cette conversation. Un peu plus tard, les yeux fixés sur l'écran de mon ordinateur en attendant que les aiguilles tournent jusqu'à six heures du matin, je me suis posé la question : « D'où me vient ce talent singulier pour me mettre les femmes à dos ? » Ou, pour aller au fait : « Pourquoi est-ce que j'ai l'impression de toujours tout foirer ? »

Mais il y avait un autre sujet de préoccupation, plus grave : Omar. L'enfoiré de maître chanteur était aussi bête que malveillant, il n'aurait pas de scrupules à précipiter ma perte, mais le plan machiavélique conçu par Margit allait désormais se conclure par... Bon, un décès brutal et rapide serait sans doute la meilleure issue pour lui, une fois que le mari de Yanna et ses hommes de main seraient tombés sur celui qu'ils soupçonnaient d'avoir violé Yanna et de l'avoir salement infectée, et ce, même si le mari avait très certainement contracté cette chlamydiose auprès de l'une des nombreuses prostituées qu'il fréquentait. Le dilemme qui m'était ainsi posé – « Dois-je mettre en danger quelqu'un qui menace d'en faire autant avec moi ? » – m'a préoccupé toute la nuit. Puis l'heure de la délivrance est venue, je suis sorti à l'air libre, j'ai remonté les interminables escaliers jusqu'à ma chambre de bonne, mon sac de pains au chocolat à la main.

En arrivant sur le palier, j'ai soudain senti ma vessie prête à exploser, après toute l'eau que j'avais éclusée pendant la nuit, suivant les ordres du médecin. Je me suis précipité aux toilettes, j'ai ouvert la porte à la volée et j'ai reculé à toute vitesse, non sans laisser échapper un cri horrifié. Omar était là, avachi sur le siège. La gorge tranchée. Le sang avait jailli partout. Et la balayette des W-C avait été enfoncée dans sa bouche.

15

L'INSPECTEUR JEAN-MARIE COUTARD était un petit bonhomme mou. La cinquantaine, un mètre soixante-cinq à peine, une bedaine considérable, un double menton et un visage aussi rougeaud que s'il se tenait en permanence devant une rôtissoire. Sa tenue vestimentaire était un assemblage de styles et de motifs à vous flanquer la migraine : veston à carreaux, pantalon en flanelle grise, chemise rayée constellée de taches de graisse, cravate à motifs cachemire... Son dédain pour les canons de l'élégance allait de pair avec une apparence physique des plus négligées. Il avait une cigarette vissée à la bouche, sur laquelle il tirait comme si c'était le seul moyen de se maintenir éveillé, lui qui, apparemment, avait été tiré de son lit à sept heures et quart du matin.

À son arrivée, en compagnie d'un autre inspecteur, une petite foule s'était déjà assemblée devant les toilettes de l'étage : trois policiers en tenue, deux assistants en blouse blanche et munis des gants en latex de rigueur, un photographe et un médecin légiste penché sur le tas grotesque que formait désormais Omar. Les trois flics avaient été les premiers sur les lieux, dix minutes environ après le coup de fil angoissé que j'avais passé de la cabine téléphonique située au bout de la rue de Paradis. Ma réaction première, en appelant la police, avait été purement instinctive. Ce n'est qu'après avoir raccroché que je me suis rendu compte qu'ils allaient me demander où je me trouvais au moment du crime, et comme je ne pouvais pas leur parler de mon « emploi »... Je m'étais précipité dans ma chambre, j'avais défait mon lit et chiffonné mes draps comme si je venais d'y passer la nuit, avant de lancer mon cerveau à la recherche d'un alibi que la police estimerait valable.

Les trois flics se sont partagés le travail : deux sont descendus au rez-de-chaussée afin d'interdire l'accès des étages à d'éventuels curieux, le troisième est venu frapper à ma porte ouverte et m'a demandé mes papiers. En voyant mon passeport américain, il a ouvert les yeux comme des soucoupes :

— Mais... pourquoi vous habitez ici ?

— Ce n'est pas cher.

— Ah...

Il s'est mis à me poser les questions d'usage. À quelle heure avais-je découvert le corps ? Où étais-je, la nuit précédente ? « Je n'arrivais pas à dormir, je suis allé faire un tour. » Quelle heure était-il ? « Environ deux heures. » Où étais-je allé ? « Oh, j'ai marché le long du canal Saint-Martin, j'ai traversé la Seine, je suis allé jusqu'à Notre-Dame et je suis revenu en m'arrêtant à ma boulangerie habituelle. » Connaissais-je la victime ? « On se croisait de temps à autre dans le couloir, rien de plus. » Avais-je une idée quant aux auteurs possibles du crime, des soupçons ? « Pas du tout. »

Cet interrogatoire sommaire terminé, il m'a demandé d'attendre l'inspecteur chargé de l'affaire, a gardé mon passeport et m'a laissé à mes réflexions. Mon histoire était peu convaincante, pleine de lacunes, même si le gars de la boulangerie pourrait leur confirmer que j'étais en effet passé vers six heures. Je me suis étendu sur le lit et j'ai fermé les yeux, tentant de repousser de mon esprit les images les plus choquantes d'Omar sur la cuvette, de sa gorge ouverte, des éclaboussures sanguinolentes sur le mur, de son pantalon encore baissé sur ses chevilles, car il avait été de toute évidence surpris là en pleine séance défécatoire... Ils avaient

223

dû s'y prendre à deux. L'un pour le maîtriser pendant que son complice étouffait les protestations d'Omar avec la brosse à W-C, puis lui tranchait la jugulaire d'un seul coup. Est-ce que Yanna avait joint son mari encore en Turquie pour lui raconter son « viol », lequel avait à son tour téléphoné à des amis en leur demandant d'intervenir sans tarder ? Non, cela ne tenait pas debout, puisque Yanna m'avait précisé qu'il allait passer la majeure partie de la nuit dans l'avion ; elle n'avait donc pas été en mesure de le joindre. Mais, connaissant Omar, je me doutais qu'il avait bien d'autres ennemis.

Ç'a été la première question que l'inspecteur Coutard m'a adressée :

— Est-ce que le défunt s'était récemment querellé avec quelqu'un, à votre connaissance ?

Comme je m'étais attendu à cette question, j'ai décidé de jouer les idiots :

— Je ne sais rien sur le compte de cet homme, rien du tout.

— C'était votre voisin de palier, tout de même.

— On ne se parlait pas.

— Vous vous serviez des mêmes W-C.

— On peut partager des toilettes communes avec quelqu'un sans être obligé de lui faire la conversation.

Sortant mon passeport de la poche de sa veste, Coutard l'a feuilleté et s'est arrêté à l'unique page marquée de deux tampons d'entrée.

— Vous êtes arrivé en France le 28 décembre dernier, via le Canada.

— Exact. J'ai changé d'avion à Montréal.

— En venant de… ?

— Chicago.

— C'est là que vous vivez généralement ?

— Non.

Je lui ai donné le nom de ma petite ville de l'Ohio.

— Et qu'est-ce qui vous a conduit à venir en France le 28 décembre dernier ?

Cette fois encore, j'avais préparé ma réplique :

— Je venais de me séparer de ma femme et de perdre mon poste à la faculté où j'enseignais. J'ai décidé de fuir mes problèmes et...

— Il n'y a pas de vols directs entre Chicago et Paris ? m'a-t-il coupé. – Le sous-entendu était évident : « Si vous avez ressenti le besoin de passer par un autre pays, ce n'était peut-être pas seulement une crise conjugale que vous vouliez fuir... »

— Le vol d'Air Canada au départ de Montréal était le moins cher.

— Mouais. Quelle est votre profession, monsieur Ricks ?

— Romancier.

— Le nom de votre éditeur ?

— Je... Je n'en ai pas.

— Donc vous êtes un romancier en devenir...

— En effet.

— Et vous habitez cette chambre depuis... ?

— Début janvier.

— Ce n'est pas un endroit où l'on s'attendrait à trouver un touriste américain, mais j'imagine que vous avez déjà entendu cette remarque.

— Exact.

— Et votre voisin, M. Omar Tariq ? C'était un voisin agréable ?

— Nous n'avions pratiquement pas de contacts.

— Savez-vous quelque chose sur son compte ?

— Rien, très franchement.

— Mouais. – Il a hoché la tête, dubitatif. – Aucune idée de qui aurait pu avoir fait ça ?

— Je vous l'ai dit, je n'avais pas de contacts avec lui.

Coutard a tapé plusieurs fois mon passeport dans le creux de sa main, sans me quitter des yeux. Finalement, il l'a remis dans sa poche.

225

— Vous allez devoir vous exprimer sur cette affaire. Je me permets donc de vous demander de vous présenter au commissariat central du Xe arrondissement à deux heures, cet après-midi. C'est au 28, rue Louis-Blanc.

— Très bien. J'y serai. Et mon passeport ?

— Je le garde, d'ici là.

Il est parti. Je me suis assis sur mon lit. Je me sentais épuisé, soudain, et plus très sûr d'avoir eu raison de jouer à ce point les idiots à propos de mon voisin. Mais j'avais le choix : ou je niais tout contact, ou bien je commençais à devoir donner des détails sur ma vie, et notamment le fait que je travaillais illégalement en France… Mon hypothèse était que la fin aussi déplaisante d'Omar était sans doute due à une dette d'argent, ou à un règlement de comptes particulièrement sordide. Il fallait s'attendre à ce que les flics interrogent tous les habitants de l'immeuble, et à ce que quelqu'un finisse par leur donner une piste.

Ma fatigue – il était neuf heures passées – a été le plus sûr antidote à la vision cauchemardesque d'Omar qui me hantait. J'ai été tiré de ma somnolence par d'autres coups frappés à ma porte. Après être allé ouvrir en chancelant, hagard et hirsute, je me suis rendu compte que c'était quatre ambulanciers qui tentaient de faire passer dans l'étroit couloir la civière sur laquelle le corps d'Omar était étendu dans un sac en plastique. Ils m'ont regardé quelques secondes, avant d'entamer avec force grognements leur descente de l'escalier en colimaçon, chargés d'un mort qui pesait presque aussi lourd que deux.

Je suis revenu consulter l'heure. Midi quarante-huit. Je me suis rasé et douché, puis j'ai choisi une tenue correcte pour mon entretien avec la police. Quand je suis sorti de ma chambre, quelques types en blouse blanche continuaient à épousseter chaque millimètre carré du sol et des murs, récoltant la moindre microfibre. En bas, un flic en tenue restait posté devant l'entrée.

— Personne n'est autorisé à quitter l'immeuble, m'a-t-il annoncé.

— Mais l'inspecteur Coutard m'a dit qu'il voulait me voir à son bureau dans une heure !

— Votre nom ? – Il a pris son talkie-walkie, parlé dans le micro, attendu la confirmation qui lui est parvenue parmi les crachotements de l'émetteur radio. – Ne soyez pas en retard. Vous êtes attendu là-bas, en effet. À deux heures précises.

J'ai acquiescé, avant de me ruer au cybercafé. Dès qu'il m'a vu entrer, le barbu est allé verrouiller la porte principale.

— Qu'est-ce que tu as dit aux flics ? a-t-il jappé à voix basse.

— Les nouvelles vont vite !

— Qu'est-ce que tu leur as dit ?

— Rien. Je leur ai dit qu'Omar était mon voisin, que je ne le connaissais pas, que je n'avais pas idée de qui pouvait l'avoir tué. Point final.

— Ton travail ? Ils t'ont questionné, là-dessus ?

— Pas encore.

— Comment, « pas encore » ?

— Je dois aller faire une déposition au commissariat tout à l'heure.

— Tu dois rien dire !

— Je sais.

— Et rien non plus sur ce que tu as vu l'autre nuit.

— Je n'ai rien vu.

— Si tu parles, nous, on le saura, et alors…

— Pas besoin de me menacer. Je n'ai aucune envie qu'on découvre que je travaille illégalement, donc pas d'inquiétude : je tiendrai ma langue.

— Je te fais pas confiance.

— Vous n'avez pas le choix. Moi non plus, je ne vous fais pas confiance, mais je suis forcé de faire comme si. Et maintenant, mon argent, s'il vous plaît.

Il a sorti de sa veste l'enveloppe quotidienne.

— Tu restes muet comme une tombe, la vie continue.

— Ça me paraît un excellent programme.

— Omar était un porc. Il a mérité sa mort.

Personne ne mérite de finir comme ça, même ce sagouin...
J'ai gardé cette réflexion pour moi.

— Alors à demain ?

— Ouais, a concédé le barbu. À demain.

Le commissariat du Xe était un bâtiment carré, de deux étages, qui ne se distinguait en rien des immeubles décrépits de cette rue triste et morne. À la réception peinte d'un beige administratif, le planton a pris mon nom et m'a demandé d'attendre. Il y avait un plafond en dalles jaunies par la fumée de cigarette, des néons agressifs, des affiches invitant les citoyens à ne pas laisser de bagages dans le métro, à choisir entre boire et conduire. Une photo encadrée de Jacques Chirac était accrochée dans un coin isolé. Au bout de quelques minutes, un homme qui paraissait plus jeune qu'il ne devait l'être, en bras de chemise, son arme de service bien visible dans l'étui, a passé la tête par la porte la plus proche.

— Monsieur Ricks ?

Je me suis levé. Après s'être présenté, l'inspecteur Leclerc m'a entraîné dans un petit escalier. Nous avons débouché dans un hall. Deux types étaient assis sur un banc, auquel ils étaient enchaînés, et j'ai remarqué, à l'autre bout, des entraves qui pouvaient servir pour deux autres personnes. Un autre type se tenait debout derrière la grille d'une petite cellule.

— Journée chargée ? me suis-je enquis auprès de l'inspecteur.

— C'est toujours chargé, ici.

Nous sommes ensuite entrés dans un bureau exigu, encombré de chaises et de deux tables. S'installant à l'une d'elles et repoussant les papiers accumulés dessus, Leclerc a allumé une cigarette et déclaré qu'il était prêt à noter ma déposition. Tout en pianotant sur le clavier de l'ordinateur, il m'a posé à peu près les mêmes questions que celles de Coutard, et d'autres encore. Une fois terminé, il a relu ma déclaration, m'a demandé si je voulais y changer quoi que ce soit ; à mon signe de tête négatif, il a appuyé sur une touche et des feuilles ont commencé à sortir d'une imprimante toute proche en chuintant.

— Relisez, datez et signez, s'il vous plaît. – Je me suis exécuté. – Et maintenant, on va prendre vos empreintes digitales.

— Pourquoi ? Je pensais que vous vouliez juste ma déposition.

— Les empreintes digitales aussi.

« Est-ce que je suis suspect ? » ai-je été tenté de demander, mais je connaissais la réponse. Et je savais aussi qu'en refusant cette opération, je ne le paraîtrais que davantage...

— Allons-y, ai-je lancé d'un ton qui se voulait dégagé.

Dans une autre pièce, un policier a appuyé chacun de mes doigts sur un tampon d'encre, prélevé toutes les empreintes nécessaires puis, d'un signe du menton, il m'a montré un lavabo où me laver les mains. Leclerc m'a reconduit dans le hall et, s'arrêtant devant le banc sur lesquels les deux types étaient attachés :

— Vous allez attendre ici pendant que je soumets votre déposition à l'inspecteur Coutard. S'il a besoin de vous interroger encore, il vous convoquera.

— Et ce sera long ?

— Comme vous l'avez dit, c'est une journée chargée...

— Vous n'allez quand même pas m'enchaîner ici ?

Il a esquissé un sourire pincé.

— Sauf si vous insistez.

Les deux prévenus m'ont observé pendant que je m'asseyais à l'autre bout du banc. Lorsque j'ai croisé le regard de l'un d'eux, et noté l'agressivité dans ses pupilles dilatées sans doute par la drogue, il a grondé :

— Tu veux ma photo, connard ?

— Non, ai-je répondu sèchement.

— Tu me cherches ?

— Non.

Il a tenté de se lever pour foncer sur moi, mais la chaîne l'a stoppé dans son élan, lui arrachant un cri de douleur.

— J't'coincerai plus tard, a-t-il promis en maugréant.

— C'est ça.

J'ai ouvert le livre que j'avais récemment commencé, *Paroles*, de Jacques Prévert. Malgré mon admiration pour sa façon de jongler avec les mots et les images, j'aurais préféré quelque chose de plus captivant, un roman qui m'aurait fait oublier l'endroit où je me trouvais. Persuadé que je l'avais « provoqué » en le regardant au mauvais moment, le junkie continuait à aboyer des menaces dans ma direction, jusqu'à ce qu'un policier en tenue qui passait par là lui dise de la fermer. Comme mon agresseur verbal lui avait répliqué vertement – « Tu crois que tu m'fais peur, sale flic ? » –, l'autre a pris sa matraque et a asséné un grand coup sur le banc, à deux centimètres de sa cuisse. Le petit malin a fait un bond en l'air.

— Si tu continues à faire du tapage, la prochaine fois, ça sera entre les jambes, l'a prévenu le flic tandis que je cachais un peu plus mon visage derrière le livre de Prévert.

Ou bien Coutard était débordé, ou bien il faisait exprès de m'oublier. Une demi-heure s'est écoulée sans un signe. J'ai fini par interpeller un policier en le priant de vérifier si l'inspecteur voulait me voir, ou non. Encore vingt minutes, pendant lesquelles j'ai pu méditer à loisir sur cette version policière de l'« agression passive ». Je me suis levé au passage d'un autre représentant de la force publique.

— Pardon, est-ce que vous pourriez voir si l'inspecteur Coutard a l'intention de…

— Il vous fera appeler au moment voulu.

— Mais j'attends depuis presque une heure !

— Et alors ? Une heure, qu'est-ce que c'est ? Rasseyez-vous et attendez.

Le malfrat entravé m'a jeté un regard mauvais.

— Tu vois, ils te tiennent par les couilles, pauvre con !

— Ce n'est pas moi qui suis attaché à ce banc.

— Va t'faire foutre !

Le policier, qui s'était déjà éloigné, a pivoté sur les talons et m'a adressé un geste menaçant.

— J'ai dit « attendez », et en silence !

— Mais c'est cet individu qui...

— Silence !

J'ai acquiescé d'un air penaud, le cinglé a éclaté de rire. J'ai tenté de me replonger dans la poésie de Prévert pendant qu'il continuait à ricaner et à chuchoter à l'intention de son compagnon de fers. Un quart d'heure, une demi-heure...

C'est absurde. Lève-toi et sors de là ! On verra bien s'ils essaient de t'arrêter.

Alors que j'envisageais sérieusement de mettre en pratique cette idée idiote, Coutard a montré sa tête par la porte.

— Monsieur Ricks ? – Il m'a fait signe de le suivre dans un couloir. – Désolé de vous avoir fait attendre avec la racaille.

Je n'ai rien dit, tant j'étais certain que cette attente forcée à proximité de l'autre siphonné avait eu pour but de me déstabiliser. Le résultat était atteint, d'ailleurs.

— Par là, a-t-il déclaré en m'entraînant dans un bureau moins miteux que celui de Leclerc, avec deux fauteuils installés en face d'une grande table, plusieurs diplômes encadrés, l'inévitable portrait de Chirac et un cendrier rempli à ras bord près de son écran d'ordinateur.

Il a allumé une cigarette, posé sur son nez une paire de lunettes à double foyer.

— Eh bien, monsieur Ricks... J'ai lu votre déposition. C'est intéressant.

— Intéressant ?

— Mouais. Très intéressant, même.

— Dans quel sens ?

— Eh bien, vous avez répété ce que vous m'avez dit ce matin, à savoir que vous n'aviez aucun contact avec M. Omar

Tariq. Le problème, c'est que la personne qui vous a loué cette chambre, M. Sezer, nous a indiqué pour sa part que vous étiez en guerre ouverte avec la victime. En raison de ses critères d'hygiène, disons. Plus concrètement, de l'état dans lequel il laissait les toilettes que vous partagiez à cet étage.

— C'est vrai, mais...

— Le fait est que M. Tariq a été retrouvé avec une brosse de W-C enfoncée dans la gorge, et que...

— Une minute !

— Vous avez la fâcheuse habitude de m'interrompre, vous savez ?

— Pardon, ai-je marmonné.

— Donc, je disais que le témoignage de M. Sezer était formel sur ce point. Vous vous êtes explicitement plaint de la manière dont M. Tariq se servait des toilettes. Or il n'est pas exagéré de supposer que la mise en scène de la brosse constituait un message de la part du meurtrier. Une sorte de protestation symbolique contre le mépris dans lequel la victime tenait la propreté de ces lieux d'aisances communs. De là à penser... – J'ai levé une main que Coutard a considérée par-dessus ses lunettes à double foyer.

— Vous avez une question ?

— Une déclaration, plutôt.

— Vous l'avez déjà faite. C'est votre déposition. Que vous avez signée.

— Tout ce que je veux dire, c'est que...

— Vous voulez modifier votre déposition ?

— Je n'ai pas tué Omar Tariq.

L'inspecteur a haussé les épaules.

— Vous attendez de moi que je prenne cela pour la vérité ?

— Vous oubliez un point capital : c'est moi qui vous ai appelé, c'est moi qui ai signalé le crime à la police.

— Mouais. Dans soixante-cinq pour cent des cas que j'ai traités au cours de ma carrière, c'est ce que l'assassin fait.

— J'appartiens aux trente-cinq pour cent restants.

— Je dois dire que fourrer une balayette dans la gorge de quelqu'un tout en lui tranchant la jugulaire, c'est pour le moins original.

— Je n'ai pas...

— C'est ce que vous dites. Pourtant vous aviez un mobile : votre indignation devant ses pratiques répugnantes. Je parie qu'il ne tirait jamais la chasse derrière lui, et qu'il vous a même ri au nez lorsque vous le lui avez reproché. On sait que les Américains sont très à cheval sur la propreté... comme sur le tabac, d'ailleurs.

Et il a accompagné ces mots d'un petit nuage de fumée.

— Je n'ai rien contre les fumeurs.

— Je vous félicite de cette ouverture d'esprit. Vous n'avez rien contre les logements plus que modestes, non plus. Tenez, je serais prêt à affirmer que vous êtes le seul Américain qui vit dans une chambre de bonne rue de Paradis.

— Le loyer est très abordable.

— Nous savons comment vous avez trouvé cette chambre, à propos. Grâce à un certain Adnan Pafnuk, employé à l'hôtel Select, dans le XVIe arrondissement. Vous êtes descendu dans cet établissement le 28 décembre dernier, et vous avez contracté une forte grippe pendant ce séjour. Vous avez également eu une altercation avec le réceptionniste de l'hôtel, un certain M. Brasseur...

Bien qu'impassible, il étudiait soigneusement mes réactions et il n'a donc pu que noter ma nervosité grandissante lorsque le constat m'est soudain apparu dans toute son horreur : « Je suis le principal suspect. »

— Brasseur était un homme profondément antipathique.

— C'est ce que nous ont dit tous ceux qui ont travaillé avec lui. Mais il n'est pas moins troublant de relever que vous avez eu des mots avec M. Tariq, qui a été retrouvé mort sur sa chère cuvette, et avec M. Brasseur, qui a été renversé par une voiture. C'est...

— Hein ? Vous ne pensez quand même pas que...

— Je croyais avoir mentionné que je n'aimais pas être interrompu...

J'ai enfoncé la tête dans mes mains en espérant que la terre s'ouvre devant moi et m'engloutisse. Tout, plutôt que ce cauchemar. Coutard a poursuivi, imperturbable :

— Nous avons procédé aux vérifications qui s'imposaient, bien sûr. Vous ne possédez pas de véhicule, et vous n'en avez loué aucun le jour de l'« accident » subi par M. Brasseur. Il est toujours paralysé, à propos. Et il le restera pour le restant de son existence, apparemment. Et pourquoi exclurait-on l'hypothèse selon laquelle vous auriez payé quelqu'un pour l'écraser ?

— Et le mobile, ce serait quoi ?

— Vous vous êtes disputés à propos d'argent, non ?

— Il m'a extorqué une somme folle pour le médecin qui était venu m'examiner.

— Le voilà, le mobile.

— Je n'ai pas l'habitude d'écraser les gens qui m'escroquent, ni de saigner les voisins qui transforment des toilettes communes en fosse à purin.

— Peut-être. Mais vos empreintes digitales se trouvent partout sur la brosse à W-C qui a été utilisée d'une manière si peu commune, et...

J'ai compris pourquoi j'avais attendu tout ce temps sur le banc : ils avaient comparé mes empreintes à celles relevées sur les lieux du crime.

— Je m'en servais pour nettoyer cette cuvette, figurez-vous !

— Et vous venez encore de m'interrompre.

— Ah... Pardon.

— Donc, vous vous êtes querellé avec Brasseur. Et avec Omar. Mais cet Adnan, par contre, vous vous êtes lié d'amitié avec lui... N'était-ce que de l'amitié ? N'y avait-il rien d'autre ?

— Qu'est-ce que vous insinuez ?

234

— Encore une fois, cette histoire est tellement particulière qu'elle en devient fascinante. Considérez un peu l'affaire : un Américain arrive à Paris et tombe malade dans un hôtel ; rien d'inhabituel, là-dedans ; mais ce même Américain fait la connaissance d'un jeune Turc et, bang ! l'instant d'après, il est installé dans la chambre de bonne que le jeune Turc en question occupait jusqu'alors. Pour un rebondissement inattendu, c'en est un, non ?

J'ai levé la main. D'un signe, il m'a invité à parler.

— Vous me laissez m'expliquer ?

— Allez-y.

Je lui ai raconté ce qui s'était passé à l'hôtel, l'intervention providentielle d'Adnan, sa proposition quand il avait appris que je n'étais pas très en fonds... Cette fois, ç'a été au tour de Coutard de me couper.

— Pas très en fonds, parce que vous avez été licencié de votre emploi et que vous avez dû vous enfuir des États-Unis quand votre aventure avec l'une de vos étudiantes s'est mal terminée ?

Je me suis tu un moment. Je n'étais pas surpris qu'il connaisse mon passé, mais qu'il me le lance maintenant au visage n'était pas très encourageant.

— Vous êtes un enquêteur hors pair, c'est sûr, ai-je fini par avancer.

— Quelle tragédie cela a dû être pour vous, n'est-ce pas ? Perdre votre poste, votre vie de famille, votre maîtresse.

— Sa mort a été le pire de tout. Le reste...

— J'ai lu tout ce que la presse avait raconté, oui, grâce à Google. Écoutez, je sors sans doute du cadre de mes responsabilités professionnelles, là, mais je dois dire que j'ai eu de la peine pour vous, en suivant votre débâcle. Parce que bon, c'était votre étudiante, mais elle avait dix-huit ans, non ? Et elle était consentante ? Vous vous aimiez, tous les deux ?

— Nous... Absolument, oui.

— Que tout le monde vous ait accusé de l'avoir forcée à avorter...

— Je ne savais même pas qu'elle...

— Vous n'avez pas à plaider votre cause devant moi, monsieur. Pour moi, vous êtes une victime de l'incapacité américaine à accepter la complexité de la morale. Dans votre pays, tout doit être blanc ou noir, bien ou mal.

— Un inspecteur de police doit se confronter tout le temps à ça, non ?

— Non, monsieur. Toute activité criminelle est fondamentalement grise. Pourquoi ? Parce que nous avons tous une ombre, et nous avons tous des fantômes qui nous accompagnent. Ce qui m'amène à un autre aspect étonnant de votre cas : vos activités nocturnes. M. Sezer nous a informés que vous étiez dehors jusqu'à l'aube, généralement, et que vous dormiez jusqu'au début de l'après-midi.

Sezer essayait clairement de me couler, pour des raisons que je ne discernais pas et qui n'appartenaient qu'à lui. Était-ce parce qu'il avait lui-même commandité le meurtre d'Omar et qu'il cherchait maintenant à me le coller sur le dos ?

— Je suis un oiseau de nuit, c'est vrai.

— Et que faites-vous donc, pendant tout ce temps ?

— Je marche, le plus souvent. Ou bien je me pose dans un café ouvert vingt-quatre heures sur vingt-quatre heures, et j'écris. Mais détrompez-vous, je passe la plupart de mes nuits chez moi, dans mon lit.

— Sauf que le patron de la boulangerie de la rue de Montholon nous a certifié que vous venez chaque matin, peu après six heures, et que vous lui achetez deux pains au chocolat. Six matins par semaine, sans faute.

— Je suis quelqu'un qui aime s'en tenir à une certaine routine.

— Vous travaillez quelque part, la nuit ?

— À mon roman, c'est tout.

— Le roman qui n'a pas encore d'éditeur ?

— Oui. Je suis un auteur qui n'a pas été publié.

— Cela changera peut-être ?

— Certainement.

— J'admire une telle confiance en soi. Mais j'ai du mal à croire que vous puissiez marcher des nuits entières, ou travailler dans un café ouvert en permanence... Lequel ce serait, d'ailleurs ?

— J'en utilise plusieurs, ai-je affirmé tout en me demandant s'il pouvait percevoir l'incertitude dans ma voix.

— Lesquels, précisément ?

— Eh bien, il y a, par exemple, Le Tambour, aux Halles, et puis... Le Mabillon, boulevard Saint-Germain.

— C'est loin de votre quartier, ça.

— Une demi-heure à pied.

— Quand on marche vite.

— D'accord, trois quarts d'heure si on boite. Je vous l'ai dit, j'aime errer la nuit.

— Vous êtes un flâneur ?

— Exactement.

— Un flâneur qui a un travail à plein temps ?

— Je n'ai pas de carte de séjour.

— Cela n'a jamais empêché la vaste majorité des immigrés de travailler, dans ce pays. Mais comprenez-moi, ce n'est pas mon problème. J'enquête sur un meurtre, je ne m'occupe pas de l'immigration clandestine. Et comme nous vous trouvons « intéressant », nous aimerions simplement nous assurer de votre emploi du temps la nuit du crime.

— Je vous l'ai dit, je...

— Oui, oui, vous déambuliez dans les rues de Paris tel Gene Kelly. Je me permets de vous informer que je ne vous crois pas. Ce que je crois, c'est que vous nous cachez quelque chose. Or la clarté est désormais essentielle, dans cette affaire. Essentielle, monsieur Ricks.

Pourquoi ne lui ai-je pas avoué mon emploi de veilleur de nuit, à ce moment-là ? Parce que j'aurais risqué de me retrouver impliqué dans ce qui se passait au rez-de-chaussée.

Et parce que cela ne m'aurait pas lavé de tout soupçon quant à la mort d'Omar. Et parce que personne, absolument personne, n'aurait confirmé que j'occupais ce poste.

— Je ne vous cache rien du tout, inspecteur.

Ses lèvres se sont crispées. Il a tambouriné des doigts sur la table, saisi son téléphone, prononcé quelques mots à voix basse après avoir fait pivoter sa chaise pour me tourner le dos. Après avoir terminé, il m'a fait à nouveau face.

— Vous êtes libre, monsieur. Mais je dois vous préciser que nous gardons votre passeport. Et je vous conseille fortement de ne pas quitter Paris.

— Je ne vais nulle part.

— Nous y comptons bien.

16

ILS TE SUIVENT.

Cette fois, j'en étais persuadé. Tout comme j'étais certain qu'il s'écoulerait peu de temps avant qu'ils découvrent où je travaillais la nuit et qu'ils y opèrent une descente.

Quelqu'un est en train de te filer.

Si un simple passant m'avait observé à cet instant, il n'aurait pu que conclure : « Ce type est marteau. » J'avais en effet cédé à la manie paranoïaque de me dévisser le cou toutes les deux minutes pour voir si « quelqu'un » avançait dans mon sillage. Ce n'était pas une réaction nerveuse temporaire suite à mon entrevue éprouvante avec Coutard, non. Le tic est devenu un toc : toutes les cent vingt secondes, exactement, car je comptais dans ma tête tout en marchant, une force supérieure m'obligeait à me retourner et à chercher éperdument des yeux celui ou ceux qui me filaient.

Il n'y avait jamais personne mais... *c'est parce qu'ils sont entraînés ! À rester loin, à se jeter sous une porte cochère avant que tu ne puisses les voir...*

Ces brusques embardées ont fini par m'attirer des ennuis. Une vieille Africaine qui remontait le Faubourg-Saint-Martin à l'aide d'un déambulateur a poussé un grand cri lorsque j'ai soudain pilé et que je me suis retrouvé nez à nez avec elle ; malgré mes plates excuses, elle a continué à me fusiller du regard comme si j'étais une apparition. La deuxième fois a été encore plus pénible : deux jeunes

Arabes âgés d'une vingtaine d'années, en blouson de cuir étriqué et lunettes de soleil à trois balles, en ont fait une affaire personnelle, une fois la surprise passée. Ils m'ont attrapé par le collet et poussé sans ménagement contre une façade.

— T'es ouf ou quoi ?

— Je... J'ai cru que vous étiez des flics.

— Ta gueule ! T'as cru qu'on était après toi, hein ?

— Franchement, je...

— Raciste de merde, putain de ta race, t'as cru qu'on allait te sauter dessus pour te piquer ta montre pourave ?

— Je ne voulais pas insulter qui...

— Oh si ! a sifflé le premier avant de me cracher dessus pendant que son copain me soulevait de terre. Tu refais ça une fois, on te nique d'un coup de couteau !

Il n'empêche qu'après m'être redressé, avoir essuyé la bave du type sur mon blouson et repris ma marche d'un pas mal assuré, je me suis surpris à recommencer mes contorsions deux minutes plus tard.

Je suis sûr qu'ils sont derrière moi, tout le temps..

Sitôt quitté le commissariat, j'avais décidé de recourir à ma solution miracle lorsque la vie devient décidément impossible : me cacher dans une salle de cinéma. À vrai dire, c'est l'idée qui me vient le plus aisément même quand je trouve l'existence à peu près supportable. Il y avait un festival Clint Eastwood à l'Action Écoles. Je suis tombé sur *Les Proies*, l'histoire d'un soldat de la guerre de Sécession blessé au combat qui échoue dans un pensionnat de jeunes filles et se met à coucher avec tout ce qui bouge, finissant par payer un prix effroyable pour sa prodigalité sexuelle... Il fallait que je sois complètement dingue, pour avoir choisi un film pareil, d'autant que je l'avais déjà vu une vingtaine d'années plus tôt et que je savais donc vaguement à quoi m'attendre.

En me rendant à mon travail après la séance, j'ai poursuivi mon manège en accélérant sa fréquence, me retournant maintenant à chaque minute, et même toutes les trente secondes lorsque j'ai été en vue de l'étroit passage, et de la porte blindée, et... Non, personne. Je suis entré en vitesse, j'ai refermé derrière moi et je suis monté me claquemurer dans mon bureau, bien certain que je n'écrirais pas un mot, cette nuit-là, mais que j'allais rester les yeux fixés sur le moniteur vidéo, guettant le moindre mouvement suspect en bas. Au bout de six heures ainsi hypnotisé, je n'ai pu m'empêcher de faire un constat en silence : « Tu es pas mal secoué par tout ça, hein ? » À quoi je n'ai trouvé qu'une réponse : « Être soupçonné de meurtre, ce n'est sans doute pas ce qu'il y a de mieux pour l'équilibre psychologique... »

En sortant au petit matin, je suis tombé sur quelqu'un qui m'attendait à l'entrée du passage : le sbire de Sezer, qui a fait un pas en avant pour me bloquer le chemin.

— Le patron, il veut te voir.

— À cette heure-là ? ai-je rétorqué en feignant un air dégagé.

— Il dort pas.

— Mais moi il faut que je me repose.

— Après.

— Bon, je vais m'arrêter à la boulangerie et...

Il m'a saisi par le bras.

— Tu viens tout de suite.

Quelques minutes plus tard, je faisais mon entrée sous escorte dans les locaux de Confection Sezer. Le « patron » était comme toujours à sa table, sirotant une minuscule tasse de café.

— Vous êtes matinal, ai-je voulu plaisanter.

— Je n'ai pas besoin de beaucoup de sommeil. Contrairement à vous.

— Comment vous savez ça ?

— Vous rentrez tous les matins à six heures et quart, après avoir acheté deux pains au chocolat. Vous dormez jusqu'à deux heures, vous passez prendre votre salaire au cybercafé de la rue des Petites-Écuries, ensuite vous déjeunez rapidement, près du canal Saint-Martin ou de la gare de l'Est, et puis vous passez des heures au cinéma. Mais vous allez aussi voir quelqu'un rue Linné dans le Ve, de temps en temps. Une femme, je suppose ?

— Vous… Vous me faites filer ? ai-je demandé d'une voix un peu trop tendue.

— Nous aimons contrôler les activités de nos employés, c'est tout.

— « Vos » employés ? C'est pour vous que je travaille, donc ?

— Disons que nous travaillons tous pour la même organisation.

— Qui est… ?

— Vous n'espérez quand même pas que vous le dise.

— Mais vous allez peut-être m'expliquer pourquoi vous avez raconté aux flics que c'est moi qui ai tué Omar ?

— Je n'ai rien dit de tel. Harcelé de questions, j'ai uniquement indiqué que vous vous disputiez sans arrêt avec lui à cause de l'état des toilettes.

— « Harcelé de questions » ? On croirait qu'ils vous ont soumis à la torture !

— Comme bon nombre de gens, je ne raffole pas des conversations avec la police.

— Vous avez essayé de me mouiller jusqu'au cou ! De me faire passer pour le coupable, rien que pour détourner leur attention de…

Il a levé un index en signe d'avertissement.

— Si j'étais vous, j'arrêterais tout de suite. Je n'aime pas ce genre d'accusation gratuite.

— Pourtant vous n'avez pas de scrupules à accuser les autres…

— Bah ! La police ne peut rien retenir contre vous.

— À part le mobile, que vous leur avez aimablement fourni, et mes empreintes digitales sur cette fichue balayette.

— C'est plus que mince, comme preuve.

— Je vous dis que je suis leur principal suspect, à cause de vous !

— Je vous assure que vous n'aurez aucun problème. Tant que vous ferez ce qu'on vous dit.

— Ce qui est ?

— Ne rien leur dire à propos de votre travail, sous aucun prétexte. Même s'ils vous cuisinent là-dessus.

— Moi ? Je ne...

Il a une nouvelle fois levé son doigt pour m'imposer le silence. Pourquoi tout le monde faisait ça avec moi ?

— Et vous abstenir de toute décision idiote, comme par exemple d'essayer de vous enfuir.

— Je vois pas comment, les flics m'ont confisqué mon passeport.

— Ça n'a jamais empêché personne de filer. Dans ce quartier, on trouve un faux passeport très convenable pour deux cents euros.

— Je n'ai nulle part où aller.

— Ravi de l'entendre. Parce que ce serait le début de vrais ennuis. Évidemment, on ne vous laisserait pas vous en aller... À moins que vous ne nous obligiez à vous faire disparaître. – Il a eu un petit sourire entendu. Je sentais la sueur couler dans mon dos. – Vous me comprenez, monsieur Ricks ? – J'ai fait oui de la tête. – Parfait. Donc, vous comprenez aussi que nous avons connaissance de vos mouvements à chaque instant. Continuez à mener votre vie actuelle : vos librairies, vos cinémas, vos cafés, votre femme dans le Ve, votre travail de nuit. Je vous garantis qu'il ne vous arrivera rien. Mais un seul pas de travers : aller acheter un billet à la gare, tenter de vous procurer des faux papiers, et la réponse sera aussi immédiate que brutale. C'est clair ? Oui ? J'aimerais vous entendre dire : « J'ai compris. »

— J'ai compris.

— Parfait. Et il va de soi que si la police vous interroge encore, vous m'informerez aussitôt des questions qu'ils vous ont posées.

— C'est entendu, ai-je marmonné en me faisant l'effet d'être une vraie lavette.

J'ai été tenté de lui demander : « Si vous craignez tellement que je parle aux flics, pourquoi avoir attiré leurs soupçons sur moi, bon sang ? » Mais je connaissais la réponse : il leur avait donné un os à ronger et dans le même temps il me tenait sous sa coupe.

— Excellent. Dernier point : cette abrutie que vous avez sautée, Yanna. Son mari est au courant de son incartade avec vous, j'en ai peur. Il sait également que vous êtes allé dans une clinique, récemment, et qu'on vous a trouvé une maladie sexuellement transmissible.

— Salopard ! ai-je lâché malgré moi.

— Ce genre de vulgarité ne peut que m'importuner, et j'ai horreur de l'être. Donc, le mari de Yanna va certainement vous tuer, oui, mais... seulement si nous lui en donnons la permission. Il est du même tonneau qu'Omar : stupide, primitif. Mais il sait aussi se tenir à sa place et c'est pourquoi je vous le répète : vous ne risquez rien tant que nous ne décidons pas le contraire.

— Je... Je ne veux pas d'ennuis, ai-je bredouillé, de plus en plus lamentable.

— Et vous n'en aurez pas, sauf si vous vous les attirez. Bonne journée, monsieur Ricks.

Il a adressé un signe au petit dur, qui m'a tapé sur l'épaule en me montrant la porte. Je me suis retiré et j'ai grimpé l'escalier tête basse, repoussant l'envie de me précipiter au commissariat. Ce serait ma fin, incontestablement. Sezer s'arrangerait pour refiler aux flics des preuves accablantes contre moi au sujet du meurtre d'Omar, ces flics qui cherchaient avant tout un coupable.

Réfléchis, réfléchis !

Mais je n'arrivais à penser qu'à ma fatigue et à mon lit, qui était pour l'heure la seule destination logique. Je suis donc retourné dans ma chambre et je me suis couché après avoir avalé deux somnifères, et sans régler le réveil.

Une fois encore, ce sont des coups frappés à ma porte qui m'ont tiré du sommeil.

— L'Américain ! Hé, l'Américain !

Je connaissais cette voix... Hagard, j'ai mis mon poignet devant mes yeux. Quatre heures et demie. Merde, merde et remerde... Margit m'attendait dans trente minutes.

— Hé, l'Américain !

Je suis allé ouvrir, le cerveau encore embrumé. Le barbu était dans le couloir. Il n'avait pas l'air heureux.

— Où tu étais passé ?

— Que... Comment ?

— Tu viens toujours prendre ton argent en début d'après-midi. Pas aujourd'hui.

— Je... Je ne me suis pas réveillé.

— Refais pas ça, a-t-il éructé en jetant l'enveloppe à mes pieds et en tournant les talons sans ajouter un mot.

Je l'ai ramassée, je suis rentré dans la chambre, et le brouillard dans ma tête s'est soudain dissipé sous la lumière aveuglante de cette conclusion : « Ils te surveillent pour de bon, maintenant. Le moindre écart à ton train-train et ils te tomberont dessus. »

Je me suis forcé à prendre une douche. Dix minutes plus tard, je fonçais vers le métro. Me retournant encore trois fois, malgré ma hâte. Je n'ai vu personne, mais je « savais » qu'ils étaient là. Passant devant le troquet de Yanna et de son mari, j'ai commis l'erreur de lancer un regard par la vitrine. Elle était derrière le comptoir. En une seconde, elle avait bondi sur le trottoir et me hurlait dessus. Non sans raison : elle avait les deux yeux au beurre noir, ses lèvres étaient coupées en trois endroits, sa joue gauche était violacée. Passage à tabac en règle.

— Imbécile, salaud ! J'ai suivi tes conseils et voilà ce qu'il m'a fait ! Il a dit qu'on l'avait prévenu, que toi aussi, tu m'avais baisée en plus d'Omar !

— Je suis navré...

245

— « Navré » ? L'enfoiré m'a presque tuée ! Et maintenant, ça va être ton tour. C'est ça que t'appelait un plan génial !

— Il faut prévenir la police, leur dire...

— Et me faire zigouiller pour de bon ? Tu es complètement à la masse, l'Amerloque ! Tu piges rien à rien ! Et tu ferais bien de foutre le camp d'ici. Loin. Autrement, tu vas finir comme Omar.

— C'est lui qui a tué Omar ?

— Impossible. Je lui ai dit que le matin, quand il est rentré. Omar avait déjà eu son compte. Et il le savait. Et il savait aussi que j'avais été assez conne pour tirer un coup avec toi. C'est ce que j'arrive pas à calculer, comment il a pu être au courant si vite...

Sezer avait dû lui téléphoner en Turquie pour le mettre au parfum. Et il avait peut-être balancé Omar en même temps que moi. Et le mari avait alors pris ses dispositions avant de partir, organisant la liquidation spectaculaire du bonhomme à quelques milliers de kilomètres de là...

— Et je pige pas pourquoi il t'a pas déjà flingué, toi, a-t-elle achevé.

— Je vais me faire discret.

— Tu fous la merde partout où tu passes, hein ?

Je ne pouvais qu'être d'accord avec elle.

— Je suis désolé, ai-je répété bêtement.

— Dès que j'irai mieux, c'est lui qui va la recevoir, la branlée !

Je suis arrivé chez Margit avec trente minutes de retard. Le mécontentement était visible sur ses traits.

— C'est intolérable, a-t-elle sifflé en ouvrant la porte.

Elle portait un peignoir en soie noire. La ceinture dénouée.

— Je peux t'expliquer...

— N'explique pas, a-t-elle contré en m'attirant à l'intérieur. Baise-moi.

— Je... Je ne peux pas.

— Il faut te prier ? a-t-elle persiflé en collant son entre-jambe contre le mien.

— Non, c'est que…

— Alors, tais-toi.

Ses lèvres ont cherché les miennes. Je me suis écarté.

— C'est… impossible.

— Impossible n'est pas français.

Sa main s'est posée sur mon sexe, prédatrice.

— Arrête !

Cette fois, elle a compris que ce n'était pas un jeu. Elle m'a observé, elle a haussé les épaules et elle est allée s'asseoir sur le canapé. Elle a allumé une cigarette, me regardant m'approcher d'elle.

— Laisse-moi deviner. Tu es tombé amoureux.

— J'ai une infection sexuellement transmissible.

Elle a médité un instant, relâchant une bouffée de fumée.

— Du genre mortel ?

— Chlamydiose.

— C'est tout ?

— Je suis navré.

— De quoi ? Une chtouille mineure, ce n'est pas la fin du monde, si ?

— J'en suis conscient, néanmoins…

— Ah oui ! Ta culpabilité, encore et toujours. Mais ce n'est rien, Harry.

— Comment peux-tu dire ça ?

— Parce que ça m'est arrivé, à moi aussi. Un cadeau de mon cher mari, environ une semaine avant sa mort. Il me l'a refilé après l'avoir attrapé auprès d'une petite nympho sorbonnarde avec laquelle il fricotait. Je l'ai mal pris, sur le coup, notamment parce que faire pipi était devenu une vraie torture. En fait, le soir où Judit et lui ont été tués, pendant notre horrible dispute, je lui ai sorti que s'il ne voulait plus faire l'amour avec moi, c'était parce qu'il était trop occupé avec sa petite amie. Il a été indigné que je parle de ça devant notre fille. Il l'a emmenée, il a claqué la porte derrière eux, et je ne les ai plus jamais revus vivants. – Elle s'est versé un verre de whisky qu'elle s'est mise à boire lentement. – Alors tu comprends que ce n'est pas une grande affaire pour moi, une chlamydiose.

— C'est une histoire terrible, ai-je murmuré.

— Elles le sont toutes, plus ou moins. Mais il n'y a pas que ça qui te tracasse, n'est-ce pas, Harry ?

— Je suis dans une situation épouvantable.

Je lui ai tout raconté, d'un trait. Elle écrasait sa deuxième cigarette lorsque j'ai terminé.

— Ce Sezer... Tu crois que c'est lui qui a tout manigancé ?

— Croire ? Non, j'en suis sûr.

— Donc c'est lui qui a tué Omar ?

— Il ne se salirait jamais les mains comme ça. Mais il a un petit malfrat en service permanent qui doit certainement exécuter le sale boulot pour lui.

— Et d'après toi, pourquoi il aurait voulu sa mort ?

— Tout le monde le détestait.

— Et toi particulièrement.

— Pas au point de souhaiter sa mort.

— Oui. Mais tu as laissé entendre que tu aimerais bien qu'il disparaisse. Et c'est le cas, maintenant. Le problème est que Sezer est devenu très présent dans ta vie, brusquement. Trop présent.

— Il me fait filer.

— Ou il veut que tu en sois persuadé...

— Il connaît les cafés où je déjeune, il sait que je viens te voir ici tous les trois jours, il...

— Bon, il a peut-être deux ou trois hommes de main qui t'ont suivi. Mais une surveillance vingt-quatre heures sur vingt-quatre, tu ne penses pas que c'est un peu exagéré ? Non, il compte surtout sur sa capacité d'intimidation pour te garder en laisse. Et puis s'il voulait te liquider... il l'aurait déjà fait.

248

— Ce serait le mari de Yanna qui me massacrerait à coups de marteau si Sezer lui donnait le feu vert.

— Mais il tient à ce que tu restes en vie.

— Pour le moment.

— Il l'a vraiment amochée, ta Yanna ?

En écoutant ma description, ses traits se sont durcis.

— Les salauds, a-t-elle soufflé. C'est ce qu'ils ont fait à ma mère, aussi.

— Pardon ?

— La police secrète hongroise. Lorsqu'ils sont venus tuer mon père, ils ont roué ma mère de coups. En s'acharnant sur le visage.

— Ça s'est passé quand ?

— Le 11 mai 1957. J'avais neuf ans. Mon père dirigeait un journal. Il avait été au Parti, mais il est devenu farouchement anticommuniste après le printemps 1956, la répression du soulèvement populaire par les chars russes. Avec la loi martiale en vigueur, il est passé dans la clandestinité. Il publiait un samizdat très opposé à Kádár et à son régime. Il n'était jamais à la maison, il passait de planque en planque dans Budapest. Souvent, en plein milieu de la nuit, des hommes surgissaient chez nous, fouillaient partout... Ils me jetaient même de mon lit, pour voir si mon père ne se cachait pas dessous. Ça a duré des mois. Je demandais à maman : « Pourquoi ils cherchent papa ? Quand est-ce que je le reverrai ? » Elle me répondait que je devais être patiente, qu'il reviendrait bientôt, mais que je ne devais pas poser de questions, et dire que je ne savais rien si on m'interrogeait à son sujet, même à l'école.

» Et puis, un vendredi, elle m'a annoncé qu'elle avait une grande surprise et que nous allions en week-end. Nous sommes parties dans notre petite voiture en pleine nuit, nous avons roulé des heures. Je m'étais endormie à l'arrière. Je me suis réveillée au moment où nous nous arrêtions devant une sorte de fermette, dans les bois. C'est là que papa nous attendait. J'ai bondi dans ses bras, je l'ai serré,

serré, je ne voulais pas le lâcher même quand maman, qui pleurait de joie, a cherché à l'embrasser. Finalement, ils m'ont installée sur un vieux canapé dans le salon. Je me rappelle avoir été tirée du sommeil deux ou trois fois par des gémissements venus de la chambre… Je n'avais pas idée de ce qu'ils faisaient là-dedans, bien sûr. Soudain, la porte d'entrée a été enfoncée, des gens sont entrés en criant. J'ai vu maman sortir de la chambre en courant, et papa qui essayait d'enjamber la fenêtre. Il y avait plusieurs policiers et deux hommes en costume de ville. Un flic a sauté sur papa et s'est mis à le frapper avec sa matraque. Ma mère hurlait… L'un des hommes en costume l'a attaquée à coups de poing. Je me suis mise à hurler aussi et un autre flic m'a maîtrisée. Quand il a laissé retomber maman sur le canapé, sa figure était en sang. Elle s'était évanouie.

» Ils ont entraîné papa dehors. L'un des types en civil a pris une chaise et les a suivis. Un policier m'a forcée à sortir de la maison. Le jour se levait à peine. Ce que j'ai vu alors… Mon père avait les mains liées dans le dos, et on lui avait passé autour du cou une corde qui était accrochée à un arbre. Ils voulaient qu'il monte sur la chaise, qu'ils avaient placée juste en dessous de la branche. Papa se débattait, refusait, mais l'un d'eux l'a frappé dans le bas-ventre et ils se sont mis à deux pour le hisser. Moi, je pleurais, je cherchais à m'enfuir, mais celui qui avait frappé mon père s'est retourné et a crié au type qui me maintenait : « Qu'elle regarde ! » Alors, il m'a saisie par ma queue-de-cheval et il m'a tourné la tête de force pour que je voie. Pour que je voie qu'ils faisaient tomber la chaise, et mon père, suspendu en l'air, qui se débattait, gigotait, toussait du sang pendant qu'il…

Margit s'est arrêtée, a bu une longue gorgée de whisky.

— Son agonie a duré deux interminables minutes, au moins. Et après, le policier en civil qui me tenait m'a dit : « Maintenant, tu sais ce que nous faisons aux traîtres, nous autres. »

— Seigneur ! J'ignorais complètement que…

— Bien sûr, puisque je ne te l'avais jamais dit.

— Mais te traiter de cette façon ? Une fillette d'à peine...

— Parce que c'était des salauds, et parce qu'ils pouvaient le faire. Ils en avaient le pouvoir. Le pouvoir de forcer une fille de neuf ans à regarder la pendaison de son père.

— Et... ensuite ?

— Ils m'ont jetée dans une auto et m'ont emmenée dans un orphelinat d'État. Un endroit infernal. J'y suis restée trois semaines. Je ne parlais plus, je ne mangeais plus, je refusais de sortir de mon lit. Des médecins sont venus. Ils ont fini par m'attacher et par m'alimenter au goutte-à-goutte. Au bout de tout ce temps, l'une des surveillantes est entrée et m'a annoncé : « Ta mère est là. Tu t'en vas. » Je n'ai ressenti ni joie ni soulagement, rien. J'étais hébétée. Ma mère m'attendait dans le bureau de la directrice. Sa figure était encore tout enflée, un œil à moitié fermé, l'autre... qui ne lui a plus jamais servi. Elle m'a serrée dans ses bras mais on aurait cru un automate. Pas de force, pas de chaleur. Une partie d'elle était déjà morte. En voyant les deux hommes qui l'accompagnaient, j'ai eu un mouvement de recul et je me suis cachée derrière ma mère. Ils étaient de la même espèce que ceux qui étaient venus dans la nuit tuer mon père... J'ai voulu m'enfuir de la pièce. À voix basse, ils ont dit quelque chose à maman, qui s'est agenouillée devant moi et qui m'a dit tout doucement : « Nous avons eu l'autorisation de quitter la Hongrie. Ces deux hommes vont nous conduire jusqu'à la frontière, et ensuite on nous emmènera dans une ville qui s'appelle Vienne. Et là, on va recommencer une autre vie. » Je n'ai rien répondu, sauf que j'ai regardé les deux individus et que j'ai demandé à ma mère : « Ceux qui ont tué papa, est-ce qu'ils vont encore nous faire du mal ? » L'un des hommes s'est approché et s'est penché sur moi. Il a dit : « Non, ils ne te feront rien. Et je te promets qu'ils paieront très cher pour ce qui s'est passé. »

Ceux qui étaient venus à l'orphelinat appartenaient à la police secrète, eux aussi, mais comme je l'ai appris par ma mère quelques années plus tard, le meurtre de mon père avait suscité un gros scandale. L'un des participants à l'assassinat, pris de remords, s'était confié au correspondant de Reuters à Budapest. C'était celui qui m'avait forcée à assister à l'exécution de papa. En quelques jours, l'histoire a fait le tour du monde. Qu'est-ce que cela prouve ? Je ne sais pas. Peut-être que même un policier peut avoir une conscience, parfois…

— Et après ?

— En pleine guerre froide, mon père est devenu une cause célèbre à titre posthume. La presse occidentale s'est emparée de son cas pour illustrer la sauvagerie des communistes. Et donc le gouvernement Kádár a été soumis à une forte pression, jusqu'à ce qu'ils proposent à ma mère un sauf-conduit pour l'Ouest, et même un peu d'argent.

— Et ces deux membres de la police secrète ? Les assassins ?

— Ils s'appelaient Bodo et Lovas. Après notre départ de Hongrie, ils ont eu droit à un procès public et écopé d'années et d'années en camp de travail. En réalité, j'ai découvert qu'ils avaient été affectés au service de renseignements de l'ambassade hongroise en Roumanie, ce qui était sans doute une forme de punition… Mais deux ans plus tard, ils étaient de retour à Budapest. À des postes importants.

— Et c'est tout ?

— Ensuite, ils sont morts.

— Tu en es certaine ? – Elle a hoché la tête. – Et le policier qui avait dénoncé ses camarades ?

— Après avoir tout déballé au gars de Reuters, il a fait ce que tout bon soldat ferait après avoir trahi la cause : il est rentré chez lui et il s'est fait sauter la cervelle. Ceux parmi nous qui ont un sens moral paient souvent le prix fort.

Elle a terminé sa cigarette. J'ai rempli son verre, mais elle n'y a pas touché. J'ai tenté de prendre sa main. Elle m'a repoussée.

— Je n'ai pas besoin de ta sympathie.

J'ai décidé d'ignorer sa colère, devinant que c'est ce qu'elle attendait de moi. Après un moment, j'ai fait remarquer tout bas :

— Comment as-tu réussi à surmonter tout ça ?

— Je n'ai rien surmonté. On ne peut pas. Mais que veux-tu, c'était une guerre, et, à la guerre, les salauds ont tous les pouvoirs. Enfin, je ne veux plus parler de ça. Maintenant, au moins, tu sais pourquoi je hais les hommes capables de frapper une femme au visage. – Elle s'est interrompue un instant puis, à brûle-pourpoint : – Tu vas devoir tuer le mari de Yanna.

— Il n'en est pas question.

— Alors il te tuera, lui.

— Seulement si Sezer le lui ordonne. Et, dans ce cas, les flics sauront immédiatement que c'est lui qui était derrière tout ça.

— À condition qu'ils s'en soucient. Tu peux tout simplement « disparaître ». Personne ne le remarquera.

— Je ne tuerai ni ce type ni personne. Je suis incapable de tuer qui que ce soit.

— Tout le monde en est capable, Harry. C'est une question de circonstances. Tu ne dois pas oublier que cet individu est une brute, et que son honneur a été bafoué par tes fredaines avec sa femme. Dans son monde, c'est un crime impardonnable. Sezer pourra le retenir un moment, mais il finira par avoir ta peau. Ne te fais aucune illusion à ce sujet.

Après avoir quitté Margit, j'ai pris le métro et je suis descendu aux Halles. Je suis allé tout droit à un magasin de sports que j'avais remarqué dans la vaste galerie commerciale souterraine. Interpellant un vendeur, je lui ai demandé :

— Je sais que je vais avoir l'air très américain, mais vous ne vendriez pas des battes de base-ball, par hasard ?

— Tout droit et troisième rayon à gauche.

Et moi qui avais pensé que j'allais devoir expliquer ce que je voulais en faire… Dix minutes plus tard, je continuais ma route en métro avec une Louisville Slugger de taille réglementaire à la main. Certes, plusieurs personnes m'ont regardé avec un mélange d'étonnement et de crainte lorsque je suis monté dans la rame, mais je m'en moquais. Si le mari – ou l'un de ses copains – venait me chercher, j'aurais de quoi me défendre. À moins qu'ils décident de se servir d'un flingue… Sorti à Château-d'Eau, j'ai marché d'un bon pas, certains passants allant jusqu'à changer de trottoir en me voyant arriver. J'ai évité la rue de Paradis et pris des ruelles de traverse, non sans me retourner toutes les deux minutes.

Enfermé dans mon bureau, j'ai bu du café toute la nuit, les yeux rivés à l'écran de la vidéo. Mais c'était une autre image qui me hantait, celle d'une fillette entraînée de force dans la nuit pour assister à la mort de son père. Comment s'étonner qu'elle ait tenté de se suicider après le décès brutal de Zoltan et de Judit ? Combien de tragédies un être humain est-il capable de supporter ? Est-il possible de se réveiller chaque matin et de continuer à vivre après avoir été privé à deux reprises, et dans des conditions épouvantables, de ceux que l'on aimait le plus au monde ? Si mon admiration et mon respect envers Margit étaient décuplés, son approche implacable de la réalité amplifiait aussi mon malaise. « Tu vas devoir tuer le mari de Yanna »… Non. Ce que je devais faire, c'était rester le plus loin possible de lui, espérer que la police finisse par trouver le meurtrier d'Omar, récupérer mon passeport et… disparaître. Car les menaces de Sezer et les sombres prédictions de Margit m'avaient renforcé dans l'idée que je n'avais pas d'autre choix. Disparaître, mais pas tout de suite. Pas pendant que j'étais soumis à une surveillance de tous les instants, et que ma seule pièce d'identité demeurait dans le coffre de l'inspecteur Coutard.

Et si les flics t'ont suivi jusqu'ici, ce soir ? Quel discours tenir ? Admettre que tu es veilleur de nuit dans cet endroit plus que louche et prier pour que ce qu'ils découvriront en bas ne soit pas trop monstrueux ?

254

Il me faudrait improviser une fois qu'ils m'auraient arrêté. Et un séjour dans une prison française ne serait-il pas l'option la moins risquée, dans mon cas ?

Mais s'ils te pincent, ils n'hésiteront pas à tout te mettre sur le dos. Non, tu dois te débrouiller pour récupérer ton passeport et changer de crémerie. Radicalement.

Ou bien trouver des faux papiers et m'évanouir dans la nature ?

Pour devenir un éternel fugitif ? Tu ne reverras plus jamais ta fille, dans ce cas. Et tu seras obligé de regarder sans cesse par-dessus ton épaule.

Ma fille est perdue pour moi, de toute façon. Et je serai toujours contraint d'être sur mes gardes, à moins... à moins de supprimer le mari de Yanna.

Tu nages en plein mélo ! Si tu retournes aux États-Unis...

Je ne dormirai jamais tranquille, même là-bas. Non, il vaut mieux se débarrasser de lui.

Oh, la ferme !

J'en suis capable.

Tu parles ! Regarde ce qui s'est passé avec Omar. Il est mort, mais le mari a quand même appris le petit secret avec lequel il voulait te faire chanter. Tuer le mec de Yanna ne suffirait pas, il faudrait aussi éliminer, Sezer, et son sbire, et le barbu... Puisqu'ils te tiennent tous. Et qu'ils ont tous intérêt à ce que tu meures...

À six heures du matin, j'étais complètement dans le potage. Une nuit entière à me ronger les sangs produisait sur moi le même effet qu'une overdose de Dexedrine ou de speed. J'ai descendu les escaliers comme dans un mauvais rêve. En bas, le couloir en béton lugubre semblait presque liquide, comme s'il prenait une autre forme et une autre dimension sous mes yeux. J'ai serré la batte de base-ball contre ma poitrine, tel un soldat présentant les armes à la revue d'inspection. À la boulangerie, l'Algérien derrière le comptoir a lancé un regard effrayé à ma massue.

— Simple précaution, lui ai-je expliqué d'une voix sourde. Juste une mesure d'autodéfense, au cas où on me chercherait des histoires.

— Vous... Vous voulez deux petits pains au chocolat, comme d'habitude ?

— Quand vous les verrez, vous leur direz que j'ai été batteur dans l'équipe de base-ball de mon... *high school*, donc je sais me servir de... *one of these*...

— Voyons, monsieur, il y a pas besoin de...

C'est là que je me suis rendu compte que je brandissais la batte en l'air, et que je m'étais mis à parler à moitié en anglais.

— Pardon, désolé, ai-je bafouillé en revenant au français. C'est le surmenage, c'est...

— Pas de problème, monsieur, a-t-il fait en me tendant le petit sac en papier contenant mes pains au chocolat.

— Je... Je sais pas ce qui m'arrive. Je...

— C'est deux euros, monsieur.

J'ai jeté un billet de cinq devant lui, je me suis emparé du sachet et j'ai filé vers la porte.

— Vous voulez pas la monnaie ?

— Je veux dormir.

J'avais conscience de paraître légèrement à côté de mes pompes, pour ne pas dire à la masse, mais j'ai songé que huit heures de sommeil allaient arranger les choses. Je me trompais.

Rue de Paradis, j'ai composé le code d'accès avant de grimper péniblement vers mon perchoir. Je suis passé devant les toilettes, toujours condamnées par les scellés de la police, ce qui m'obligeait désormais à utiliser celles de l'étage du dessous. Je suis entré dans ma chambre, j'ai posé ma batte contre le mur, je me suis déshabillé, j'ai tiré le draps sur moi et... des coups répétés ont ébranlé ma porte, accompagnés d'un aboiement :

— Police !

Mes yeux ont trouvé le radio-réveil. Six heures vingt-trois. Fantastique. J'avais eu dix minutes de repos, au plus.

— Police !

J'ai été tenté de faire la sourde oreille. Ils allaient peut-être laisser tomber.

— Police !

Soudain, la porte a cédé et deux policiers en uniforme ont déboulé dans la pièce. Je n'ai pas eu le temps de dire ouf. Quand j'ai recouvré mes esprits, ils m'ont obligé à passer un pantalon, un tee-shirt, mon blouson, des chaussures, m'ont entraîné en bas et poussé à l'intérieur d'une voiture, les mains menottées dans le dos.

Peu après, je retrouvais le décor maintenant familier du bureau de l'inspecteur Leclerc au commissariat central du Xᵉ. Avec un poignet cadenassé à la chaise en fer sur laquelle ils m'avaient assis, et qui était elle-même boulonnée au sol. Ils m'ont laissé mariner pendant vingt minutes. Puis Leclerc est entré. Il s'est assis à son bureau et s'est mis à soupeser ma batte de base-ball d'un air pensif.

— Je présume que vous savez ce que c'est, monsieur Ricks ?

— Pourquoi suis-je ici ?

— Répondez à mes questions, s'il vous plaît.

— C'est une batte de base-ball.

— Bravo. Et je présume que vous n'ignorez pas que nous venons de la retrouver dans votre chambre ?

— Vous avez le droit de fouiller chez les gens sans mandat ?

— C'est moi qui pose les questions. Cette batte vous appartient ?

— Je ne répondrai pas tant qu'on ne m'aura pas dit pourquoi je suis ici.

— Vous ne savez pas pourquoi ?

Il étudiait mes traits avec attention.

— Aucune idée.

— Vous connaissez un certain M. Attani ?

— Jamais entendu ce nom.

257

— Il tient un bar rue de Paradis. Un bar que vous avez fréquenté à plusieurs reprises, selon certains témoignages. – J'ai sursauté, ce qui ne lui a pas échappé. – Vous connaissez sa femme, Mme Yanna Attani ? – J'ai senti des gouttes de sueur perler sur mon front. – J'interprète votre silence comme…

— Oui, je la connais.

— Donc vous connaissez aussi M. Attani ?

— Nous n'avons jamais été présentés, non.

— Mais vous avez été « présenté » à sa femme, exact ? En fait, on nous a dit que vous étiez très intime, avec elle. Et qu'à son retour de Turquie il y a quelques jours, M. Attani a appris ce… détail. Et qu'il a proféré en public son intention de vous « faire la peau », je cite. Étiez-vous au courant de ces menaces ? – Je me suis cantonné au silence, une nouvelle fois. – Nous devons savoir où vous vous trouviez la nuit dernière.

— Pourquoi ?

— Parce que nous avons de bonnes raisons de penser que vous avez agressé M. Attani avec cette même batte de baseball.

— Il a été agressé ?

— Vers sept heures, hier soir. Il est à l'hôpital. Entre la vie et la mort.

— Mon Dieu…

— Pourquoi prenez-vous cet air navré, alors que de toute évidence c'est vous qui…

— Je n'ai rien fait !

— Vous avez un mobile, puisqu'il a parlé de vous tuer. Et peut-être que vous êtes tellement épris de sa femme que…

— Ce n'est pas moi !

— Nous avons le mobile, et nous avons l'arme qui lui a défoncé le crâne, et…

— Défoncé le crâne ?

— Il est aux urgences avec un traumatisme crânien, des fractures au visage et les deux genoux brisés. Il est en état de mort cérébrale. Il ne devrait pas survivre jusqu'à demain.

L'agression a été extrêmement violente, avec un objet lourd et arrondi. Une batte de base-ball, par exemple.

— Je vous jure que…

— Où étiez-vous, hier soir à cette heure-là ?

— J'ai acheté cette batte dans le seul but de me protéger, après ce qui est arrivé à Omar.

— Où étiez-vous, hier soir ?

— Faites-la analyser, vous verrez qu'elle n'a pas servi dans cette agression.

— Je répète, et c'est la dernière fois : où étiez-vous, hier soir ? Répondez ou j'appelle le juge d'instruction et je vous fais inculper d'homicide volontaire.

Silence. J'étais en nage. Il n'y avait qu'un alibi qui pouvait marcher, parce qu'il était authentique. Elle allait sans doute me détester de l'impliquer dans mes démêlés avec la police, mais elle ne refuserait pas de le confirmer.

— J'étais chez ma… ma maîtresse.

Leclerc a eu une moue irritée.

— Ah oui ? Son nom ? – Je le lui ai donné. – L'adresse ?

Il a décroché son téléphone, répété les informations que je venais de lui donner. Après avoir terminé, il m'a lancé un regard mauvais.

— On va vous garder ici, pendant qu'on vérifie.

— J'aimerais parler à un avocat.

— Pour quoi faire ? Si votre petite amie confirme votre version, vous sortirez libre d'ici.

— J'aimerais contacter un avocat.

— Vous en avez un ?

— Non, mais…

Il s'est penché sur l'interphone, a lancé quelques mots rapides dans le micro, puis il s'est levé.

— Mon supérieur, l'inspecteur Coutard, ne va pas tarder à vouloir vous parler, j'en suis sûr.

Il a quitté la pièce. Un moment plus tard, deux policiers sont venus me libérer de ma chaise. Après m'avoir repassé les menottes, ils m'ont fait descendre au sous-sol, emprunter un labyrinthe de couloirs. Nous avons débouché dans la zone de détention où Coutard m'avait fait attendre. Cette fois, pourtant, ils ne se sont pas contentés de me laisser sur le banc mais m'ont poussé dans la cellule qui lui faisait face. Lorsque j'ai tenté de protester, bredouillant quelque formule à propos de mon droit à être assisté par un avocat, l'un des flics a tiré brutalement sur les menottes, qui ont cruellement mordu ma chair. Ils m'ont obligé à m'étendre à plat ventre sur la banquette en ciment du fond, garnie d'un matelas crasseux et d'un oreiller maculé de sang séché et de morve. Un des policiers m'a libéré les poignets, non sans me promettre que son collègue se servirait avec plaisir de sa matraque si je tentais quelque mouvement stupide.

— Nous aussi, on peut cogner. Autant que toi sur l'autre cocu.

— Je… Je me tiendrai tranquille.

— Tu es un bon petit gars ! Tu pourras te lever une fois qu'on sera sortis et qu'on aura bouclé la porte, pas avant. Pigé ?

— Oui, monsieur.

Lorsque j'ai entendu le verrou tourner, cependant, je n'ai pas bougé. Au contraire, j'ai enfoui ma tête dans l'oreiller crasseux en me disant : « Tu es mort. » La fatigue a été mon alliée, à ce moment : ainsi étendu, j'ai été emporté par un sommeil providentiel, ma seule issue pour échapper à ce monde cauchemardesque.

Jusqu'à ce qu'une voix coupante résonne dans la cellule :
— Debout !

L'ordre venait de l'autre côté de la grille. J'ai voulu consulter ma montre mais je me suis rappelé qu'ils me l'avaient prise avant de m'écrouer, en même temps que ma ceinture et mes lacets. J'étais courbaturé, assoiffé, je me sentais sale.

— Quelle heure est-il, s'il vous plaît ?

— Cinq heures vingt.

J'avais dormi toute la journée.

— Debout ! L'inspecteur Coutard vous attend.

— Je peux me servir de ça, d'abord ? ai-je demandé en montrant la cuvette des W-C en acier inoxydable fixée au mur.

— Dépêchez-vous.

Quand j'ai eu terminé d'uriner, le policier a ouvert la grille, bouclé les menottes sur mes poignets et m'a poussé à travers le même dédale de couloirs et d'escaliers. Coutard était à son bureau, une cigarette aux lèvres, penché sur un dossier. Il m'a observé par-dessus ses lunettes à double foyer.

— Vous pouvez le détacher, a-t-il dit au flic.

Il m'a fait signe de m'asseoir en face de lui. Le policier s'apprêtait à me menotter à la chaise mais l'inspecteur l'a arrêté d'un geste. Il m'a regardé encore.

— On dirait que vous avez besoin d'un café.

— Ce ne serait pas de refus.

Il a fait un signe au policier, qui est ressorti dans le couloir. Coutard s'est replongé dans sa lecture en m'ignorant délibérément. Peu après, le flic est revenu avec un petit gobelet en plastique qu'il m'a tendu. Le café était brûlant, mais je l'ai avalé presque d'un coup.

— Merci, ai-je soupiré.

Coutard a reposé la feuille qu'il tenait entre ses doigts.

— Alors, l'inspecteur Leclerc me dit que vous affirmez avoir passé la soirée d'hier au domicile d'une amie, Mme Margit Kádár, qui résiderait 13, rue Linné, dans le Ve arrondissement. C'est exact.

— Oui, monsieur.

— Nous avons v´ifié, bien entendu. Plusieurs de nos hommes se sont rendus à l'adresse que vous aviez donnée. J'ai le regret de vous informer qu'ils ont constaté que Mme Kádár était décédée.

Ses paroles ont mis un moment à parvenir à mon cerveau. J'ai eu l'impression d'avoir reçu un coup de poing dans l'estomac.

— Ce... C'est impossible, ai-je fini par murmurer.

— C'est ainsi, hélas.

J'ai passé une main tremblante sur mon visage. Pas Margit. Par pitié, pas elle !

— Que… Que s'est il passé ?

— Mme Kádár s'est suicidée.

— Quoi ?

— Mme Kádár s'est donné la mort.

— Mais… J'étais avec elle, hier soir. Quand est-ce arrivé ?

Coutard me fixait droit dans les yeux.

— Mme Kádár s'est tuée en 1980.

17

— VOUS POUVEZ RÉPÉTER CE QUE VOUS VENEZ DE DIRE ?

— Mme Kádár a mis fin à ses jours en 1980, a articulé posément Coutard.

— Très drôle.

— Non, pas du tout. Un suicide n'est jamais drôle.

— Vous voudriez me faire croire que… ?

— Non, pardon, la question que je vous pose, c'est : vous, vous voudriez me faire croire que vous vous trouviez hier soir au domicile d'une personne qui est morte il y a vingt-six ans ?

— Quelle preuve avez-vous de son suicide ?

— C'est vous que j'interroge, pas le contraire. Vous avez dit que vous étiez chez elle, hier soir.

— Oui.

— Depuis combien de temps fréquentez-vous Mme Kádár ?

— Quelques mois.

— Où l'avez vous connue ?

Je lui ai décrit le salon de Lorraine L'Herbert. Il m'a demandé l'adresse, l'a notée sur son bloc-notes.

— Et depuis cette rencontre, vous l'avez revue réguliè- rement ?

— Deux fois par semaine.

— Et vous étiez… intime, avec elle ?

— Mais oui.

— Vous parlez sérieusement ?

— Tout à fait sérieusement.

Il m'a dévisagé en secouant lentement la tête. Très lentement.

— Vous avez déjà été victime d'hallucinations de ce type, dans le passé ?

— Je vous dis la vérité, inspecteur.

— Avez-vous été hospitalisé, « interné », pour des raisons psychiatriques ? Je peux, non, je vais demander votre dossier médical, donc inutile de me dissimuler des choses.

— Je suis sain d'esprit, inspecteur.

— Mais vous soutenez avoir entretenu une relation amoureuse avec une morte. C'est votre définition d'une bonne santé mentale ?

— Apportez-moi une preuve de sa mort !

— En temps voulu, monsieur, en temps voulu. Bien. Décrivez-moi cette Mme Kádár.

— La cinquantaine. Très beau visage, pommettes hautes, pratiquement pas de rides, une masse de cheveux sombres...

— Un instant. Elle avait trente-deux ans à sa mort, en 1980. Donc la femme que vous dites avoir fréquentée en avait au moins vingt-cinq de plus.

— Vous avez une photo d'elle à cette époque, en 1980 ?

— Nous y viendrons. D'autres précisions sur son aspect physique ?

— Elle était, je veux dire, c'est une très belle femme.

— Rien d'autre ? Pas de signes particuliers ?

— Eh bien... Une cicatrice sur le cou.

— Vous a-t-elle expliqué l'origine de cette cicatrice ?

— Elle a essayé de se trancher la gorge.

Coutard a paru estomaqué par ma réponse, tout en faisant de son mieux pour rester impassible.

— « Essayé », dites-vous ?

— C'est ça.

— Une tentative de suicide qui aurait échoué ?

— Évidemment, puisque c'est elle-même qui me l'a raconté !

Il a farfouillé dans le dossier posé devant lui, en a sorti quelques papiers avant de braquer à nouveau son regard sur moi.

— Est-ce qu'elle vous a expliqué pourquoi elle avait tenté de se suicider ?

— Son mari et sa fille ont été tués dans un accident de circulation. Par un chauffard.

Coutard a baissé à nouveau les yeux sur ses documents, qu'il a examinés avec soin.

— Où a-t-il eu lieu, cet accident ?

— Près du jardin du Luxembourg.

— Quand ?

— En 1980.

— Quel mois ?

— Eh bien... en juin, je crois.

— Et dans quelles circonstances, exactement ?

— Son mari et sa fille traversaient à un passage clouté et...

— Le nom du mari ?

— Zoltan.

— De la fille ?

— Judit.

— Comment savez-vous tout cela ?

— C'est elle qui m'en a parlé, je vous l'ai dit !

— Qui ? Mme Kádár ?

— Oui, elle ! Et elle m'a dit aussi que le responsable de l'accident était...

— Quelle voiture était-ce, à propos ?

— Je... Je ne me rappelle plus. Le genre grosse bagnole de luxe. Donc, c'était un homme d'affaires...

— Comment savez-vous tout cela ?

— Mais parce que nous étions... nous sommes amants, Margit et moi. Quand on s'aime, on raconte à l'autre son passé, on...

265

— Est-ce que votre « amante » vous a dit ce qui était arrivé au conducteur de la Jaguar noire ?

— Oui, c'est ça, c'était une Jaguar, elle me l'a dit ! Et il habitait une banlieue chic… Saint-Germain-en-Laye.

Le regard de Coutard est passé une nouvelle fois de ses feuillets à moi. Son flegme était en train de s'émousser. Surpris, j'ai vu de la colère apparaître sur ses traits.

— Ce petit jeu a assez duré, monsieur Ricks. Il est évident que vous avez fouillé dans le passé de cette femme, pour des raisons qui m'échappent encore. Une femme qui a tué le responsable de la mort de son mari et de sa fille.

— Qui quoi ?

— Qui a tué cet homme, je répète.

— Mais elle m'a raconté qu'il était mort lors d'un cambriolage chez lui !

— Mort comment ?

— Il a reçu un coup de couteau, si je me rappelle bien.

— Quand ?

— Environ trois mois après l'accident.

— C'est exact. Henri Dupré…

— C'est le nom qu'elle a mentionné, oui. Quelqu'un d'important dans l'industrie pharmaceutique.

— Exact, encore. Ce M. Dupré, résidant à Saint-Germain-en-Laye, ainsi que vous l'avez dit, a été tué à son domicile dans la nuit du 21 septembre 1980. Sa femme et ses enfants n'étaient pas là, au moment des faits. Il se trouve que son épouse avait demandé le divorce peu de temps auparavant. L'individu était un alcoolique chronique, et l'accident qui a coûté la vie au mari et à la fille de Mme Kádár a également causé la fin de son mariage. Mais Dupré n'a pas été tué par un vulgaire cambrioleur. Il a été assassiné par Mme Kádár.

— Foutaises.

Il a sorti de la chemise la photocopie jaunie d'un article de presse et me l'a présentée. *Le Figaro*, daté du 24 septembre 1980, rapportait que Dupré avait été surpris dans son lit la nuit du samedi précédent, que le crime avait été très brutal, qu'un voisin lève-tôt avait vu une femme sortir de la maison vers cinq heures du matin, que la meurtrière présumée avait utilisé l'une des douches de la résidence et laissé un mot laconique sur la table de la cuisine : « Pour Judit et Zoltan. » Le journal révélait que la police désirait interroger Margit Kádár, dont le mari et la fille avaient été victimes d'un accident de voiture provoqué par le même Dupré quelques mois plus tôt.

— C'est incroyable, ai-je murmuré.

Cette fois, Coutard a poussé vers moi une photographie en noir et blanc, format 21×27. Sur ce cliché policier froidement macabre, Dupré était renversé sur un lit couvert de grandes taches sombres, le visage affreusement lacéré, de grandes plaies visibles sur son torse. J'ai repris mon souffle, non sans mal.

— Écrire que le crime avait été « très brutal » est un euphémisme, a observé Coutard. Son auteur était animé d'une rage incontrôlable. Il... ou elle, comme nous le savons, a été incapable de s'arrêter de frapper même quand le décès était devenu évident. Ce qui a le plus intrigué les enquêteurs, à l'époque, ç'a été le contraste entre la préparation méticuleuse de l'agression, d'une part, et le fait que la meurtrière ait, visiblement, voulu mettre la police sur sa piste, d'autre part. Elle est allée jusqu'à téléphoner au domicile de Dupré la veille du meurtre, sans doute pour s'assurer qu'il serait bien chez lui pendant le week-end. Comment le savons-nous ? Parce qu'elle a aussi appelé Mme Dupré le vendredi soir, à l'appartement où celle-ci s'était installée avec son plus jeune fils. Elle avait obtenu son numéro par les renseignements téléphoniques. Elle s'est fait passer pour un agent immobilier qui vendait des duplex dans une nouvelle résidence estivale près de Biarritz, et elle a dit qu'elle voulait vérifier l'adresse de Dupré afin de lui envoyer une documentation à ce sujet. La femme de Henri Dupré a répondu qu'elle n'était pas intéressée et qu'elle n'habitait plus avec son mari. C'est ainsi que Mme Kádár a pu s'assurer que sa victime vivait seule.

» Le meurtre a eu lieu vers quatre heures du matin, mais elle est arrivée à Saint-Germain-en-Laye dans l'après-midi, car le même voisin qui l'a vue repartir a remarqué quelqu'un qui passait et repassait devant le domicile de Dupré. Comme la propriété était en vente, à cause du divorce, il s'est dit que c'était sûrement une acheteuse potentielle. Mme Kádár est revenue dans la nuit, elle s'est introduite par une fenêtre du rez-de-chaussée qui avait été laissée entrouverte. On ignore si elle a réveillé Dupré avant de le frapper ou si elle l'a tué dans son sommeil, mais le médecin légiste a estimé qu'il avait dû être conscient lors des premiers coups de couteau. Et les enquêteurs ont eu la nette impression qu'elle avait voulu qu'il la voie, qu'il sache que c'était elle. Autrement, la vengeance n'aurait pas été complète.

» Ensuite, Mme Kádár s'est déshabillée et a pris une douche dans la salle de bains du couple, laissant ses vêtements tachés de sang sur le sol. Elle a abandonné son arme près du lit. Elle avait apporté un sac contenant une tenue de rechange. Elle s'est rhabillée, elle est allée à la cuisine et elle s'est fait du café en attendant…

— Elle… Elle s'est préparé du café après avoir massacré ce type ?

— Le premier RER au départ de Saint-Germain était à 5 h 23. Elle ne voulait pas traîner près de la station, alors elle s'est fait du café, oui, et elle a écrit cette note. « Pour Judit et Zoltan. » On dirait une dédicace de livre, vous ne trouvez pas ? Outre un acte de vengeance, peut-être voyait-elle ce meurtre comme un acte de création. Et elle avait en effet manifesté une grande créativité, dans son plan. Donc, elle a pris le premier RER, puis le métro jusqu'à la gare de l'Est, où elle a acheté un billet de première classe pour Budapest. Elle a même payé le supplément pour une cabine single. Pour cela, elle a dû donner son nom, mais elle avait probablement calculé qu'elle disposerait d'environ vingt-quatre heures avant que le corps de Dupré soit découvert, que la police française fasse le rapprochement et alerte Interpol. Elle a eu raison : le cadavre n'a été retrouvé que le lundi après-midi, après que ses collègues se furent étonnés de son absence. Ils ont alerté Mme Dupré, qui a été la première à se rendre au domicile et qui a donc été la première suspecte, suivant la présomption habituelle dans les cas de divorce. Jusqu'à ce que les experts soient en mesure d'affirmer que les empreintes digitales sur le couteau, et ailleurs, correspondaient à celles de Margit Kádár.

— Ses empreintes ? Pourquoi ? Comment la police pouvait-elle déjà les avoir dans ses fichiers ?

— Tous les résidents non nationaux étaient fichés de la sorte. En plus, Mme Kádár avait obtenu la citoyenneté française en 1976 et ses empreintes digitales avaient été à nouveau relevées à cette occasion. D'ailleurs, comme elle était française, désormais, elle a dû demander un visa au consulat hongrois de Paris. À l'époque, la Hongrie communiste ne délivrait pas de visas à ses frontières, surtout quand il s'agissait d'ex-ressortissants. Mme Kádár a fait sa demande quatorze jours avant d'assassiner Dupré. La raison qu'elle a donnée était qu'elle voulait rendre visite à des membres de sa famille.

— Mais elle détestait la Hongrie, notamment à cause de ce qui est arrivé à son père...

— Que lui est-il arrivé, au juste ?

Je lui ai raconté tout ce que Margit m'avait dit. Tout en m'écoutant, il a vérifié à plusieurs reprises des éléments de son dossier, comme s'il comparait ma version avec ce que contenait cette grosse chemise en carton racorni. Ayant terminé, je lui ai posé la question sans détour :

— Est-ce que ça correspond à vos informations ?

— Eh bien, la police hongroise a collaboré avec nous, naturellement, et nous a informés des conclusions de son enquête sur les deux autres meurtres que Mme Kádár a commis à son retour à Budapest.

— Vous voulez dire qu'elle a tué les deux membres de la police secrète ? Bodo et Lovas, c'est ça ?

Un silence interminable s'est installé. Coutard a allumé une nouvelle cigarette. Il en a tiré plusieurs bouffées avant de reprendre :

— Encore une fois, je voudrais juste élucider le petit jeu auquel vous vous livrez, monsieur Ricks. Vous êtes interrogé au sujet de deux homicides qui se sont produits à quelques mètres de votre domicile ; en même temps, vous manifestez une connaissance plus que troublante d'une série de meurtres commis ici, en France, et à Budapest par une femme qui s'est finalement supprimée en Hongrie il y a des années de cela, après avoir tué sa troisième victime.

— Vous voulez dire qu'elle s'est ouvert la gorge après avoir tué ce... Bodo ?

— Non, c'était Lovas. Mais ne nous égarons pas. Ce que je veux comprendre, c'est comment et pourquoi vous êtes au courant de tous ces détails. Et vous m'épargnerez votre explication ridicule, cette fois. Elle vous aurait raconté tout ça... Je ne suis pas un imbécile, monsieur Ricks. Ce que je crois, moi, c'est que l'affaire Dupré a eu un retentissement certain, à l'époque. Vous êtes un écrivain, vous avez eu vent de cette histoire, votre curiosité a été éveillée, vous avez fait des recherches sur Internet, et maintenant que vous êtes soupçonné de deux crimes, monsieur Ricks, vous ne trouvez rien de mieux que de nous servir ces fariboles, ces pseudo-confidences d'une femme morte depuis plus d'un quart de siècle. Vous...

— Est-ce que la presse de l'époque s'est demandé pourquoi elle était retournée à Budapest pour tuer ces deux hommes ? La presse hongroise, je veux dire.

— Vous m'interrompez encore.

— Pardon.

— Vous recommencez encore une fois, une seule fois, et je vous boucle vingt-quatre heures en cellule.

N'est-ce pas ce qui va m'arriver de toute façon ?

Coutard a rouvert le dossier et étudié pendant de longues minutes de vieilles photocopies.

— Nous avons quelques coupures de journaux hongrois, certes, et leur traduction en français. Ces articles reprennent la version officielle, ce qui était la règle dans la Hongrie de cette époque, comme vous le savez : Bodo et Lovas, deux camarades dévoués à la cause nationale, avaient procédé à l'arrestation du père de Mme Kádár alors que celui-ci « diffusait de la propagande étrangère et contre-révolutionnaire ». Le « traître », et je cite encore, s'était suicidé en prison après avoir appris que les autorités détenaient la preuve qu'il avait été un agent de la CIA. Ce que vous m'avez raconté tout à l'heure, à savoir que Mme Kádár aurait été contrainte d'assister à la pendaison de son père quand elle n'était qu'une enfant, n'apparaît ni dans les rapports de police ni dans les journaux. Mais c'est compréhensible, bien sûr : dans les années quatre-vingt, les forces de l'ordre hongroises n'auraient jamais partagé ce genre d'information avec nous. Non, la version officielle, que ce soit celle de la police ou celle des journaux, a établi que Mme Kádár était une déséquilibrée emportée dans une spirale de violence meurtrière après la mort accidentelle de son mari et de sa fille. Et ils ont mis l'accent sur la sauvagerie du meurtre de Dupré, comme il fallait s'y attendre.

— Est-ce que la police hongroise a expliqué à ses homologues français comment Margit avait retrouvé la piste de Bodo et Lovas ?

— Non, évidemment. D'après les rapports de mes prédécesseurs, leur collaboration s'est limitée à l'essentiel, et encore... Dans leurs rapports, Bodo et Lovas étaient uniquement présentés comme des « héros de la patrie » qui avaient « donné leur vie pour la juste cause ». Une jolie langue de bois étatique, le couplet habituel réservé aux membres de la police secrète.

— Et vous me dites que Margit se serait suicidée après les avoir tués ?

Il a recommencé à tripoter son dossier, extrayant cette fois une liasse de feuillets en papier pelure agrafés.

— J'ai ici la traduction d'un télex... Vous vous souvenez de ce machin, le « télex » ? envoyé par la police de Budapest. Victime numéro un : Béla Bodo, soixante-six ans, retrouvé mort dans son logement de fonction de Buda le 3 octobre 1980, bâillonné et ligoté sur une chaise dans sa cuisine, ses mains scotchées à la table avec le genre de ruban adhésif que les plombiers utilisent pour colmater les fuites. Les dix doigts coupés, les yeux crevés, la gorge tranchée.

— Mon Dieu, ai-je murmuré.

— Ce qui a impressionné les enquêteurs, c'est la minutie, la lenteur, je dirais, avec laquelle le crime a été commis. Une mise en scène destinée à infliger le maximum d'épouvante et de souffrance à la victime. Jusqu'au bout. Au point que le « coup de grâce » a peut-être été un soulagement, pour lui.

— Comment aurait-elle pu le ligoter et le bâillonner sans qu'il résiste ? La police hongroise a-t-elle pu expliquer ça ?

— Non, mais ils ont supposé, et nous également, qu'elle avait une arme à feu qui lui avait servi à intimider sa victime. S'il avait su ce qui l'attendait, il aurait certainement tenté l'impossible. Finir avec une balle dans la tête aurait été plus simple que d'endurer les tourments qu'il a subis.

— Et Lovas ?

— Même chose. Cette fois, cependant, une voisine a entendu des bruits suspects et a appelé la police. Ils sont arrivés une trentaine de minutes après. La porte était verrouillée de l'intérieur. Ils ont demandé au concierge d'ouvrir l'appartement, et ils se sont précipités dans une mare de sang. Mme Kádár venait de se couper la gorge et, d'après leur rapport, la veine jugulaire de Lovas avait été tranchée quelques secondes plus tôt. Les médecins n'ont rien pu faire. Ni pour l'un ni pour l'autre.

Les clichés photographiques en noir et blanc délavés qu'il m'a tendus étaient insoutenables. Sur l'un, un homme aux poignets attachés à une table, deux moignons informes en guise de mains, la tête et le torse invisibles sous le sang. Sur l'autre, une femme effondrée au milieu d'une flaque de sang dans une position grotesque sur un sol en linoléum, serrant encore un couteau dans son poing, la gorge tranchée. Malgré ma répugnance, j'ai étudié son visage. C'était une version plus jeune de Margit, sans conteste. Ses yeux, déjà vitreux, irradiaient cependant la même fureur inextinguible que je lui avais vue quand elle m'avait raconté la mort de son père, ou la fin de Zoltan et Judit. Je les ai regardés encore, ces yeux fixes. C'était comme si Margit avait emporté avec elle sa rage dans l'éternité…

Mais quelle éternité ? Elle est là, maintenant ! Elle est… vivante !

J'ai repoussé les photos sur la table en baissant la tête. Je n'avais rien à dire, rien, et je ne savais que penser.

— La barbarie de tous ces meurtres indique clairement qu'elle n'avait plus sa raison, a continué l'inspecteur. Mais on peut penser qu'elle ne se serait pas suicidée, si la police n'était pas arrivée aussi vite sur les lieux du meurtre de Lovas.

— Mais elle n'est pas… morte.

Il a tapoté de son majeur la photo de la femme ensanglantée.

— Vous continuez à soutenir que la femme que vous voyez ici est vivante ?

— Oui.

Il m'a pratiquement fourré sous le nez un papier jauni, officiel, couvert de mots hongrois sur lequel j'ai pu déchiffrer le nom complet de Margit.

— C'est le certificat de décès établi pour Margit Kádár en 1980. Dès que ce document est parvenu au parquet de Saint-Germain-en-Laye, le dossier a été clos, puisque l'auteur du meurtre de Dupré était déclaré officiellement mort. Mais vous vous obstinez à affirmer le contraire ?

— Oui.

— Je crois que vous ne mesurez pas la gravité de votre situation, monsieur Ricks.

— Je n'ai pas tué Omar. Ni agressé le mari de Yanna.

— Même si tout vous accable ? Même si votre seul alibi est d'avoir tenu compagnie à une femme dont nous venons de voir le certificat de décès ?

— Je viens de vous rapporter des moments essentiels de sa vie, en détail, et vous me dites que j'invente ?

— Des détails que n'importe qui pourrait récupérer sur Internet ?

— Inspecteur, s'il vous plaît ! Posez-vous cette même question. Pourquoi est-ce que je m'intéresserais à une histoire pareille ? Pourquoi est-ce que je connaîtrais à ce point le passé de cette femme si elle n'avait pas décidé de me le raconter ?

— Mouais. Écoutez, j'exerce ce métier depuis plus de vingt ans, et s'il m'a enseigné quelque chose à propos du comportement humain, c'est ceci : dès que l'on croit pouvoir prédire la réaction de quelqu'un, souvent, c'en est une autre, radicalement différente, qui se produit. Ou, en d'autres termes : la réalité dans laquelle les autres vivent est presque toujours différente de la vôtre. Vous dites que vous avez vu une morte, que vous lui avez parlé. Moi, je dis : « L'homme qui est assis en face de moi paraît lucide, sensé, intelligent, et pourtant, lorsque je lui mets sous le nez la preuve qu'elle n'est plus de ce monde depuis vingt-six ans... » – Il a écarté les bras d'un geste résigné qui semblait vouloir dire : « C'est ainsi ! » – Pour être très clair, monsieur, je me soucie peu de comprendre « pourquoi » vous vous accrochez à cette chimère, ni de découvrir « comment » vous avez obtenu les détails de cette histoire. Je ne sais pas non plus si vous n'avez pas voulu rendre la chose plus romanesque en m'affirmant que Mme Kádár aurait été forcée de regarder l'exécution de son père, ou si c'est ce qui est réellement arrivé. Je suis, naturellement... impressionné par la conviction avec laquelle vous prétendez que cette femme serait toujours en vie. Mais, pour moi, en tant qu'inspecteur de police, ce qui compte, ce sont les faits. Les faits empiriquement constatés. Or ceux-ci, dans votre cas, indiquent que vous êtes coupable. Même le « fait » que vous vous serviez d'une morte en guise d'alibi. Conclusion ? Je vous conseille fortement de revenir sur vos déclarations.

— Je vous ai dit la vérité.

— Alors c'est que vous êtes un menteur chronique, a-t-il lancé en élevant la voix. Et maintenant, je vous renvoie à votre cellule, où vous pourrez réfléchir aux conséquences de vos aberrations et reprendre peut-être vos esprits.

— Est-ce que je n'ai pas le droit à une quelconque assistance légale, à ce stade ?

— Nous avons, nous, le droit de vous garder soixante-douze heures d'affilée sans le moindre contact avec le monde extérieur.

— Ce n'est pas normal !

— Peut-être que non, mais la loi nous y autorise.

Il a composé un numéro sur son téléphone, a raccroché, puis il s'est levé et il est allé se planter devant la fenêtre.

— Ce matin, nous nous sommes rendus à l'adresse où vous avez eu vos « rendez-vous » avec Mme Kádár. Le concierge nous a dit qu'il ne se rappelait pas vous avoir jamais vu. Comment avez-vous pu entrer dans l'appartement, alors ?

— Margit... Mme Kádár m'ouvrait, tout simplement.

— Je vois.

— Je ne comprends pas le sens de votre question. Mais enfin, vous êtes monté et vous avez constaté que l'appartement correspondait à la description que je vous en ai faite ?

Il a continué à regarder au-dehors.

— Mme Kádár a effectivement occupé ce logement jusqu'à sa mort en 1980. Depuis, il est resté vide, mais il demeure juridiquement la propriété de la défunte. Les charges continuent à être prélevées automatiquement sur son compte épargne. Mais personne n'y a habité depuis vingt-six ans. Décrivez-moi une nouvelle fois l'appartement s'il vous plaît.

Je me suis exécuté. En détail, Coutard a hoché la tête.

— Oui, c'est bien l'appartement tel que je l'ai trouvé. Décor très années soixante-dix… Ce que vous n'avez pas mentionné, en revanche, c'est que tout est couvert d'une poussière qui s'est accumulée pendant des lustres.

— N'importe quoi ! C'était d'une propreté irréprochable, chaque fois que j'y suis allé.

— Je ne doute pas que c'est ainsi que vous l'avez vu, monsieur.

Après avoir frappé discrètement, un policier en tenue est entré.

— Ramenez M. Ricks à sa cellule, lui a ordonné Coutard. Il va rester encore un moment chez nous.

Le flic s'est approché et m'a saisi par le bras. Je me suis mis debout.

— Vous devez essayer de me croire, inspecteur…

— Non, pas du tout.

Je me suis retrouvé dans le même cagibi, sans rien à lire, sans papier ni crayon pour écrire. Seul avec mes pensées, qui n'étaient pas faites pour me calmer. Étais-je devenu fou ? Et tous ces derniers mois, la proie d'une redoutable hallucination ? Et s'il était vrai que Margit était morte depuis des années, dans quel univers parallèle avais-je dérivé ?

Vers sept heures du soir, un plateau d'une nourriture insipide et froide m'a été apporté. J'étais tellement affamé que j'ai tout mangé. Deux heures plus tard, la fatigue a eu raison de moi. Après m'être dépouillé de mon jean à l'odeur fétide, je me suis glissé sous la couverture sale et je me suis endormi. Mais ce n'est pas un sommeil sans rêve qui m'a emporté, cette fois : dans la salle obscure de mon cerveau, la séance de nuit a été un long film d'horreur où j'étais l'accusé d'un procès, où des centaines de témoins me montraient du doigt et hurlaient en français, où le juge me condamnait à la réclusion perpétuelle dans cette même cellule, et où je continuais à leur crier qu'ils devaient retrouver Margit, qu'elle allait tout leur expliquer... et puis les murs de la prison se resserraient autour de moi, jusqu'à ce que je finisse accroupi dans un coin, pressé contre la cuvette des toilettes, les yeux aussi fixes et furieux que ceux de Margit sur la photo que...

Je me suis assis d'un bond, noyé de sueur, claquant des dents, sans comprendre où j'étais pendant quelques secondes, jusqu'à ce que la réalité s'impose : « Tu es incarcéré »... Privé de montre, impossible de savoir quelle heure il était... sans brosse à dents, ni vêtements de rechange, ni douche possible, je me sentais totalement crasseux. Je me suis levé pour pisser, j'ai bu le peu d'eau qui restait dans la bouteille, je me suis à nouveau étendu, les yeux fermés, en espérant que le sommeil revienne. Mais on n'échappe pas facilement aux idées noires, lorsqu'on est sur le point d'être inculpé de deux meurtres et qu'on avance dans une galerie de miroirs où tout est déformé, trompeur...

La grille s'est ouverte. Un policier est apparu avec un nouveau plateau.

— Quelle heure est-il ? lui ai-je demandé.

— Huit heures et demie.

— Est-ce que je pourrais au moins avoir une brosse à dents et du dentifrice, s'il vous plaît ?

— Eh, oh, c'est pas un hôtel, ici.

— Quelque chose à lire, au moins ?

— C'est pas une bibliothèque, non plus !

277

— Je vous en prie…

Il a posé le plateau sur la banquette et il est ressorti sans un mot de plus. Une tasse en plastique contenant du jus d'orange coupé d'eau, un petit pain rassis, un morceau de beurre, un gobelet de café qui sentait la ferraille. Cinq minutes plus tard, la grille s'est rouverte et une main est apparue, tenant un exemplaire du *Parisien* de la veille.

— Merci.

Clang ! La grille s'est refermée. Après avoir dévoré ce petit-déjeuner, car la faim me torturait l'estomac, je me suis jeté sur le journal que j'ai lu d'un bout à l'autre, pour tenter d'oublier où je me trouvais : une dispute entre voisins de HLM, des accidents de la route, les querelles intestines au sein d'un club de football, les critiques des nouveaux films de la semaine, les ragots sur le mariage d'une pop-star française… Comme toujours, j'ai été fasciné par les avis de décès. L'art impossible de résumer une vie entière, surtout quand elle n'a rien eu de très spectaculaire : « Mari bien-aimé de… », « Très estimé collègue de… », « Regretté directeur général des établissements… », « Une messe de funérailles sera célébrée mardi à… », « Ni fleurs ni couronnes, mais il est recommandé de faire un don à l'association caritative… » Et voilà, terminé. Encore un être effacé de ce monde.

C'est ce qui rend une rubrique nécrologique si troublante, à mes yeux. Savoir qu'il y a toujours une autre histoire derrière ces quelques lignes, une histoire faite de toutes les complexités et de tous les secrets qui constituent une vie humaine. Se dire qu'un jour ou l'autre, votre vie sera elle aussi condensée en quelques mots… si vous avez cette chance. Tous les hommes sont égaux devant la mort. Une fois passé dans l'au-delà, on ne laisse sa véritable histoire qu'à quelques proches. Et quand eux-mêmes auront disparu… Plus rien ne compte, et c'est justement pour cela que tout compte : il faut lutter contre l'insignifiance fondamentale de nos accomplissements en se persuadant qu'ils ont tout de même une signification… Sinon il ne reste qu'une vérité désespérante : « Quand je serai mort, aucune des forces qui auront animé et modelé ma vie – colère, convoitise, ambition, besoin d'amour, regrets, erreurs irréparables, poursuite vaine de ce que l'on appelle bonheur – n'aura la moindre valeur. »

À moins… À moins que la mort ne soit pas la fin de tout ?

Les mots de Coutard me sont revenus à l'esprit : « C'est le certificat de décès établi pour Margit Kádár en 1980. Mais vous vous obstinez à affirmer qu'elle n'est pas morte ? » Je ne connaissais plus la réponse à cette question.

La grille s'est à nouveau ouverte. Un autre policier est entré.

— L'inspecteur veut vous voir tout de suite.

J'ai renfilé mon jean, lissé mes cheveux sales de la paume. Le policier a toussé bruyamment, pour me signifier de ne pas perdre plus de temps. Puis il m'a pris par le bras et m'a emmené.

À l'étage au-dessus, Coutard était assis au coin de sa table, une cigarette aux lèvres. Mon regard est immédiatement tombé sur mon passeport, posé près du cendrier. L'inspecteur Leclerc était debout près de la fenêtre. Mon entrée a interrompu leur conversation. Coutard m'a fait signe de prendre un siège.

— On a bien dormi ? s'est-il enquis.

— Non.

— Ah ? De toute façon, vous dormirez dans votre lit la nuit prochaine.

— Je… Pourquoi ?

— Parce que vous n'êtes plus suspect.

— C'est vrai ?

— C'est votre jour de chance : nous avons pincé le meurtrier de MM. Tariq et Attani.

— Qui est-ce ?

— Un certain Mahmoud Klefki.

— Jamais entendu parler.

279

— Un petit maigre à la mine renfrognée. Il travaille pour votre propriétaire, M. Sezer. Vous devez le connaître, non ?

Bien sûr que je le connaissais. Je l'avais vu des dizaines de fois. C'était la petite frappe de Sezer.

— Je l'ai croisé une ou deux fois.

— Nous avons retrouvé dans sa chambre le couteau qu'il a utilisé pour tuer M. Tariq, ainsi que le marteau avec lequel il a agressé M. Attani. Les traces de sang relevées dessus correspondent à celui des victimes.

— Et il a avoué ?

— Bien sûr que non. Il prétend ne pas comprendre comment ces deux armes se sont retrouvées sous son lavabo.

Leclerc est intervenu :

— C'est une faiblesse courante, chez les meurtriers trop sûrs d'eux... ou trop stupides. Ils pensent qu'on ne les retrouvera jamais et ils ne prennent pas la peine de se débarrasser des pièces à conviction.

— Il a dit pourquoi il avait fait ça ?

— Mais non, voyons, puisqu'il nie. Mais nous avons appris que son patron, Sezer, avait du mal à faire cracher à Attani la somme qu'il lui extorquait pour la protection de son bar, ces derniers temps. Quant à M. Tariq, des rumeurs courent sur le fait qu'il aurait emprunté beaucoup d'argent à l'entreprenant M. Sezer, une somme qu'il était forcé de rembourser en partie chaque semaine, avec des intérêts exorbitants. Nous allons donc inculper Sezer aussi, en tant que commanditaire des crimes. Avec un peu de chance, on arrivera à faire témoigner Klefki contre lui, en échange d'une peine de quinze ans au lieu de la perpétuité. – Il est allé s'installer dans son fauteuil. – En conséquence, vous êtes libre, monsieur Ricks. Mais si vous aviez l'obligeance de nous éclairer sur certaines des nombreuses activités de M. Sezer...

— Moi ? Comment je saurais quoi que ce soit à ce sujet ?

— Parce que nous savons qu'il est votre employeur.

— C'est faux.

— Il y a un passage rue du Faubourg-Poissonnière, près de l'angle avec la rue des Petites-Écuries. On vous a vu y entrer très souvent, vers minuit.

— Qui, « on » ?

— Je répète ce que je disais hier : ici, c'est moi qui pose les questions.

— Je... J'ai un bureau, dans cet immeuble. Un endroit où je vais pour écrire.

— Exact. Nous y avons trouvé votre ordinateur portable, lorsque nous avons fait une descente hier.

— Une descente ?

— Si c'est un bureau « pour écrire », pourquoi avez-vous besoin d'un moniteur relié à une caméra de surveillance dans l'entrée sur la table où vous écrivez ?

— Eh bien... Ça y était déjà quand j'ai loué la pièce.

— Loué à qui ?

— À... Sezer.

Il était exclu de mentionner le nom de Kamal. Je n'avais aucune envie qu'ils se mettent à me demander si je connaissais les raisons pour lesquelles l'ancien responsable du cybercafé de la rue de Paradis avait terminé dans une poubelle à proximité du périphérique. Et puis Sezer n'allait pas me contredire, là-dessus, tant il était anxieux de dissimuler ce qui se tramait au rez-de-chaussée de ce fichu immeuble... Sauf si les policiers avaient déjà glané assez de renseignements à ce sujet au cours de leur perquisition, et tentaient maintenant de déterminer ce que je savais.

— Quel était le montant du loyer perçu par Sezer ? a demandé Coutard.

— Soixante euros par semaine.

— Plutôt donné, pour un bureau en plein Paris.

— C'est un cagibi, plus qu'autre chose.

— Et c'est là que vous travailliez à votre roman ?

— Très souvent, oui. La nuit. Jusqu'à l'aube.

— Et la nuit où Omar a été assassiné ?

— Je n'arrivais pas à écrire. J'ai marché dans les rues.

— Mais vous ne m'avez pas parlé de ça, la première fois que je vous ai interrogé.

— Parlé de quoi ?

— Que vous étiez allé à votre « bureau » avant d'errer dans les rues jusqu'au matin.

— Parce que vous ne me l'avez pas demandé…

Les deux inspecteurs ont échangé un regard entendu.

— Mouais. Une coïncidence très opportune, ça… Que vous ayez décidé de traverser Paris à pied quand Omar se faisait trucider.

— Je croyais que vous aviez trouvé le coupable ?

— En effet. C'était juste une remarque. En revanche, j'aimerais vraiment savoir si vous connaissiez vos voisins, dans l'immeuble où vous avez un… bureau.

— Non.

— Et vous avez une idée quelconque de ce qui passait en bas, au rez-de-chaussée ?

— Non. Et vous ?

Coutard a fait signe à Leclerc de répondre.

— Nous avons inspecté les lieux hier soir. C'est une sorte d'entrepôt, presque vide. Comme si tout avait été déménagé en hâte peu de temps auparavant. L'équipe scientifique a relevé des traces de sang humain sur le parquet et les murs. Et nous avons trouvé des câbles électriques renforcés, du genre que l'on utilise pour des appareils de fort ampérage. Des projecteurs de scène, par exemple. À propos de scène, il y a une estrade en plein milieu de la salle, avec un lit et deux chaises. Le matelas a disparu, les montants du lit en bois venaient d'être nettoyés mais nous avons tout de même retrouvé des particules microscopiques de sang dessus.

Coutard est intervenu :

— Notre hypothèse, c'est que l'endroit servait à plusieurs activités illégales, parmi lesquelles le tournage de films pornographiques. Du genre « snuff movies ». Vous voyez de quoi il s'agit ?

J'ai hoché la tête, lentement. Me remémorant le corps traîné dans le couloir, les cris... Mais si l'une des spécialités des lieux était le tournage de ce type de films, pourquoi n'avais-je entendu ce genre de cris qu'une seule fois ?

— Nous savions depuis un moment que ce type de films étaient réalisés dans le quartier, a poursuivi Coutard. Désormais, nous sommes pratiquement certains que c'était dans l'immeuble où vous écriviez votre roman.

— J'ignorais complètement.

— Non, monsieur. Vous étiez le portier en charge des accès. Le veilleur de nuit. D'où la présence du moniteur de surveillance sur votre table.

— Je ne m'en suis jamais servi. Je n'ai jamais rien entendu de suspect. Pour moi, le rez-de-chaussée était désert, la nuit.

— Nous avons également relevé des traces de cocaïne et des laxatifs dans le coin cuisine de l'entrepôt, a repris Leclerc. Nos experts ont aussi découvert des résidus de gelignite.

— Une sorte de dynamite, a expliqué Coutard. Très prisée par les fabricants de bombes. Mais vous continuez à dire que vous n'aviez aucune connaissance de ce qui se passait en bas ?

— Oui, absolument.

— Il ment très mal, non ? a lancé l'inspecteur à son collègue.

— Je suis certain qu'il y travaillait comme veilleur de nuit, a répondu Leclerc comme si je n'étais pas dans la pièce, mais il est possible qu'il n'ait jamais été mis au courant de ce qui se passait en dessous.

— Mouais. Moi, je crois qu'il savait tout.

— Non, c'est faux.

— On ne vous parle pas, à vous.

— Vous n'avez aucune preuve que j'aie été informé...

— J'ai parfaitement le droit de vous garder encore vingt-quatre heures, monsieur. Et je me réjouirai de le faire si vous continuez à vous montrer impertinent.

— Ce n'était pas mon intention...

— Curieux bonhomme, ce M. Ricks, a-t-il dit à Leclerc, m'ignorant à nouveau. Tu sais pourquoi il a atterri à Paris, et ensuite dans cette chambre de bonne minable du Xᵉ ?

— J'ai lu son dossier, oui.

— Donc tu te rappelles le directeur de cette fac médiocre dans laquelle il enseignait, en Amérique ? Celui qui a brisé sa carrière ?

— Celui qui a fini à la colle avec sa femme ?

— Voilà ! Eh bien, alors que j'essayais d'en savoir un peu plus sur le douteux passé de M. Ricks, hier, figure-toi que j'ai découvert un élément tout a fait nouveau, quelque chose de fascinant. Il m'a suffi d'entrer le nom de son ancienne boîte sur Google. Quel nom, déjà ?

— Crewe College, ai-je répondu.

— Exactement. Donc, je suis tombé sur un article d'un journal local qui date de quelques jours seulement, et qu'est-ce que je lis ? Que l'ex-supérieur de M. Ricks... Robson, si je me rappelle bien... vient d'être jeté dehors avec perte et fracas, après qu'on a retrouvé toute une collection de photos pédophiles dans son ordinateur personnel.

— Quoi ? ai-je crié.

— Vous m'avez très bien entendu. D'après ce canard, c'est *le* scandale. Votre ex-épouse doit être dans tous ses états, monsieur Ricks.

J'ai plongé mon visage dans mes mains.

— C'est bizarre, il semble bouleversé, a remarqué Leclerc.

Bouleversé ? Horrifié, terrorisé, plutôt. Car l'échange entre Margit et moi n'était que trop frais dans ma mémoire : « D'après toi, quelle serait la juste rétribution de toutes ses crapuleries ?

« — Tu veux que je me mette à fantasmer tout haut ?

« — Absolument. Le pire qui puisse arriver à ce salaud.

« — Je ne sais pas... Qu'il se fasse chopper avec une énorme collection de photos pédophiles sur son ordinateur, par exemple ?

« — Pas mal, oui... »

— Seigneur ! ai-je gémi.

— Je croyais que la nouvelle lui ferait plaisir, s'est étonné Coutard devant son collègue.

— Oui. On pourrait penser qu'il applaudirait des deux mains, même...

— À moins qu'il n'ait des remords ?

— Tu veux dire... au cas où ce serait lui qui aurait chargé ce matériel sur la bécane du monsieur ?

— Non, ça me paraît trop gros, ça. Je ne le vois pas en pirate informatique capable de farfouiller dans n'importe quel disque dur de la planète.

— Ou bien il a demandé à quelqu'un de le faire pour lui ?

— Quelqu'un de très calé, alors. Et de très malveillant.

— Un ange gardien décidé à le venger, a renchéri Leclerc. Hé, le type s'envoie en l'air avec une morte, alors pourquoi il n'aurait pas un allié venu du ciel ?

— Je parie qu'il croit au père Noël, aussi.

— Et aux cloches de Pâques.

— Et à Blanche-Neige... qui a été une de ses maîtresses, dans le temps !

Ils se sont esclaffés. Je n'ai pas relevé la tête, toujours prostré.

— Eh, il n'a même pas le sens de l'humour ! a lancé Leclerc.

— C'est vrai, monsieur Ricks ? Vous ne trouvez pas ça drôle ?

— Je... Je peux m'en aller ? ai-je chuchoté.

— Malheureusement, oui.

Coutard a poussé mon passeport dans ma direction.

— Vous avez besoin d'aide, vous, a-t-il dit simplement.

« J'ai toute l'aide dont je n'ai pas besoin ! » aurais-je voulu hurler, mais je me suis contenté de serrer les dents, de reprendre mon passeport et d'adresser aux deux inspecteurs un bref signe de tête en guise d'adieu.

— On se reverra, a jeté Coutard au moment où j'atteignais la porte.

— Comment pouvez-vous en être si sûr ?

— Parce que les embrouilles, c'est votre destin, monsieur.

18

J'AI ARRÊTÉ UN TAXI DÈS QUE JE ME SUIS RETROUVÉ DEHORS.

— Rue Linné.

Après avoir composé le code, je me suis rué dans la cour et j'ai gravi les escaliers quatre à quatre. J'ai sonné, laissant mon doigt sur le bouton. Pas de réponse. J'ai tambouriné contre la porte, crié son nom. Rien.

— Bon sang, Margit ! Ouvre cette foutue porte !

Cédant à ma rage, je me suis jeté de tout mon poids contre le battant. Il m'a semblé que la serrure avait un peu bougé, sous le choc, mais le principal résultat a été une soudaine et atroce douleur à l'épaule droite. L'ignorant, j'ai reculé de quelques pas pour prendre mon élan et je me suis à nouveau précipité contre la porte. Un grand bruit de bois fendu. Sur ma lancée, je me suis retrouvé à genoux au milieu de la première pièce. Deux secondes plus tard, j'étais secoué par une quinte de toux irrépressible, provoquée par le nuage de poussière que je venais de soulever. Mon regard s'est posé sur le lit qui avait accueilli nos amours : les oreillers et la couverture étaient couverts d'une poudre accumulée. Tout en époussetant mon jean, je suis passé dans le salon. Même spectacle. Pareil dans le coin cuisine. Les fenêtres étaient recouvertes d'une crasse opaque, de grandes toiles d'araignée s'étendaient dans chaque coin de la pièce, le tapis était constellé de déjections de rongeurs. Après avoir ouvert la porte donnant sur la chambre qui avait été celle de sa fille, selon Margit, j'ai battu en retraite, horrifié : trois rats s'agitaient sur la moquette, se disputant les restes de ce qui ressemblait à une souris en voie de décomposition.

Une voix derrière moi m'a fait sursauter.

— Dehors !

Je me suis retourné d'un bloc. Un petit gnome grisonnant et voûté, qui ne devait pas avoir loin de soixante-dix ans, brandissait un marteau, fixant sur moi des yeux où le défi se mêlait à la peur. Sa main tremblait.

— Qu'est-ce que vous faites là ? a-t-il jappé.

— Qui habite dans cet appartement ?

— Personne !

— Vous connaissez Mme Kádár ? Margit Kádár ?

— Elle est morte.

— Ce n'est pas possible…

— Fichez le camp, maintenant !

Il a tenté de lever le marteau un peu plus haut mais son bras tremblait de plus en plus.

— Margit Kádár vit ici, ai-je articulé lentement.

— Vivait ! Jusqu'en 1980. Elle est repartie en Hongrie, et elle est morte là-bas.

— Et personne d'autre n'habite ici ?

— Mais ouvrez les yeux ! Ça a l'air habité ?

— Je… Je suis venu dans cet appartement deux fois par semaine, ces derniers mois.

— Je ne vous ai jamais vu ct pourtant je vois passer tous ceux qui franchissent la porte cochère.

— Vous mentez.

Le marteau a encore trembloté dans les airs.

— J'appelle la police.

— Qu'est-ce qui se trame, ici ?

— Vous êtes complètement cinglé !

Pivotant sur ses talons, il a battu en retraite aussi rapidement qu'il en était capable. Je l'ai poursuivi. Quand je l'ai attrapé par l'épaule, il a exécuté un moulinet avec son marteau que j'ai évité de justesse. Saisissant son poignet à la volée, je lui ai tordu le bras dans le dos. Il a poussé un glapissement de douleur.

— Lâchez ça ! ai-je grondé.

— À l'aide !

Il gueulait de tous ses poumons étriqués, maintenant. J'ai tiré davantage sur son poignet, lui arrachant un nouveau cri étranglé.

— Lâchez le marteau ou je vous casse votre putain de bras !

L'outil est tombé sur le sol, bruyamment. Le concierge s'est mis à geindre :

— J'ai de l'argent dans mon portefeuille ! Quarante euros ! Prenez-les, si c'est ce que vous voulez !

— Tout ce que je veux, c'est la vérité. Qui habite cet appartement ?

— Personne !

— Quand avez-vous vu Margit Kádár pour la dernière fois ?

— En... En 1980.

— Menteur !

— Je ne mens pas, je...

— C'est toujours propre, ici, toujours...

— Hein ? Qu'est-ce que vous racontez ?

— Pourquoi vous avez dit que vous ne m'avez jamais vu ici ? Pourquoi ?

— Parce que c'est vrai ! S'il vous plaît, laissez-moi tranquille, s'il vous plaît...

— Vous étiez au courant qu'elle avait tué quelqu'un ?

— Mais oui ! C'était dans tous les journaux ! Le type qui a écrasé Zoltan et Judit...

— Vous connaissez leurs noms ?

— Bien sûr que oui. Ils habitaient ici.

— Avec elle ? Avec Margit ?

— Pourquoi vous me posez toutes ces questions ? Elle est devenue folle, elle a tué le chauffard, et après elle s'est enfuie en Hongrie, et elle est morte.

— Et… après ?

— Quoi, « après » ? Rien ! Le logement est resté inoccupé. Les charges sont payées… Personne ne vient ici. À part vous, aujourd'hui… Laissez-moi, par pitié !

J'ai senti le monde vaciller autour de moi. Quel monde ? Une réalité qui paraissait irréelle, et qui l'était peut-être… Poussière, toiles d'araignée, crottes de rongeur. Là où, quelques jours plus tôt, j'avais…

— Je… ne… comprends… pas.

Les mots se sont échappés tout seuls.

— S'il vous plaît, monsieur ! Vous me faites mal !

— Je veux que vous me disiez la vérité. C'est tout.

— Je vous l'ai dite, la vérité ! Il faut me croire !

Non, je ne peux croire à rien, pour l'instant.

— Vous me promettez de ne pas appeler au secours ni de tenter de récupérer le marteau, si je vous relâche ?

— Je promets, je promets !

J'ai desserré mon étreinte.

— Bon… – J'ai lancé un dernier regard incrédule à la ronde. – Je m'en vais. Mais si vous recommencez votre…

— Vous avez ma parole, monsieur. Mais partez, maintenant. S'il vous plaît…

— Si je vous ai fait mal, je le regrette. Je regrette infiniment. Je… Je suis juste…

— Partez, monsieur, partez !

— … perdu.

J'ai dévalé l'escalier, débouché dans la rue en trombe.

Et maintenant ?

Apercevant un taxi, j'ai levé le bras machinalement. Il s'est arrêté. Je suis monté.

— Où vous allez ?

— Je… Je ne sais pas.

— Vous savez pas ? Je suis taxi, moi, pas devin ! Il me faut une destination.

Une idée a jailli dans ma tête.

— Le Panthéon… Rue Soufflot.

— Tu parles d'une course !

Il m'a laissé devant l'immeuble où habitait Lorraine L'Herbert. J'ai eu de la chance : une vieille dame est arrivée avec son chien, elle a composé le code et je lui ai tenu la porte pendant qu'elle entrait. Tout en me remerciant, elle a dû remarquer mon air hagard, car elle a paru se demander si elle avait bien fait de me laisser pénétrer à l'intérieur.

— Vous venez voir quelqu'un, monsieur ?

— Mme L'Herbert.

Cela l'a rassurée. Après avoir bredouillé un au revoir, je me suis lancé dans l'escalier. Parvenu à l'appartement, j'ai sonné. Pas de réponse. J'ai insisté, jusqu'à ce que j'entende sa voix, assez loin :

— OK, OK, une minute, j'arrive !

Peu après, la porte s'est ouverte sur Lorraine L'Herbert en peignoir de soie, son visage recouvert d'une substance indéfinissable, noire. Un masque de beauté, ai-je fini par déduire. Elle tentait de l'enlever en se servant d'une poignée de Kleenex.

— Qui êtes-vous ? a-t-elle demandé.

— Je m'appelle Harry Ricks. Je suis venu à votre salon, il y a environ deux mois.

— Vraiment ? a-t-elle rétorqué en considérant ma tenue dépenaillée.

— J'ai rencontré quelqu'un, chez vous. Une femme. Margit Kádár.

— Et vous êtes revenu pour que je vous donne son numéro de téléphone ? Ce n'est pas une agence de rencontres, ici. Et maintenant, mon grand, vous m'excuserez mais...

J'ai avancé mon pied dans l'embrasure pour l'empêcher de refermer la porte.

— Je veux juste vous demander...

— Comment êtes-vous entré dans l'immeuble ? – Je le lui ai expliqué. – Écoutez, vous êtes un compatriote, je ne vais pas faire d'histoires mais le salon se tient le dimanche soir, et il faut réserver. Venir ici comme ça, sans s'annoncer...

— Vous devez m'aider. S'il vous plaît.

Elle m'a dévisagé un instant.

— Vous ne vous souvenez pas de moi ?

— On reçoit entre cinquante et cent personnes chaque semaine, donc, non, je ne peux pas me rappeler tout le monde. Vous avez un problème, mon grand ? On croirait que vous avez passé la nuit sur un banc.

— Margit Kádár. C'est un nom qui vous dit quelque chose ? – Elle a fait non de la tête. – Vous en êtes certaine ?

— Oui. En quoi est-ce si important ? Vous êtes amoureux ou quoi ?

— Je veux juste vérifier qu'elle était bien ici le soir où j'y étais.

— Si vous l'avez rencontrée ici, mon mignon, c'est qu'elle était là !

— Pourriez-vous demander à votre assistant de vérifier dans vos dossiers ?

— Il est sorti. Mais si vous le rappelez dans deux heures, il…

— Je ne peux pas attendre deux heures. Vous devez bien avoir un fichier, quelque chose où vous pourriez vérifier ?

Son regard s'est posé sur mon pied engagé dans l'embrasure.

— Vous ne partirez pas tant que vous n'aurez pas obtenu gain de cause, hein ?

— Non.

— Si vous me laissez fermer cette porte, j'irai voir ce que je peux trouver.

— Mais vous allez revenir ?

— N'ayez crainte, a-t-elle rétorqué avec un sourire ironique. Sinon, vous taperez sur la porte jusqu'à alerter tout l'immeuble. Pas vrai, mon grand ?

— Euh… Oui.

— Deux minutes et je reviens.

Je me suis reculé. Elle a refermé le battant. Je me suis assis sur la première marche du palier en me frottant les yeux. J'aurais tout donné pour effacer de ma mémoire l'image de l'appartement de Margit sous la poussière. Je n'y suis pas parvenu. Le concierge devait avoir appelé la police. Ils étaient sans doute à ma recherche. S'ils ne pouvaient me coller deux crimes sur le dos, ils étaient encore tout à fait capables de m'arrêter pour voie de fait et accès de démence soudaine. Je serai bouclé dans un asile de fous en attendant mon expulsion du pays. Retour forcé à la case départ, avec en plus la réputation d'avoir proclamé que j'avais des relations intimes avec une morte ! Comparé au scandale qui venait de briser Robson, évidemment...

Mais il n'y avait pas que Robson. Il y avait Omar, exécuté après que j'avais raconté à Margit à quel point ses habitudes me révoltaient. Et il y avait le mari de Yanna... Qu'avait dit Margit ? « Il va falloir que tu le tues. » Elle ne se serait quand même pas chargée de lui tomber dessus avec une batte de base-ball, pas plus qu'elle n'aurait elle-même conduit la voiture qui avait renversé le réceptionniste du Select... Mais le fait restait incontournable : chaque fois que je m'étais plaint de quelqu'un devant elle, ou que je lui avais expliqué qu'on me menaçait, la conséquence avait été...

Il existait une sorte de logique dans tous ces événements. Une logique qui impliquait Margit ? Cela semblait tellement invraisemblable. Mais qu'elle soit morte, que son appartement ait été inhabité depuis des lustres, ne l'était-ce pas aussi ? « Je ne comprends pas », ai-je répété tout haut, et une voix en moi : « Il n'y a qu'un seul moyen de comprendre : rends-toi à votre rendez-vous d'aujourd'hui, à cinq heures... »

La porte s'est rouverte. Lorraine s'était entièrement débarrassée de son masque de beauté. Elle avait une feuille imprimée et un petit carton à la main.

— Bon, mon grand. J'ai vérifié la liste des personnes présentes le soir où nous vous avons compté parmi nos invités et vous voyez, là... – elle m'a montré le papier – ...

vous voyez votre nom, mais pas celui de Margit Kádár. J'ai aussi fait une recherche sur notre Rolodex, qui n'a rien donné. Et puis j'ai regardé le porte-cartes où nous gardions le nom de nos invités, avant 1995. Et devinez ce que j'ai trouvé ?

Elle m'a tendu le rectangle de carton. Zoltan et Margit Kádár, avec leur adresse rue Linné et une date, le 4 mai 1980. Quelques semaines avant le fatal accident.

— Donc… Donc elle est bien venue chez vous, ai-je murmuré.

— Une seule fois. Avec son mari. Mais je ne me souviens pas du tout d'eux. Comme je vous l'ai dit, c'est plus que normal, avec la quantité de gens qui passent ici chaque semaine. Ils ne sont jamais revenus, de sorte qu'ils ont été mis dans la catégorie des « sans suite », comme je les appelle.

— Et il n'y a aucune chance qu'elle se soit introduite chez vous à votre insu le soir où je suis venu ?

— Aucune. Nous sommes plutôt à cheval sur la sécurité, quand il s'agit du salon. Quelqu'un qui n'est pas sur la liste n'entre pas, c'est tout. Dites, mon grand, si vous croyez que vous l'avez rencontrée ici, et que moi j'aie la preuve que c'est impossible ! Quelle conclusion pensez-vous que j'en tire ?

— Merci de m'avoir consacré votre temps.

Je me suis hâté de redescendre. Il s'était mis à pleuvoir. Pas un seul taxi libre en vue. J'ai couru jusqu'à l'entrée de la ligne 4 du métro, boulevard Saint-Michel. Dans la rame, je me suis mis à frissonner sous mes habits trempés. Les tremblements se sont intensifiés, jusqu'à ressembler à l'attaque de fièvre que j'avais subie lors de mon tout premier jour à Paris. Comme toujours, les gens ne se parlaient pas et ils évitaient de se regarder, mais certains ont risqué un coup d'œil sur ce type mouillé, mal habillé et mal rasé, qui claquait des dents.

Sorti à Château-d'Eau, j'ai marché sous les gouttes glacées. À mon arrivée au cybercafé, l'effort et la fièvre m'avaient épuisé. Le barbu m'a observé avec une colère rentrée quand je me suis laissé tomber sur une chaise. Il est allé à la porte d'entrée, l'a fermée à double tour.

— T'es pas allé au travail, hier.

— Non. Les flics m'avaient offert l'une de leurs meilleures cellules, je n'ai pas pu refuser.

— Tu leur as dit que…

— Je n'ai rien dit.

— Pourquoi ils t'ont arrêté ?

— Ils me soupçonnaient.

— Pour la mort d'Omar.

— Oui, ai-je soufflé, décidant de ne faire aucune mention du mari de Yanna.

— Ils t'ont aussi parlé du type dont tu as baisé la femme ?

— Ils… Oui.

— Et tu leur as balancé M. Sezer et Mahmoud ?

— Bien sûr que non.

— Ils les ont arrêtés, mais toi, ils t'ont relâché… Pourquoi ?

— Je ne suis pas dans leur tête, mais en général ils ne gardent que ceux contre qui ils ont des preuves.

— Les preuves, c'est toi qui les as mises !

— Vous êtes fou.

— On sait que c'est toi !

— Pourquoi j'aurais…

— Parce que t'as tué Omar et agressé Nedim, voilà pourquoi ! Et tu as caché les armes des crimes chez Mahmoud.

— Mes empreintes n'étaient pas dessus, mais celles de Mahmoud, si.

— Ah ! Donc les flics t'ont dit qu'ils avaient arrêté M. Sezer et Mahmoud ?

— Pourquoi ses empreintes seraient sur les armes, si c'était moi qui les y avais laissées ?

— Il les a peut-être vues et il a voulu les cacher...

— Et il les aurait emportées encore pleines de sang ? Il les aurait jetées plutôt ? Mais peut-être qu'il n'a pas trop réfléchi aux conséquences. Peut-être que ce n'est pas une lumière, Mahmoud.

— Les flics les ont trouvées dans le placard situé sous le lavabo de sa chambre. Elles ont été déposées là et quelqu'un a averti la police.

— J'étais en garde à vue, à ce moment-là.

— Tu aurais pu le faire avant. Et tu leur as aussi raconté où tu travailles.

— Pas du tout.

— Menteur ! Ils ont fait une descente hier soir. Ils ont tout fouillé. Heureusement qu'on a eu un peu de temps pour nettoyer, après l'arrestation de M. Sezer et de Mahmoud.

— C'est vrai qu'ils se fabriquaient des bombes là-bas ? Et qu'on tournait des « snuff movies » ?

— Tu crois pas que tu as déjà assez d'ennuis pour continuer à poser des questions ?

— Quels ennuis ? J'ai tenu ma langue, j'ai pris mon poste tous les jours à minuit, je n'ai jamais cherché à savoir, je...

— Mais tu as vu...

— Je n'ai rien vu.

— Menteur !

— Pensez ce que vous voulez. Ce n'est pas moi qui ai envoyé la police là-bas. J'ai respecté toutes les conditions qu'on m'avait imposées. J'ai joué le jeu.

Il m'a lancé un long regard empreint de méfiance, puis :

— Tu retournes travailler, ce soir.

— Mais il n'y a plus rien à garder !

— C'est pas ton affaire.

— Les flics ont sûrement installé une planque, là-bas.

— Non, ils sont plus là. Ils ont fait ce qu'ils avaient à faire et ils sont partis.

— Vous leur avez graissé la patte, ou quoi ?

— Ils sont partis, point. Et toi, tu dois retourner bosser.

Si je refusais, il ne me laisserait pas m'en aller. Si j'acceptais, je risquais fort de ne pas ressortir vivant de mon « bureau ». Un frisson de fièvre m'a secoué, mais j'ai réussi à le surmonter.

— T'es malade ?

— Une cellule de prison, ce n'est pas l'idéal pour se reposer.

— Va chez toi, dors, et sois à ton poste à l'heure.

Il a ouvert la porte et m'a fait signe de déguerpir.

En chemin, je me suis dit qu'ils allaient me tuer. Il n'y avait pas d'autre issue. Ils attendaient simplement de passer à l'acte dans un endroit discret, là où il serait facile de me faire disparaître. Il ne me restait qu'une option : la fuite. Mais, auparavant, je devais aller chez Margit à l'heure habituelle. Il fallait que j'y aille, que je trouve le moyen de me convaincre que je n'étais pas complètement fou, que je découvre la vérité.

J'allais piquer un somme, boucler ma valise, me rendre rue Linné et, de là, filer gare du Nord et sauter dans le premier Eurostar pour Londres. Et après ? Aucune idée. L'essentiel était d'échapper à toute cette confusion. Recommencer à zéro.

En arrivant à ma chambre, cependant, une mauvaise surprise m'attendait : la porte que les flics avaient enfoncée hier ne tenait plus maintenant que sur ses gonds, et la petite pièce avait été mise à sac. Tiroirs vidés sur le sol, vêtements jetés un peu partout, certains déchirés, matelas ouvert au milieu, draps et duvet en boule dans un coin. Je suis resté un instant interdit avant de tomber à genoux devant le lavabo. Si le contenu du placard était par terre, l'auteur du saccage – ou de la fouille, plutôt – n'avait pas remarqué les carreaux décollés. Je les ai soulevés ; là, dans la cachette jadis utilisée par Adnan, mon argent était toujours réparti en trois liasses protégées par un sachet en plastique. J'ai compté les billets de vingt euros économisés chaque jour sur mon salaire. Deux mille huit cents euros.

Mon soulagement a été énorme, mais de courte durée : qu'était-il arrivé au CD sur lequel j'avais sauvegardé mon manuscrit. J'ai vidé la boîte de corn flakes dans lequel je l'avais caché mais il avait disparu.

Pas de panique. Il doit bien être quelque part...

Mais comment ne pas m'affoler ? J'ai dû passer près d'une demi-heure à inspecter chaque recoin de la pièce, à chercher dans mes vêtements, dans la literie. Pas de CD. Pourquoi avoir emporté le disque, et rien d'autre ? Ce n'est pas comme s'il contenait un code secret, ni quelque révélation susceptible d'ébranler les fondations de la doctrine chrétienne. Il n'y avait qu'une copie de mon roman, à laquelle j'étais bien le seul à accorder la moindre valeur.

Peut-être le geste de dépit d'un voleur qui n'a rien trouvé d'autre à empocher ? Ou alors des hommes de main de Sezer étaient au courant que j'écrivais la nuit. De cette manière, ils pensent me « tenir » encore plus, en s'emparant de la seule sauvegarde de mon manuscrit...

Mais ce n'était pas l'unique copie. J'avais dissimulé un autre CD dans une fissure au-dessus de la « porte de secours », à mon travail. Si je voulais le récupérer, cependant, j'étais obligé de retourner là-bas, ce qui était impossible. Et mon ordinateur portable restait entre les mains de la police parisienne. Fuir la France et abandonner derrière moi le fruit de quatre mois de travail ? Je me trouvais face à un dilemme. Et toutes ces nuits blanches passées dans un cagibi insalubre devenaient encore plus absurdes. Je n'avais rien d'autre dans ma vie que ce damné manuscrit. Je ne pouvais pas, je ne voulais pas partir sans lui...

La fièvre montait à chaque instant, j'étais perclus de courbatures, mais je ne pouvais capituler devant l'épuisement. Ils étaient capables de revenir à tout moment, et je finirais alors comme ce qui avait été mon modeste chez-moi : en morceaux. Je me suis forcé à me remettre debout. Ayant attrapé ma valise, j'ai jeté dedans les quelques vêtements qui n'avaient pas été déchirés, ma brosse à dents, un tube de dentifrice, le savon, un flacon de shampooing, mon petit poste de radio, qui avait été salement cabossé en tombant par terre mais qui fonctionnait encore. Ensuite, j'ai réparti l'argent dans les poches de mon blouson, j'ai repoussé la porte cassée derrière moi, et je me suis engagé dans les escaliers avec une seule idée : « C'est fini, tu ne reviendras plus jamais ici. »

La rue de Paradis m'a semblé ne rien présenter de suspect. Tirant ma valise à roulettes, je suis parvenu au commissariat du Xᵉ arrondissement. J'ai demandé l'inspecteur Coutard au flic de l'accueil, qui m'a annoncé qu'il n'était pas dans les locaux. L'inspecteur Leclerc, alors ? Il a décroché son téléphone en me montrant une chaise du menton. Leclerc a surgi dix minutes plus tard. Son regard est tout de suite tombé sur mon bagage.

— Vous avez décidé de venir vous installer chez nous ?

— Très drôle.

— Alors, vous vous disposez à quitter Paris ?

— Un petit changement d'air à Londres, oui. Mais j'ai besoin de mon ordinateur portable.

— Quel ordinateur ?

— Celui que vous m'avez confisqué quand vous avez fait votre descente dans l'immeuble du…

— Ce n'est pas moi qui suis responsable de cette enquête mais l'inspecteur Coutard. C'est à lui qu'il faut vous adresser.

— Mais il n'est pas là !

— Revenez demain.

Derrière lui, le flic de l'accueil est intervenu :

— Non, il a pris quatre jours de congé.

— Ça alors ! s'est exclamé Leclerc. Tu crois qu'il me l'aurait dit !

— Vous ne pouvez pas récupérer mon portable, vous ? ai-je insisté.

— Non, impossible. Pas sans l'accord de l'inspecteur en charge de l'enquête.

— Et il n'est pas possible de le joindre sur son téléphone mobile ?

— Alors qu'il est en congé ? C'est exclu. En plus, il vous répondrait la même chose : si c'est une pièce à conviction, nous devons la garder tant que le dossier n'est pas classé.

— Je pourrais au moins copier un fichier qui est dessus ?

— Ce serait modifier une pièce à conviction.

— Mais ce n'est que mon roman !

— Votre roman est peut-être une pièce à conviction.

— En quoi ?

— Ce n'est pas mon enquête, je vous le répète.

— J'ai besoin d'une copie pour continuer à travailler sur ce manuscrit.

— Quoi, vous n'en aviez pas fait une ?

— Je... Je l'ai perdue.

Inutile de lui raconter ce qui était arrivé dans ma chambre. Cela risquait de provoquer plus de questions, avec pour résultat un séjour rallongé à Paris, le temps de clarifier ce nouvel élément.

— C'est regrettable. Mais j'aurais pensé qu'un « véritable » écrivain ferait plusieurs copies pour sauvegarder son travail.

— Je ne suis qu'un amateur à la con.

— Pas la peine de vous fâcher. En plus, vous m'avez l'air sacrément mal fichu. Vous feriez mieux d'aller vous reposer. Soyez déjà content qu'on vous ait rendu votre passeport, et laissé repartir avant la fin des soixante-douze heures légales de garde à vue.

— Vous pourriez rester à côté de moi pendant que je fais une copie.

— On ne « touche » pas aux pièces à conviction.

— Ce roman, c'est ma vie !

— Dans ce cas, je ne comprends pas que vous n'ayez pas sauvegardé votre « vie » plusieurs fois.

Il a tourné les talons pour regagner son bureau. Je me suis affaissé sur la chaise, vidé. Le planton m'a lancé un regard noir.

— Si vous avez fini, monsieur, il faut vous en aller.

— OK, OK. – Je me suis remis debout. – Je peux laisser ma valise ici quelques heures ?

Il m'a observé comme si j'étais bon pour l'asile.

— C'est pas une consigne de gare ici.

— Désolé, désolé…

Une fois dehors, j'ai consulté ma montre. Treize heures vingt-trois. Trois heures et demie avant de pouvoir franchir à nouveau le seuil de l'appartement de la rue Linné. Où aller, d'ici là ? J'ai marché un moment, indécis. Lorsque j'ai relevé la tête, mon regard s'est arrêté sur l'enseigne d'un petit hôtel, Le Normandie. Une seule étoile sur la petite plaque bleue. La réception était une sorte de couloir éclairé par des néons, à la peinture tout écaillée. J'ai fait tinter la sonnette sur le comptoir. Une fois, deux fois, trois fois. Finalement, un vieil Africain est apparu en se frottant les yeux.

— Je voudrais une chambre, s'il vous plaît.

— À partir de trois heures.

— Est-ce que je pourrais…

— Trois heures, monsieur.

— Je ne me sens pas bien, il faut que je me repose.

Il m'a considéré un instant, sans doute pour voir si j'étais honnête ou si je jouais la comédie.

— Combien de nuits ?

— Une seule.

— Avec douche ?

— S'il vous plaît.

Il a posé sur le comptoir une boîte pleine de clés, en a extrait une qui portait une pastille en bois marquée du numéro sept.

— Quarante-cinq euros. Il faut payer maintenant. – Je lui ai tendu la somme. – Deuxième étage, à droite.

— Merci.

301

La chambre était atroce, mais je m'en moquais. J'avais trouvé un abri. J'ai enfin pu quitter mes vêtements sales. Après m'être lavé sous le mince filet d'eau que laissait filtrer la pomme de douche, je me suis essuyé avec l'unique petite serviette, très étonné qu'elle soit propre. J'ai mis l'alarme sur mon radio-réveil pour deux heures plus tard. Dès que je me suis couché entre les draps, ils ont été trempés de sueur. Je claquais des dents en m'accrochant à l'oreiller comme s'il s'était agi d'une bouée de sauvetage. À quinze heures quarante-cinq, France Musique m'a réveillé avec la *Symphonie fantastique* de Berlioz. Une nouvelle douche. Des habits propres. J'étais encore moulu de fatigue mais la fièvre était tombée. J'ai enfilé mon blouson, tâtant les billets et mon passeport dans mes poches. Une voix a susurré dans ma tête : « Allez, dégage ! Tu arriveras bien à récupérer ton ordinateur, ils te l'enverront. À quoi bon insister, avec cette histoire de Margit ? Mets ça sur le compte de… » Sur le compte de quoi ? De la démence ? D'un état somnambulique que j'aurais subi pendant quatre mois ? « Appelle ça comme tu veux, mais pars. Pars, pendant que tu as encore un peu d'avance. » Oui, dès que j'aurai eu une explication avec elle, dès que j'aurai appris ce que je dois savoir. « Et qu'est-ce que tu "dois savoir", exactement ? » Si je suis fou ou pas. « Pas de commentaire. »

En quelques minutes, je me suis retrouvé boulevard Sébastopol. J'ai pilé devant un cybercafé. Seize heures dix-sept. J'avais juste le temps de surfer un peu sur Internet avant d'attraper un métro. Il fallait que je consulte en ligne les journaux de l'Ohio, voir ce que je pourrais glaner sur la chute de mon ennemi juré. Mais d'abord ma boîte e-mail. Il n'y avait qu'un message, envoyé par mon collègue, Doug Stanley. Il me décrivait le scandale qui s'était abattu sur le doyen quand un informaticien venu réparer son disque dur à son domicile était tombé sur quelque deux mille photos de pornographie pédophile. Le technicien avait alerté l'université, qui avait appelé les flics, qui avaient prévenu le FBI, et

Robson était désormais incarcéré dans une prison fédérale de Cleveland, où il essayait en vain de réunir la caution de un million de dollars exigée pour sa mise en liberté provisoire. Ses protestations d'innocence n'avaient servi à rien, les enquêteurs ayant la certitude qu'il avait lui-même téléchargé ce matériel.

« Il est dans le pétrin absolu, du genre dont on ne peut pas se sortir, écrivait Doug. Il a été exclu de la fac, la presse rapporte qu'il est sous surveillance permanente, parce qu'ils ont peur qu'il ne tente de se suicider. Le procureur a crié sur tous les toits qu'il voulait "faire un exemple" d'un homme qui, vu ses fonctions, aurait dû être, encore plus qu'un autre, d'une moralité et d'une probité à toute épreuve. Il comptait demander une peine d'au moins vingt ans d'emprisonnement puisqu'il était prouvé que Robson avait distribué et vendu ces photos... C'est dingue ! Et c'est aussi la preuve qu'on ne peut jamais savoir ce qui se passe dans la tête des gens. »

Au-delà du choc personnel, les retombées affectant Susan étaient gigantesques, elles aussi. Sur le même ordinateur, les enquêteurs avaient retrouvé un échange d'e-mails torrides datant de bien avant mes propres déboires. Devant ce nouveau scandale aussitôt relayé par la presse, l'administration avait décidé de suspendre mon ex-femme, et de ne plus la payer, jusqu'à ce que les conditions de sa titularisation soient éclaircies, pour le cas où sa relation avec le doyen aurait influé sur cette décision.

« J'ai appelé Susan hier soir, me racontait Doug. Elle est au trente-sixième dessous. À cause de Robson, évidemment, et parce qu'elle est certaine qu'elle va se faire limoger. Elle est aussi très inquiète au sujet de Megan, et de leur avenir matériel, car l'enseignement risque de lui être interdit à vie. Je dois aller la voir cet après-midi. Je te donnerai des nouvelles, mais je ne te cache pas que je trouve son état psychologique préoccupant. Chez les collègues, c'est stupeur et consternation. Nombreux sont ceux qui m'ont dit qu'ils regrettaient de ne pas avoir pris ta défense, puisqu'il apparaît de plus en plus clairement que les attaques de Robson contre toi visaient surtout à lui déblayer le terrain pour "avoir" Susan. Je dois te dire aussi que, à un e-mail de Robson qui lui faisait part de sa décision de révéler publiquement ta liaison avec Shelley, ta femme lui a répondu : "Finissons-le." Bref, désolé de t'infliger tout ça mais je me suis dit qu'il valait mieux que tu l'apprennes d'un ami, plutôt que par la presse à scandale. » Et il terminait en me disant que j'avais « de la chance » d'être loin de « ce *Peyton Place* version cradingue ».

Je suis resté un moment penché sur le clavier, accablé. Malgré tous les coups bas que j'avais pu endurer de mon ex-femme, et ce commentaire que m'avait révélé Doug, je ne pouvais m'empêcher de me faire du souci pour elle, maintenant. Pour elle, et pour notre fille.

Mais il était tard. Après m'être déconnecté et avoir réglé ma cession, je suis ressorti et j'ai décidé de prendre un taxi, puisque la circulation paraissait assez fluide. Le trajet nous a pris un peu plus de vingt minutes. Seize heures quarante-huit devant la porte cochère, j'ai pris ma respiration. Il fallait y aller. J'ai poussé la porte et je suis entré dans l'immeuble.

Alors que j'inspectais la cour pavée, j'ai eu un coup au cœur : derrière la grande baie vitrée de la loge du concierge, le vieux avec qui je m'étais accroché la veille avait les yeux fixés sur moi, mais… c'était comme s'il ne me voyait pas. Je suis allé à sa fenêtre, que j'ai tapotée à trois ou quatre reprises. Effondré sur sa chaise, il n'a pas réagi. Son visage était sans expression. Catatonique. J'ai ouvert sa porte, fait quelques pas et, après plusieurs secondes d'hésitation, posé la main sur son épaule. Il était chaud, mais sans aucune réaction.

— Hé ? Vous m'entendez ?

Il a conservé une immobilité totale. Un frisson glacé m'a couru le long de l'échine. J'ai reculé pas à pas. *Va-t'en, va-t'en tout de suite, n'insiste pas.* Je suis retourné vers la porte cochère, j'ai tenté de l'ouvrir, en vain. Elle semblait ver-rouillée. *Tu ne peux pas l'ouvrir parce que tu ne peux pas par-tir.* Non, il fallait monter voir, il le fallait… Je n'avais plus le choix.

En montant les étages, j'ai essayé de frapper à plusieurs portes. Personne n'a répondu. D'ailleurs, avais-je jamais entendu ou croisé des voisins, à chacune de mes visites ? Avais-je capté le moindre signe de vie ? À part… Dès que je suis arrivé sur le palier, sa porte s'est ouverte. Elle portait son négligé en dentelle noire, et un sourire sardonique flot-tait sur ses lèvres.

— Ne t'avais-je pas dit qu'il ne fallait venir ici qu'à l'heure de notre rendez-vous, Harry ?

Sa voix était calme, sereine. Je me suis approché d'elle sans répondre. Son sourire s'est élargi. Je l'ai prise par la taille, l'embrassant à pleine bouche.

— Tu as l'air réelle, au goût.

— Vraiment ? – Elle m'a attiré à l'intérieur. Soudain, elle a pris ma main et l'a coincée entre ses cuisses. – Et au toucher ?

J'ai enfoncé un doigt en elle. Elle a poussé un petit gémis-sement.

— On dirait, oui.

Mon autre main est allée dans ses cheveux. J'ai déposé un baiser sur sa nuque.

— Oui, mais il y a quand même une grande différence entre nous, Harry.

— Laquelle ?

Elle m'a repoussé brutalement en arrière. Quelque chose de brillant qui ressemblait à un rasoir et qu'elle tenait entre ses doigts a fendu les airs, et j'ai éprouvé une intense dou-leur à la main.

J'ai baissé des yeux incrédules sur la plaie, d'où le sang avait jailli en abondance.

— Merde… !

— La différence, c'est que…

Encore un éclair. Cette fois, elle a passé la lame en travers de sa gorge. J'ai poussé un cri horrifié, et puis je suis resté à la regarder, confondu : c'était comme si le rasoir s'était enfoncé dans de la mousse.

— Tu comprends, Harry ?

Cette fois, elle a cisaillé son poignet gauche de plusieurs coups décidés. Là encore, je n'ai pas vu de blessure.

— La différence, c'est que tu saignes, et moi pas.

19

— ALORS, QU'EST-CE QUE TU VEUX SAVOIR ? a-t-elle demandé.

— Tout.

— « Tout » ! – Elle a eu un rire bref. Comme si on pouvait tout expliquer.

— Est-ce que tu es... morte ?

— Prends un autre verre, Harry.

Elle a poussé la bouteille de scotch devant moi.

— Rien à foutre de ton whisky ! Est-ce que tu es morte ?

Nous étions assis sur son canapé. Quelques minutes s'étaient écoulées depuis l'épisode du rasoir. J'avais la main bandée. Elle avait insisté pour jouer les infirmières juste après s'être tailladé la gorge devant moi. J'étais tellement hébété, à la fois par la douleur et par la stupéfaction, que je l'avais laissée m'installer sur le sofa, me verser une rasade de scotch que j'avais vidée d'un coup et soigner la main qu'elle venait de blesser sans la moindre hésitation.

— Tu as mal ?

Elle a rempli mon verre, que j'ai avalé cul sec, sans penser que l'alcool allait amoindrir l'effet des antibiotiques que je prenais.

— Évidemment.

— Je ne pense pas avoir touché un seul tendon, a-t-elle estimé en vérifiant la mobilité de mes doigts.

— Ravi de l'entendre. Est-ce que tu es morte ?

Troisième rasade de whisky que j'ai bue.

— Qu'est-ce que t'a dit la police ?

— Que tu as massacré Dupré à coups de couteau, et que tu as laissé une note : « Pour Judit et Zoltan. » C'est vrai ?

— Oui.

— Que tu t'es enfuie en Hongrie, où tu as fini par retrouver ces deux types, Bodo et Lovas.

— Exact.

— Ils m'ont montré les rapports de la police hongroise. Tu les as mutilés avant de les tuer.

— Correct.

— Tu leur as coupé les doigts et crevé les yeux.

— Pas les yeux de Lovas, non, parce que je n'en ai pas eu le temps. Mais les doigts, en effet. Et j'ai aveuglé Bodo avant de lui couper la gorge.

— Tu es folle...

— J'« étais » folle. Folle de chagrin, folle de rage. Assoiffée de vengeance. Je me suis dit que si je supprimais ces trois hommes, ceux qui avaient détruit les êtres les plus importants dans ma vie, j'arrêterais d'être consumée par cette fureur.

— Mais tu ne t'es pas contentée de les tuer. Tu t'es livrée à... une boucherie.

— Exact, encore. Une boucherie préméditée. Méticuleusement planifiée et préparée. J'étais déterminée à leur faire payer tout ce mal.

— Mais leur couper les doigts...

— Dupré n'a pas subi ça, lui. Je l'ai frappé plusieurs fois aux bras et au ventre, en le forçant à me regarder pendant que je lui expliquais ce qu'il avait fait de ma vie, avant de lui plonger le couteau dans le cœur, puis de l'égorger.

— Et après une scène pareille, tu as pris une douche, bu du café, écrit ton message, et tu es partie en laissant tes vêtements sur place.

— Si tu avais vu dans quel état ils étaient ! Oui, et le reste était prévu. En arrivant gare de l'Est, j'ai pris une couchette de première, pour être tranquille. Je me rappelle avoir donné mon passeport au contrôleur, avec un gros pourboire, en lui disant que je ne voulais être réveillée ni à la frontière allemande ni à la frontière autrichienne. Je me suis déshabillée et j'ai dormi au moins huit heures d'affilée, jusqu'à ce que le train parvienne aux environs de Stuttgart...

— Tu as pu dormir tranquillement après avoir assassiné un homme ?

— J'étais restée éveillée toute la nuit. Et l'expérience avait été... épuisante, oui.

— Est-ce que tu t'es sentie, comment dire, soulagée, après l'avoir tué ?

— Une sorte de torpeur égarée, plutôt. Depuis que j'avais pris ma décision, je fonctionnais comme un automate : « Tu fais ça, puis ça, et ensuite... » Tout était inscrit point par point dans ma tête.

— Y compris ton suicide ?

— Non. Ça n'était pas au programme.

— Donc tu es bien morte ?

— Je vais y venir. Mais d'abord, je veux te parler de Bodo et de Lovas.

— Je ne veux pas savoir comment tu les as torturés...

— Mais si. Et tu n'as pas le choix. Autrement, tu n'auras pas la réponse que tu attends.

J'ai attrapé la bouteille de scotch avec ma main valide, j'ai rempli mon verre à moitié, je l'ai vidé, avant de dire :

— Raconte-moi, alors.

— Quelques semaines avant de passer à l'acte, j'ai contacté un ami de Budapest, quelqu'un qui avait pris part au mouvement des samizdats des années cinquante, comme mon père. Il avait fait de la prison, puis il avait été « réhabilité », selon l'expression consacrée, mais il avait tellement été torturé pendant sa « rééducation » qu'il n'arrivait plus à marcher. Je l'avais rencontré en 1974, lors de mon seul voyage en Hongrie, juste après avoir obtenu la nationalité française. Le besoin de revoir ces lieux avec des yeux d'adulte, certainement… Et je suis allée chez lui, on a bavardé en prenant le thé. Comme il était certain que son appartement était sur écoute, il m'a proposé de le pousser sur son fauteuil roulant jusqu'à un jardin public près de chez lui. Là, je lui ai demandé s'il pourrait m'aider à retrouver les deux hommes qui avaient tué mon père devant moi. Il m'a répondu : « C'est un petit pays, on peut y retrouver n'importe qui. Mais es-tu certaine de le vouloir ? » J'ai dit : « Pas aujourd'hui, mais un jour, peut-être. » Il m'a expliqué que je n'aurais qu'à lui envoyer une carte, quand je serais prête avec ces quelques mots : « J'aimerais rencontrer vos amis. »

» Six ans plus tard, j'étais décidée à régler mes comptes, et je lui ai envoyé la lettre. Il m'a répondu que « ses » amis étaient bien vivants et habitaient Budapest. Après avoir liquidé Dupré, je suis arrivée en Hongrie et je suis allée directement chez mon contact. Il avait beaucoup vieilli, il était devenu pratiquement impotent, mais il a souri en me voyant. Dans le jardin, il m'a donné un bout de papier, avec l'adresse des deux assassins. Il m'a demandé : « Tu as besoin de quelque chose d'autre ? – Un revolver ou un fusil. – Pas de pro blème. » De retour chez lui, il m'a envoyée dans une remise au grenier, où j'ai trouvé une vieille carabine dont son père se servait pour aller chasser, du temps de Charles IV… Il m'a même procuré une scie pour que je raccourcisse le canon. Avant que je ne m'en aille, il m'a attirée contre lui et il m'a chuchoté à l'oreille : « J'espère que tu les tueras len- tement, très lentement… »

» Je suis passée à l'hôtel où j'avais réservé. Ensuite, j'ai acheté un rasoir de barbier chez un apothicaire, puis du ruban adhésif dans une droguerie, et je suis partie pour l'adresse de Lovas, sur les hauteurs de Buda. Je me suis assurée qu'il vivait seul. Après, je suis allée à Pest, jusqu'au bloc d'immeubles modernes, très laids, où Bodo habitait. Il m'a ouvert la porte lui-même. Soixante-dix ans ou plus, en robe de chambre, une cigarette au bec et la respiration sif- flante. Je me suis lancée dans une histoire selon laquelle je menais une enquête pour le compte du Comité du Parti pour les retraités. Il a ricané : « Hé, si vous voulez vous faire une idée des difficultés que connaissent les retraités, vous avez frappé à la bonne porte ! » Je ne m'étais pas attendue à ce que ce soit aussi facile. Il m'a conduite dans une vilaine petite cuisine qui sentait le tabac froid et la mauvaise gnôle. Il m'a demandé mon nom, je le lui ai dit.

» — Ah, Kádár comme notre premier secrétaire ?

» — Non. Kádár comme Miklós Kádár. Vous vous souvenez de lui, n'est-ce pas ?

» — Je suis vieux, j'ai fait plein de choses dans ma vie. Je ne peux pas me souvenir de tout.

» — Mais Miklós Kádár devrait avoir une place particulière dans votre mémoire. Quelqu'un que vous avez pendu sous les yeux de sa fille, une enfant... – J'ai ouvert le sac que j'avais avec moi. J'ai sorti ma carabine à canon scié. Il a sursauté, mais j'ai posé un doigt sur mes lèvres et il s'est tu. – Vous devez certainement vous rappeler cette petite fille, non ? Margit. Vous avez ordonné à l'une de vos brutes de la forcer à regarder.

» Il a fait celui qui ne comprenait pas. Je lui ai donné un coup de crosse sur la tempe, en le prévenant que s'il ne disait pas la vérité j'allais le tuer sur-le-champ. Il a commencé à pleurnicher, à supplier, à geindre qu'il avait seulement « obéi aux ordres ». Je lui ai répondu que les autorités avaient essayé de se racheter auprès de ma mère et de moi, ensuite, qu'elles nous avaient laissées partir. Et que les « ordres » ne prévoyaient sans doute pas d'obliger une fille de neuf ans à assister à l'exécution de son père. Qu'il était seul responsable de cette barbarie, de cette image qui était restée à jamais en moi.

» — Vous avez raison ! a-t-il crié. Mais c'était une époque tellement dure, tellement...

» Je l'ai encore frappé. Je lui ai dit de poser ses mains à plat sur la table de la cuisine. Il a obéi sans broncher, cet idiot... Il aurait pu essayer de s'enfuir lorsque j'ai dû poser l'arme pour lui scotcher les poignets, l'attacher à sa chaise. Quand j'ai terminé, je lui ai dit :

» — Vous osez me parler de la dureté de cette époque : vous êtes de ceux qui l'ont rendue si terrible. Vous étiez au service d'un régime monstrueux, contre lequel mon père a eu le courage d'élever la voix. Et vous avez contraint sa fille à le regarder se débattre, étouffer... Comment pouvez-vous justifier ça ? Comment ?

» Il ne m'a pas répondu. Il pleurait, rien d'autre. En y repensant bien après, je me suis dit que ce n'était pas seulement mon arme qui l'avait dissuadé de résister, qu'il se rendait compte que son crime était si barbare qu'il méritait le plus horrible des châtiments.

— Mais ce que tu as fait... ce n'était pas « barbare », aussi ?

— Bien sûr que si. Et je l'ai prévenu. Après lui avoir scotché la bouche, je lui ai dit : « Et maintenant, vous allez regretter que je ne vous aie pas tué tout de suite. » J'ai sorti le coupe-chou, je l'ai ouvert et j'ai commencé par le pouce droit. Ce n'est pas facile, de trancher un doigt. Il faut s'escrimer sur l'os, sur les tendons...

— Assez.

— Je te l'ai dit, Harry : si tu n'écoutes pas mon histoire jusqu'au bout, tu ne sauras pas la vérité.

— La « vérité » ? Tu voudrais me faire croire qu'il y a une vérité, dans tout ça ?

— Où te trouves-tu à cet instant, Harry ? Dans un rêve ?

— Je... Je ne sais plus, bordel !

— Dans un rêve, on peut te blesser la main, mais elle ne saignera pas. Non, tout cela est bien réel. Simplement, c'est une autre forme de réalité. Et maintenant, tu vas me laisser termi...

— Tu es folle, tu sais ça ?

— Pour avoir coupé tous les doigts de Bodo ? Oh oui, certainement, j'étais malade. Ses hurlements étaient audibles malgré le ruban adhésif. Mais j'ai continué, très méthodique-

312

ment. La main droite, une pause, la gauche… Puis je me suis occupé des yeux. Le rapport de police est faux, d'ailleurs : je ne les ai pas arrachés, je me suis contentée de donner un coup de rasoir dessus. Tu te rappelles la scène d'*Un chien andalou*, de Buñuel ? Lorsque cette femme a les yeux crevés d'un coup de rasoir ? C'était à peu près ça. Tu peux penser que j'étais « malade » d'être allée jusque-là, mais tu peux aussi comprendre la folie qui s'empare de quelqu'un quand…

— N'essaie pas de justifier ça ! N'essaie pas.

— Je ne justifie rien, Harry. Je me contente de te raconter ce qui s'est passé.

— Est-ce que ça a réglé quoi que ce soit ? Est-ce que tu as mieux accepté la mort de ton père, après une abomination pareille ?

— Ce n'est pas comme ça que je raisonnais. Tout ce que j'arrivais à penser, c'était : « Fais ce que tu as à faire, soigneusement, jusqu'au bout, et ensuite disparais de ce pays maudit. » Après l'avoir aveuglé, je lui ai entaillé la gorge. Juste un peu, pour qu'il se vide lentement de son sang. Ça gargouillait dur, dans sa bouche, dans son nez. Il s'étouffait dans son propre sang. J'ai suivi le même protocole que pour Dupré. J'avais une tenue de rechange dans mon sac, j'ai pris une douche, je me suis changée, mais là j'ai veillé à ne laisser aucune trace. En France, je voulais que tout le monde sache que c'était moi. Et en Hongrie aussi, mais seulement quand j'aurais passé la frontière.

» Je suis retournée à Buda. En chemin, je me suis arrêtée pour acheter quatre nouveaux rouleaux de ruban adhésif. Chez Lovas, j'ai utilisé le même stratagème. D'abord, il n'a pas voulu m'ouvrir. « Je ne veux voir personne ! » Mais je lui ai dit que j'avais un cadeau de la part du Comité pour les retraités, et il est tombé dans le piège, lui aussi. En voyant la carabine, il s'est mis à crier. Et à crier encore plus quand je l'ai frappé. J'ai dû l'assommer. Je l'ai attaché et bâillonné, comme Bodo, mais, au moment où j'allais me mettre au travail, on a tapé à la porte. Une voisine avait dû l'entendre beugler parce qu'elle répétait : « Camarade Lovas, tout va bien ? » Si j'avais été raisonnable, je l'aurais égorgé tout de suite, et je serais partie par la fenêtre de la cuisine, puisque l'appartement était au rez-de-chaussée. Mais je ne l'étais pas. J'étais enragée. Au point de me convaincre qu'il était impossible de m'en aller avant de lui avoir coupé les doigts et crevé les yeux, comme à l'autre. J'avais dû mal coller le ruban sur sa bouche, parce qu'il a réussi à hurler très distinctement au moment où j'attaquais l'index droit. La voisine a entendu. Elle a crié qu'elle appelait la police. Je me suis entêtée. J'ai poursuivi mon travail.

— Tu voulais qu'ils t'arrêtent.

— Je ne sais pas vraiment ce que je voulais. Dans un état de démence pareil, on est au-delà de la logique. On pense : « Encore ce doigt, et après… »

— Seigneur…

Margit a souri, allumé une cigarette.

— La suite est encore pire. La police est arrivée, ils ont tambouriné à la porte. Je me suis dépêchée de couper le reste des doigts. Maintenant, c'était des coups sourds qui ébranlaient tout l'appartement : ils se servaient d'un bélier. Au moment où la porte a cédé, j'ai attrapé Lovas par les cheveux, je lui ai tiré la tête en arrière et je lui ai tranché la jugulaire. Et puis, sous les yeux horrifiés des policiers, j'ai passé le rasoir sur ma gorge.

— Et… ?

— Eh bien, j'ai échappé à la prison, à un procès et probablement à la peine capitale, prononcée par un système que j'aborrhais.

— En mourant ?

— Mais oui. En mourant.

Silence. Elle a continué à tirer sur sa cigarette.

— Et ensuite ?

— Ensuite ? La mort, c'est la mort.

— Ce qui signifie ?

— Je n'ai plus existé sous une forme mortelle.

— Mais après ? Après ta mort ? Que s'est-il passé ?

Elle a souri, à nouveau. Elle a tiré encore une fois sur sa cigarette.

— Ça, je ne peux pas le dire.

— Pourquoi ?

— Parce que… je ne peux pas.

— Les flics m'ont montré ton certificat de décès. Toi-même, tu viens de confirmer tous les événements dont ils m'ont parlé. Tu es morte, donc… Pourquoi es-tu ici ?

— Parce que.

— Mais ça n'a pas de sens, enfin ! Comment puis-je te croire quand je sais que ce que tu me dis est impossible ?

— Pas de sens… Depuis quand la mort a-t-elle un sens, Harry ?

— Mais tu es passée de l'autre côté, toi… Tu « sais » !

Encore un petit sourire.

— Oui. Et je ne dirai rien.

— Tu dois me dire…

— Non, je n'ai aucune obligation. Et je ne te dirai rien. Pas plus que je ne dois expliquer mes interventions en ta faveur.

— En « ma faveur » ? Ah, décidément tu es folle à lier !

— Pense ce que tu veux, très cher. Mais c'est indéniable : tous ceux qui t'ont fait du tort, récemment, ont été punis. Exact ?

— Quoi ? Tu veux dire que tu as renversé Brasseur devant son hôtel ?

— Mais oui.

— Comment ?

— Comment on fait pour renverser quelqu'un, d'habitude ? J'ai emprunté une voiture dans la rue. Une Mercedes Classe C. Pas le meilleur modèle de la marque, à mon avis, mais avec tout de même pas mal de puissance sous le capot. J'ai attendu qu'il sorte du Select. Dès que je l'ai vu, j'ai appuyé sur l'accélérateur, et voilà.

315

— Il a dit à la police qu'il avait l'impression que c'était une femme qui conduisait.

Encore un petit sourire.

— Et tu as surpris Omar aux toilettes ?

— Tu avais raison, sur son compte. Sa merde puait vraiment. Tu veux connaître un petit secret révoltant ? Il venait de commencer à se torcher, sa main était pleine de merde... Vraiment répugnant, ce type. Et j'ai bien vu comment il te menaçait, dans quel état il laissait les W-C.

— Tu as « vu » ? Comment ?

Elle a écrasé sa cigarette pour en rallumer aussitôt une autre.

— Tu sais ce que j'aime le plus, dans le fait d'être morte ? Pouvoir fumer sans culpabilité.

— Mais même morte, tu as continué à vieillir, comme nous tous...

— Oui, c'est plutôt paradoxal, non ? Mais c'est comme ça. Pour moi, en tout cas.

— Et pour les autres ?

— Tu n'as qu'à leur demander.

— Donc, tu n'es pas allé au paradis, quand tu t'es...

— ... suicidée ? Pas exactement, non.

— Alors où ? En enfer ?

— Eh bien... nulle part. Et puis je suis revenue ici. Avec dix ans de plus, mais l'appartement était toujours là.

— Qui a payé les factures ?

— Avant de partir pour la Hongrie, j'ai chargé mon avocat d'établir un plan d'épargne avec l'argent que j'avais reçu de Dupré. Je n'ai pas fait de testament, mais je me suis assurée que personne ne pourrait vendre l'appartement après moi. Tu vois, je savais que j'allais partir pour Budapest et que j'allais devoir disparaître pendant un long moment...

— Donc, te suicider n'était pas dans tes plans ?

— Non. Pas jusqu'à ce que la police surgisse dans l'appartement. Là, j'ai agi sur une simple impulsion. Mais, comme je te l'ai dit, je n'avais pas toute ma raison, à ce moment-là.

— Et maintenant, tu l'as ? Toi qui défonces le crâne de quelqu'un à coups de batte de base-ball ?

— Il battait sa femme comme plâtre. Et il a menacé de te tuer.

— Ça n'a jamais été prouvé.

— Je l'ai entendu, moi.

— Quand ?

— À son bar. Il ne savait pas que j'étais là.

— Et Robson ?

— Je t'ai demandé d'imaginer le pire qui pourrait lui arriver. C'est toi qui l'as dit, pas moi.

— Je ne pensais pas que tu allais télécharger du matériel pédophile sur son ordinateur.

— Mais c'est bien ce que tu voulais, Harry. Un type qui a démoli ton existence. Cette punition m'a paru, disons, appropriée. Sa vie à lui aussi est en morceaux maintenant. Et il va mettre fin à ses jours dans peu de temps. En prison.

— Tu veux dire que… tu vas le forcer à faire ça ?

Margit a eu un rire amusé.

— Je ne suis pas un esprit malfaisant qui colonise les âmes et oblige les gens à faire quoi que ce soit.

— Non. Tu es le genre succube.

— Un succube fornique avec des hommes pendant qu'ils dorment. Toi, Harry, tu es plutôt réveillé, non ?

— Alors tout ça, c'est… « quoi », en fait ? Quand je suis venu ici hier, l'appartement était couvert de poussière, le concierge a réagi comme si j'étais un fou dangereux. Il a clamé sur tous les tons que l'appartement est inhabité depuis des années.

— Tu n'es pas fou, non. Quand tu me rends visite tous les trois jours, c'est « ici » que tu entres.

— Qu'est-ce que c'est, « ici » ? Et tous les gens qui vivent dans cet immeuble, qu'est-ce qu'ils en pensent ? Qu'est-ce qu'ils savent ? Sont-ils sous hypnose comme le concierge ?

317

— Pense ce que tu veux.

— Je ne pige toujours pas. Pourquoi tous les trois jours, seulement ? Pourquoi juste quelques heures ?

— C'est tout ce que je peux donner... ou tout ce que je peux prendre. Je tiens à ça, à notre petite aventure. Mais à mes conditions seulement. C'est pour cette raison que je limite nos rendez-vous.

— Parce que tu n'es pas autorisée à aller au-delà ?

— Personne ne me dicte quoi que ce soit. Personne.

— Donc c'est toi qui décides d'aller traîner tous les dimanches soir sur le balcon d'une Américaine qui se pique de mondanités parisiennes pour ramasser des abrutis comme moi.

— Tu n'as été que le deuxième que j'ai « ramassé » là-bas.

— Le premier, c'était qui ?

— Un Allemand. Horst. Je l'ai connu en mai quatre-vingt-onze. Je venais juste de « réémerger », si je peux dire ça comme ça. Je revisitais des endroits que j'avais connus par le passé. Quand j'ai débarqué à Paris, onze ans après ma mort, je me suis dit qu'il serait peut-être intéressant d'aller traîner sur le balcon de Lorraine L'Herbert. Tenter ma chance, quoi. Des semaines ont passé avant que ce Horst ne me voie. La quarantaine, récemment divorcé, seul à Paris, triste... Un peu comme toi. On a bavardé, il est venu me rendre visite à l'heure dite. On a fait l'amour, bu du whisky, fumé quelques cigarettes. Il m'a raconté l'histoire de sa femme partie avec un autre homme, ses rêves de devenir peintre qui n'avaient abouti nulle part, son travail de professeur de dessin qui l'ennuyait à mourir, et ainsi de suite. Nos vies sont tout à la fois uniques et désespérément identiques, tu ne crois pas ? À huit heures, je lui ai dit qu'il devait s'en aller, mais qu'il serait le bienvenu trois jours plus tard. Il n'est jamais revenu. Après, je suis retournée de temps à autre sur le balcon de la rue Soufflot, avec l'espoir que quelqu'un finirait par me voir. Il n'y a eu personne pendant des années. Jusqu'à toi, Harry. Tu m'as vue... parce que tu le voulais.

318

— Ça n'a pas de sens…

— Arrête de parler de « sens », arrête de chercher à débrouiller ce qu'il y a d'apparemment irrationnel dans notre liaison. Il n'y a pas de logique, là-dedans, si ce n'est qu'on est ensemble, toi et moi, parce que tu l'as voulu.

— Ce sont des conneries, tout ça !

— Alors pourquoi tu es revenu ici semaine après semaine, sans rater un seul rendez-vous ? Pour le sexe ?

— Mais… en grande partie, oui.

— Tu as raison. En partie. Mais il y avait autre chose, aussi. Tu avais besoin de me voir, dans tous les sens du terme. Et moi, j'avais besoin de rectifier les choses en ta faveur.

— Je ne peux pas accepter que tu…

— Mais si, « accepte » ! La foi est peut-être l'antithèse de la preuve logique, mais tu en as plein, des preuves. Toi. Moi. Ici. Maintenant.

— Toi ? Tu n'existes pas !

— Mais si. J'existe autant que toi, dans cette pièce, à cet instant, à cette date. Ce fragment de néant est aussi un « tout », parce que c'est le moment que nous partageons. Tu ne peux pas échapper à ça, Harry. Et tu ne devrais pas. Tu n'as jamais approché quoi que ce soit qui ressemble autant à l'amour, dans toute ta vie.

— Tu ne sais même pas de quoi tu parles.

— Quoi, l'amour ? Comment oses-tu ? Par amour, j'ai renoncé à ma raison. Par amour, j'ai tué… massacré. Non, je n'en sais que trop, au sujet de l'amour. Et je sais également que c'est comme n'importe quoi dans la vie : ça peut te conduire aux pires extrémités. Juste au bord de l'abîme. Mais au fond, qu'est-ce que c'est, l'amour ? Un moment par-ci, un autre par-là, la sensation fugitive d'avoir établi le contact avec quelqu'un… C'est le bonheur, Harry. Rien de plus.

— Et l'amour pour son enfant, alors ?

Un silence. Puis elle a murmuré :

— Ah… Ça, c'est tout, absolument tout. Et quand quelqu'un te prend tout, tu sens qu'il est de ton devoir de le tuer.

— Est-ce que la vengeance cicatrise les blessures ?

— Tu me demandes si je ressens toujours le chagrin et l'horreur de ce qui m'est arrivé, et de ce que j'ai fait ? Bien sûr. Je ne peux pas y échapper. Cela restera en moi pour toujours. Mais j'ai cherché la rédemption, au moins. À travers toi.

— C'est démentiel.

— Venir à la rescousse de quelqu'un d'autre n'est pas de la démence, non.

— Mais recourir à la violence la plus abjecte pour ce faire, si !

— Observe comment tout est en train de s'arranger pour toi, peu à peu. Robson est en prison. Sezer et sa petite frappe aussi, alors que tu sais qu'ils ne t'auraient fait aucun cadeau. Omar, qui te faisait chanter, est éliminé. Le mari de Yanna ne méritait pas de passer un jour de plus sur cette planète… Je ne vois pas de quoi tu te plains, franchement. D'autant que les choses vont continuer à s'améliorer, avec le temps.

Je me suis levé.

— Tu penses sérieusement que je vais me laisser entraîner dans toute cette folie ?

— Mais c'est déjà fait, Harry. Tu es complice depuis le début.

— Hein ? Parce que je t'ai « vue », toi, la femme invisible, contrairement aux autres ? Fabuleux !

— La question, c'est « pourquoi » tu m'as vue. Et la réponse, c'est parce que tu en avais besoin. Et tu avais besoin de moi pour régler tous les comptes qui restaient en suspens.

— Donc… tu me suis partout où je vais, c'est ça ?

— Peut-être.

— Mais pourquoi moi, enfin !

— Tu t'interroges sur une pareille évidence ? Mais parce que nous entretenons une relation, toi et moi...

— Tu appelles ça une relation ? Une partie de baise deux fois par semaine, voilà tout ce que c'était, pour toi !

— Et pour toi ?

— C'était... la seule chose dans ma vie que j'attendais avec impatience ces derniers mois.

— Tu crois que je n'attendais pas ces rendez-vous, moi aussi ? Nous ne nous sommes pas contentés de baiser, dans cet appartement. Tu le sais très bien, Harry. Nous avons parlé. Nous nous sommes raconté nos vies, et nous y avons trouvé un réconfort. J'avoue que j'en suis venue à apprécier ces moments. À en avoir besoin. Je ne l'ai sans doute pas toujours montré, je t'ai certainement donné l'impression de vouloir garder mes distances. Mais tu es revenu. Tu avais besoin de moi, de ça, autant que moi.

— Oui, eh bien, si tu crois que je vais continuer à venir ici... Entrer dans cette espèce de quatrième dimension à la con que tu as installée ici...

— Il est trop tard pour partir maintenant, a-t-elle annoncé d'une voix étonnamment neutre, détachée.

— Pas du tout. Cette histoire est terminée. Morte. Comme toi.

— Oh non ! Maintenant que tu connais mon histoire, maintenant que tu as pris l'habitude de venir ici deux fois par semaine, maintenant que c'est moi qui veille sur toi... Ça ne va pas finir comme ça.

— Va te faire foutre ! ai-je éructé en gagnant la porte.

— Réaction puérile, Harry, mais compréhensible, probablement. Il va te falloir du temps pour l'admettre.

— Je n'admettrai rien, tu entends, rien ! Tu ne me reverras plus jamais.

— Mais si. Et toi, tu vas vouloir me revoir. Ou du moins tu vas m'appeler à la rescousse, quand tu seras dans une situation dont tu ne pourras te sortir.

— N'y compte pas. Oublie-moi.

— Mais, Harry, le véritable problème est : est-ce que tu pourras m'oublier, toi ?

— Ce ne sera pas difficile, ai-je lancé en ouvrant la porte à la volée.

— À dans trois jours, Harry.

J'étais déjà sur le palier. Je me suis rué en bas. Après avoir traversé la cour, j'ai ralenti devant la loge du concierge. Il était toujours à sa table, le regard vide, comateux. Je suis sorti dans la rue, cette fois-ci la porte cochère s'est ouverte sans difficulté. J'ai soudain été agressé par le grondement des voitures. J'ai observé le trottoir à droite, à gauche. Les gens passaient tranquillement dans la rue. Le vieil Algérien se tenait sur le seuil de son épicerie avec l'air de s'ennuyer ferme. Tout était tellement banal... Mû par une impulsion irrésistible, j'ai rebroussé chemin. Le code du 13, la porte, le couloir... Il s'était écoulé moins d'une minute depuis que j'avais franchi la frontière du monde normal, mais le concierge avait subi une transformation radicale : il a bondi sur ses pieds en me voyant, il a attrapé un morceau de bois à côté de sa table et s'est précipité dehors, levant son arme sur moi.

— Encore vous ? Je vous avais dit de ne pas revenir ! Jamais ! Fichez le camp. Maintenant.

Je n'ai pas demandé mon reste. Bondissant dans la rue, j'ai marché à toute allure jusqu'à la station Jussieu. En chemin, je me suis mis à trembler violemment.

Est-ce qu'elle est avec moi, en ce moment même ? Est-ce qu'elle me suit réellement comme mon ombre ?

Je me suis réfugié dans un café. J'ai commandé un whisky, double. Bien que s'ajoutant à tous ceux que Margit m'avait versés, il n'a eu aucun effet sur mon anxiété, ni sur la sensation de plus en plus aiguë que j'avais perdu la raison. J'ai porté la main à mon nez, ces doigts qu'elle avait introduits de force en elle. Son odeur était toujours là. J'ai effleuré le pansement sur ma coupure.

Elle est morte, mais c'est elle qui m'a pansé...

Un autre whisky.

Réfléchis, fais marcher ton cerveau !

Non, ne réfléchis pas ; retourne à l'hôtel, prends tes affaires, fonce gare du Nord, achète-toi un billet pour le premier train en partance pour Londres.

Mais le roman, alors ?

Oublie ce putain de roman ! Cours !

Et après ? Sans ce que j'ai écrit, tout le temps que j'ai passé ici n'a aucun sens. Et je n'aurais rien à faire, une fois en Angleterre. Si j'avais le CD, je pourrais repartir de là où je m'étais arrêté, au moins. Mes journées reprendraient un semblant de cohérence, avec mon quota de mots quotidien. Je pourrais me dire que j'essaie d'accomplir quelque chose, au moins... Non, il faut que je retourne au bureau et que je récupère ce fichu disque. Je n'ai rien à craindre, puisque la police est déjà venue et a trouvé tout ce qu'elle voulait, puisque Sezer et son tueur sont sous les verrous... Je dois mettre la main sur le CD. Ça ne me prendra qu'une minute, au plus, et ensuite direction la gare du Nord, et j'aurais tourné cette page... « démente » de mon existence.

En ressortant du café, j'avais mis au point une stratégie : il était préférable de me risquer à mon ancien travail en pleine nuit, ou même peu avant l'aube ; si un « comité d'accueil » m'attendait là-bas, on pouvait supposer qu'il se serait lassé, après avoir monté la garde pendant des plombes. Et puis ça me laisserait le temps de dormir, et le sommeil était ce dont j'avais probablement le plus besoin, à ce stade.

J'ai pris le métro jusqu'à la gare du Nord, où j'ai payé en liquide un billet pour l'Eurostar de Londres, départ à sept heures trente-cinq le lendemain matin. En comptant ma monnaie, je me suis demandé si Margit me regardait faire... Revenu à Château-d'Eau par la ligne 4, je suis entré dans l'une des nombreuses agences de téléphonie longue distance qui se succédaient sur le boulevard Sébastopol. Dans une pièce exiguë et lugubre, des clients, tous des hommes, tentaient d'appeler famille ou amis à Yaoundé, à Dakar, à Porto-Novo… Après avoir acheté une carte de téléphone, je me suis installé dans une cabine en contreplaqué pour passer un appel que je redoutais mais auquel je ne pouvais échapper. J'ai jeté un coup d'œil à ma montre. Vingt heures cinq à Paris, il était quatorze heures cinq dans l'Ohio. Susan a décroché à la deuxième sonnerie.

— Salut, ai-je soufflé.

— Harry ? a-t-elle dit d'une voix prudente.

— Oui, c'est moi. Comment ça va ?

— Comment ? Affreusement mal, évidemment. Mais tu dois être au courant, pour t'être décidé à appeler après tout ce temps.

Le ton agressif de sa voix était le même que celui qu'elle avait utilisé à mon encontre les dernières années de notre vie commune, quand chacun de mes gestes était interprété de travers et qu'elle donnait l'impression de ne plus pouvoir me supporter.

— Si je n'ai pas appelé avant, c'est parce que tu me l'avais interdit.

— Je sais, je sais ! Vas-y, retourne le couteau dans la plaie, ne te gêne pas ! Surtout maintenant que…

— Écoute, Susan, je voulais seulement prendre de tes nouvelles. Rien de plus.

Elle n'a pas réagi tout de suite. J'ai entendu un bruit étrange, comme si elle réprimait un sanglot.

— Il s'est pendu. Ce matin.

Merde.

— Robson ? Il s'est suicidé ?

— Il s'appelait Gardner, Harry. Oui, il s'est pendu dans sa cellule tôt ce matin. Avec un drap. Je viens de l'apprendre par… par un connard de journaliste de la Fox qui a téléphoné pour me demander une réaction ! Tu peux imaginer un cynisme pareil ? – Je n'ai pas répondu. Elle a continué : – En une semaine, j'ai tout perdu. Tout ! Mon travail, ma carrière, ma réputation… Et puis d'apprendre que Gardner était obsédé par des photos de fillettes et de garçons de sept ans… C'est tellement horrible que…

Elle a étouffé un nouveau sanglot.

— Je peux faire quelque chose ?

— Cesse de jouer au grand cœur ! Tu dois frétiller d'aise, maintenant que ton ennemi juré est…

Elle s'est mise à pleurer. J'ai patienté un moment.

— Susan ? Il faut que je parle à Megan.

— Megan est bouleversée, perturbée. Le scandale au sujet de Gardner a fait le tour de la ville… Tous ses camarades à l'école… eh bien, tu sais comme les gosses peuvent être cruels.

— Est-ce que tu lui diras que j'ai voulu lui parler ?

— D'accord.

— Précise-lui de m'envoyer un e-mail si elle veut que je la rappelle, OK ? Merci. Et dans le cas où tu aurais besoin d'argent, ou de quoi que ce soit, je…

— Tu es toujours à Paris ?

— Oui.

— Tu as un travail, là-bas ?

— Euh… Pas en ce moment, non.

— Alors comment peux-tu me proposer de l'argent ?

— J'ai eu un travail. Pas grand-chose, mais j'ai économisé un peu, donc si tu es juste financièrement…

— Je ne peux pas faire face à ça… à toi… maintenant. – Elle s'est tue un instant, le souffle court. – Mais je dirai à Megan que tu as appelé.

Elle a raccroché.

« Tu as tout entendu, n'est-ce pas ? Tu dois être très fière de toi, je suppose ? Encore un mort à ajouter à ton tableau de chasse. Et tu voudrais que je sois content ? Alors que je ne ressens qu'une culpabilité écrasante… » Je me suis ressaisi. Il me fallait du sommeil, rien d'autre. Un sommeil de plomb. Aidé par le whisky, les somnifères, n'importe quoi. Me cacher sous les couvertures jusqu'au lever du jour, et enfin pouvoir fuir et laisser tout ça derrière moi.

Je suis retourné à ma triste chambre du Normandie. J'ai refait mes bagages, réglé l'alarme de ma radio sur cinq heures et quart, avalé deux comprimés, et je me suis étendu entre les draps humides du lit défoncé. La voix de Margit continuait à résonner dans ma tête. Je ne peux plus partir maintenant ? « Tu es au courant, hein ? Demain, au petit matin, je dégage. Tu n'arriveras pas à m'empêcher de monter dans ce train. Même en m'effrayant. Et tu peux me suivre à Londres comme la... comme le spectre que tu es. Je m'en vais. Tout est fini. »

Sept heures d'inconscience droguée, puis réveil en sursaut. J'étais certain qu'elle était dans la pièce avec moi. Est-ce qu'elle habitait mon sommeil, aussi ? Est-ce qu'elle avait espionné ma conversation avec Susan ? Évidemment, et maintenant elle s'apprêtait à lui jouer l'un de ses tours...

Assez. Tu es reposé. Tu es prêt. Ton train part dans deux heures. Va chercher ce CD, et ensuite disparais. Ce cauchemar finira aussitôt.

« La foi est l'antithèse de la preuve logique » !

Bah ! De grands mots pour ajouter au désordre de ton cerveau... Ce pansement sur ta main ? C'est toi qui t'es blessé tout seul, dans un moment d'égarement. Le concierge de la rue Linné a raison : tu as été la proie d'une sorte de délire. Récupère ce fichu CD, mets les bouts, trouve-toi un psy compréhensif, suis un traitement qui te sortira de la fantasmagorie dans laquelle tu t'es enfoncé. Reviens sur terre.

Je me suis tenu un moment sous le jet récalcitrant de la douche. À six heures moins vingt, j'étais dehors. À part quelques marchands qui descendaient des cageots de leur camionnette en prévision du marché, tout était désert. J'ai descendu la rue des Petites-Écuries en traînant ma valise derrière moi et en jetant un rapide regard au cybercafé fermé lorsque je suis passé devant.

Au revoir, M. le barbu, et allez vous faire foutre, vous aussi !

Arrivé à l'entrée du passage, j'ai lancé un coup d'œil vers le fond. Dans le jour qui se levait à peine, les pavés disjoints étaient teintés en gris-bleu. Personne n'était tapi dans l'ombre. Le trottoir était vide et toutes les fenêtres avaient leurs volets clos ou leur rideau tiré.

Bon, la voie est libre. Commence à compter. À soixante, tu dois être ressorti de là avec ce dont tu as besoin.

Un, deux, trois, quatre…

À l'entrée, j'ai remarqué que la caméra de surveillance avait été enlevée de son support, sans doute emportée par les flics en tant que preuve à conviction. Le code n'avait pas été changé.

… sept, huit, neuf…

Au bout du couloir, la porte que j'avais toujours vue fermée était maintenant grande ouverte, il ne restait de la perquisition de la police qu'un morceau de ruban qui pendait, mais je n'ai pas perdu mon temps à inspecter cette zone qui m'était restée si longtemps interdite. Laissant ma valise au pied de l'escalier, je suis monté à toute allure, la clé du bureau déjà dans ma main.

… seize, dix-sept, dix-huit…

La table était renversée, la porte servant de sortie d'urgence, celle que je n'avais jamais eu à utiliser, laissée entrebâillée… Si les enquêteurs avaient soulevé une grande partie du lino, ils n'avaient sans doute pas remarqué la faille dans le mur au-dessus de la porte où j'avais dissimulé mon CD.

… vingt-quatre, vingt-cinq, vingt-six…

J'ai atteint le disque du bout des doigts, mais je ne suis pas arrivé à le saisir.

Merde, merde et merde !

J'ai tenté de l'attirer à moi avec le majeur, puis en me servant de la clé. Au moment où il commençait à bouger lentement, un « bang » sonore s'est produit derrière moi. La porte principale venait de se refermer. Aussitôt après, j'ai entendu un autre bruit : celui de la serrure qui tournait deux fois.

Je me suis précipité dessus, secouant le loquet. Rien. J'ai enfoncé la clé dedans, j'ai essayé de rouvrir le verrou. Elle est restée bloquée. Impossible de la retirer. Paniqué, j'ai envoyé plusieurs coups de pied dans le battant. Inutile. C'est alors qu'un son encore différent m'est parvenu, comme un bruit de soufflerie brutal suivi immédiatement d'un geyser d'air chaud sorti de l'une des grilles d'aération. Mais ce n'était pas un caprice du chauffage central, car j'ai soudain vu une fumée grisâtre se glisser hors de la grille. En quelques secondes, j'ai été entouré d'une puanteur de soufre qui m'a picoté les yeux, les narines, les poumons. Tout en battant des bras pour tenter de dissiper le nuage toxique, j'ai titubé jusqu'à l'issue de secours. L'étroit couloir avait déjà été envahi par la même fumée âcre, mais au bout d'une dizaine de pas j'ai respiré un air moins pollué. J'ai continué à avancer dans l'obscurité, m'écorchant les coudes contre les parois dans mon affolement. Au bout, cependant, ce n'était pas une autre porte qui m'attendait, et la chance de m'enfuir, mais un mur de brique contre lequel j'ai donné de la tête. Je suis tombé en arrière, à moitié assommé. Je me suis mis à tousser, à cracher une salive mêlée de sang. Je me suis tordu sur le sol, en proie à des crampes violentes. J'ai vomi un jet de bile. Entre deux halètements, j'ai crié :

— Margit ! Margit ! Margiiiit !

Je ne pouvais plus respirer, ma voix se muait en un coassement aigu, mon regard se brouillait. Le cerveau envahi par les vapeurs fétides, j'ai eu le temps de me dire : « Alors c'est ça, la mort ? Étouffer peu à peu dans le noir ? »

— Margit… Margit… Mar…

Je n'avais plus la force d'appeler. Au lieu de me débattre sous l'effet de la panique, j'ai commencé à éprouver un calme sidérant. Je capitulais devant l'asphyxie. Même dans un contexte aussi épouvantable, mourir me paraissait de plus en plus comme un aboutissement normal. Au-delà de ma prison toxique, la vie pouvait continuer son cours : elle ne me concernait plus.

Alors que j'en étais venu à me convaincre que la mort n'avait rien d'étrange, cependant, quelque chose de très inattendu s'est produit : des pas précipités derrière moi. Soudain, un pompier est apparu. Il avait un masque à gaz sur le visage, un autre à la main, qu'il a aussitôt plaqué sur ma bouche et mon nez. Au moment où la fraîcheur enivrante de l'oxygène atteignait mes poumons, je l'ai entendu s'exclamer :

— Il a vraiment eu du bol, celui-là !

20

J'AI PASSÉ LES CINQ JOURS SUIVANTS À L'HÔPITAL. Comme j'allais l'apprendre plus tard, mon état avait d'abord été jugé « sérieux, sans être critique ». Aucune brûlure, mais le médecin des urgences avait constaté des lésions pulmonaires, qui pouvaient laisser des séquelles, et une irritation des globes oculaires, qu'il avait traitée avec des compresses d'eau salée pendant quarante-huit heures. J'avais également été placé sous respiration artificielle, jusqu'à ce que le pneumologue demande une nouvelle série de radios et me fasse part de son diagnostic :

— Cela devrait s'arranger, avec le temps. Mais ne songez même pas à prendre l'avion dans les six prochains mois : le moindre changement de pression serait très dangereux pour l'ensemble de votre système respiratoire, avec des conséquences qui pourraient être fatales. Il faudra vous tenir tranquille un moment. En vous disant que vous avez eu beaucoup de chance de vous en sortir vivant.

Outre le pompier, le spécialiste et les infirmières en général, l'inspecteur Coutard n'a pas manqué de le souligner, lui aussi, lorsqu'il est passé me voir à l'hôpital. Comme je l'ai rapidement compris, cependant, sa visite ne visait que très peu à s'enquérir de ma santé.

— La providence a été avec vous, monsieur Ricks, a-t-il commencé tout en rapprochant une chaise de mon lit. D'après l'équipe de secours, trois minutes de plus et vous étiez fichu.

— Je suis un grand veinard, apparemment.

— Il est courant de se sentir déprimé, après avoir échappé de si peu à la mort. Je suis certain que les toubibs d'ici ont de quoi vous aider à retrouver le moral, dans leur pharmacie.

— Non, je vais bien. À peu près.

— Nous avons arrêté quelqu'un pour incendie criminel et tentative d'homicide. Vous le connaissez, je crois. M. Delik. Il travaille au café Internet de la rue des Petites-Écuries.

— Un gars avec une barbe et l'air pas vraiment content d'être sur terre ?

— Celui-là même. Eh bien, nous avons des raisons de penser qu'il a tenté d'incendier l'immeuble sur les ordres de l'infatigable Sezer. Lequel, je vous le rappelle, est toujours en détention provisoire. Il n'était pas seulement votre gérant, mais aussi votre propriétaire et votre employeur, bien qu'il n'ait jamais daigné vous informer qu'il dirigeait la petite entreprise sur laquelle vous veilliez la nuit. Et c'est Sezer qui a placé Delik à la tête du cybercafé, après le décès brutal de Kamal Fatel. En fait, Delik a avoué avoir supprimé ce dernier, suite à la disparition d'un kilo d'héroïne dont Fatel aurait eu la charge... En échange de l'élimination de Fatel, qui devenait apparemment trop entreprenant à son goût, Sezer avait promis à Delik la copropriété du café Internet. Ce que Delik nie farouchement, pourtant, c'est d'avoir allumé le feu qui aurait dû vous être fatal, et de vous avoir enfermé dans le bureau, et d'avoir versé du soufre sur le foyer déclenché près du générateur d'air soufflé. Et ce, même si un sac de poudre sulfurique a été découvert dans l'arrière-salle de son café...

« Je pourrais vous dire qui l'a mis là », ai-je pensé. Je me suis tu.

— Le sac était aux trois quarts vide, la substance manquante correspond exactement à celle employée pour tenter de vous éliminer, ce qui constitue à nos yeux une preuve accablante. Enfin, votre plus grande chance a été qu'une passante ait alerté les pompiers en apercevant de la fumée s'élever de l'immeuble alors qu'elle était dans la rue. Elle a été en quelque sorte votre ange gardien, monsieur Ricks.

— Elle vous a donné son nom ?

— Non. Elle a signalé les faits et elle a raccroché. Encore une de vos femmes courant d'air, il faut croire…

Non. Toujours la même, la seule et unique, ma femme fantôme…

— Nous sommes également convaincus que c'est Delik qui a mis votre chambre à sac. Il a fait un beau gâchis, je dois dire.

— Vous êtes allés farfouiller là-bas ?

— On nous a prévenus qu'il y avait eu du saccage chez vous, et donc…

— Prévenus, par qui ?

— Je vous rappelle qu'un meurtre a eu lieu au même étage il y a très peu de temps, monsieur Ricks. Des agents de la force publique qui devaient retourner sur les lieux pour un certain nombre de raisons administratives ont vu que votre chambre était sens dessus dessous. Nous avons enquêté, évidemment. Parce que c'était une question plutôt intéressante, d'après moi : qui penserait à fouiller de fond en comble le logement plus que modeste d'un écrivain plutôt… « pauvre », si vous me permettez le qualificatif ? Je ne prétends pas juger de vos capacités littéraires, bien sûr, mais je me contente de noter que vous n'aviez pas la réputation de rouler sur l'or. D'ailleurs, nous avons fait réaliser une traduction du premier chapitre de votre roman. Uniquement pour nous assurer que vous disiez la vérité lorsque vous vous prétendiez romancier.

— Vous avez quoi… ? – Ma voix, déjà ténue, s'est presque cassée. – C'est légal, une chose pareille ?

— Vous devriez vous sentir honoré, monsieur Ricks : vous êtes devenu un auteur traduit. Il y en a beaucoup qui tueraient pour ça… Quoique ce ne soit peut-être pas l'expression la plus heureuse, étant donné les circonstances…

— Et vous l'avez aimé, ce chapitre ?

— Ha ! Voilà la preuve que vous êtes réellement écrivain. Toujours anxieux de connaître la réaction du public. Eh bien, oui, j'ai trouvé cela très… « intéressant ».

— Ce qui signifie que vous n'avez pas aimé.

— Tiens ! Pourquoi en arrivez-vous à cette conclusion ?

— Parce que, malgré les rumeurs insistantes qui prétendent le contraire, on peut être américain et saisir l'ironie d'une remarque.

— Mais non. À mes yeux, c'est un texte tout simplement fascinant. La vie quotidienne dans le grand néant banlieusard américain. Le père réactionnaire, la mère un peu toquée, le fils trop sensible… Très original. Et je suis persuadé que nombre de notations sont autobiographiques, car…

— D'accord, j'ai bien reçu le message. Merci.

— Mais non, vous vous méprenez. J'aurais voulu continuer à vous lire plus, mais cela aurait signifié payer le traducteur pour la suite, et comme votre livre est terriblement long… Six cents pages déjà, et votre personnage principal est encore étudiant. C'est ce que nous appelons le « roman d'apprentissage », avec tout ce que cela comporte d'ambitieux et de…

— … pesant, n'ayez pas peur du mot.

— Vous êtes trop susceptible, encore une fois. Mais enfin, nous ne sommes pas là pour une séance de critique littéraire. Ce qui m'importait, c'était de mieux comprendre le fil narratif de votre existence rue de Paradis. Et j'en ai conclu que vous écriviez un livre, en effet, et que vous occupiez un emploi des plus bizarres… Un point que vous avez longtemps tenté de nous cacher, d'ailleurs. C'est donc dans ce cadre que nous avons voulu comprendre pourquoi votre chambre avait été saccagée, d'autant que plusieurs de vos relations dans le quartier sont…

— Ce n'était pas mes « relations ».

— Mouais. Alors, disons que plusieurs personnes avec lesquelles vous étiez en relation, personnelle ou professionnelle, étaient impliquées dans des activités contraires à la loi. Trafic de drogue, notamment. Vous ne pouvez pas nous reprocher de nous être demandé si cette fouille « éner-gique » n'était pas liée à la présence dans votre logement d'un kilo ou autre de substances illégales, n'est-ce pas ?

—Je n'ai jamais, vous entendez, jamais trempé dans ce genre de...

Une quinte de toux m'a étranglé. J'avais l'impression d'étouffer, à nouveau, et ma bouche avait un goût de glaires brûlées. Coutard s'est levé pour me tendre le verre d'eau posé sur ma table de chevet. J'en ai bu deux gorgées, luttant contre la nausée. L'inspecteur a attendu patiemment que mon souffle redevienne à peu près normal.

— Il y a également la question des deux mille huit cents euros que nous avons trouvés dans les poches de votre blouson.

Je me suis efforcé d'expliquer comment j'avais mis cette somme de côté, comment je l'avais cachée sous le lavabo de ma chambre. C'était là toute ma fortune, ai-je continué, et si la police décidait de la confisquer, je me retrouverais...

— ... à la rue ? a complété Coutard.

—Liquidé. Je n'ai rien d'autre, vous comprenez ? Rien. Vous pouvez vérifier mon compte bancaire, vous ne trouve-rez qu'un zéro pointé. Cet argent est tout ce que j'ai.

Un silence s'est installé. J'ai noté qu'il avait sorti son Zippo et qu'il jouait nerveusement avec le couvercle. Il était sérieusement en manque de nicotine.

— Nous allons vous le rendre, puisque cela n'a pas vraiment d'impact sur notre enquête. Nous n'avons rien trouvé de sus-pect dans vos affaires ni dans votre chambre. Mais j'avoue que je continue à me demander pourquoi elle a été mise à sac.

Parce que c'est une folle furieuse.

—Eh bien... C'est un quartier difficile, non ? ai-je proposé.

Coutard a laissé un sourire errer brièvement sur ses lèvres.

— Ça, je le sais. De la même manière que je sais que vous êtes un homme d'une incroyable naïveté pour avoir accepté cette place de veilleur de nuit dans un repaire de gangsters pareil...

— Ce n'était pas de la naïveté, inspecteur. C'était que je me fichais de tout ce qui pouvait m'arriver.

— Mouais. Très nihiliste, comme attitude. Encore que, dans votre cas, le nihilisme soit teinté de fortes tendances au délire. Avez-vous finalement admis le fait que Mme Kádár était décédée ?

— Oui, je sais qu'elle est vraiment morte, maintenant.

— C'est un progrès très encourageant. Est-ce d'avoir vu la mort de si près qui vous a permis de mesurer le fossé considérable existant entre notre condition humaine et l'au-delà ?

— Oui... On peut dire ça, oui.

— Mais votre extraordinaire connaissance du destin de cette femme depuis longtemps décédée ? Vous pouvez m'expliquer pour quelle raison vous vous étiez documenté à ce point ?

— Est-ce que cela a encore de l'importance ?

Clic, clic, clic. Il continuait à tripoter son Zippo.

— Probablement pas, non.

Une vague de fatigue m'a rejeté contre mes oreillers. J'ai fermé un instant les yeux. Coutard a compris qu'il était temps de me laisser. Il s'est levé.

— Le toubib dit que vous pourrez sortir dans quelques jours. Qu'est-ce que vous allez faire, ensuite ?

— Trouver un autre endroit où vivre et où essayer de finir mon roman. C'est la seule raison pour laquelle je suis retourné dans ce maudit immeuble, pour tenter de récupérer une copie du manuscrit.

— Oui, Leclerc m'a dit que vous aviez un problème de sauvegarde, apparemment.

— Est-ce qu'il vous a dit aussi que je n'aurais pas failli crever, si vous m'aviez rendu mon portable ?

Clic, clic, clic...

— C'est une pièce versée à une enquête en cours. Si vous n'aviez pas perdu la copie que vous aviez chez vous…

Pas perdue, non. C'est elle qui s'en est emparée lorsqu'elle est allée saccager ma chambre. Pour me faire perdre la tête. Pour m'obliger à revenir au bureau, m'y enfermer, mettre le feu et me contraindre à l'appeler à mon secours. Sur quoi…

— Quand est-ce que je pourrais récupérer mon ordinateur, alors ?

— En temps voulu.

— En attendant, je peux au moins avoir une copie du fichier qui se trouve dessus ?

— En temps voulu. D'ici là, nous restons en contact. Nous allons avoir besoin de votre nouvelle adresse, une fois que vous serez sorti de l'hôpital. Entre autres pour vous prévenir de passer récuperer votre portable.

Et pour garder un œil sur moi, oui…

— Entendu, ai-je soufflé.

— Désormais, vous êtes un homme libre, monsieur Ricks.

Tout, sauf libre.

Ils m'ont gardé encore trois jours. Peu avant ma sortie, l'inspecteur Leclerc s'est présenté à l'hôpital pour me faire signer une version complétée de ma déposition. Il y était mentionné la manière dont j'avais été enfermé dans le bureau au moment du départ du feu et aussi le fait que j'avais été employé par Sezer qui m'avait caché la nature de ses activités.

— Cela donnera plus de poids à l'hypothèse qu'il a chargé Delik de détruire les lieux, et vous avec, a expliqué Leclerc.

En d'autres termes, c'était faire retomber un délit sur quelqu'un qui ne l'avait pas commis. Mais n'est-ce pas ainsi que toute histoire se construit ? Faire porter le blâme sur certains, en excuser d'autres, et espérer que le montage tiendra la route… Si je commençais à soutenir qu'« elle » était la responsable de l'incendie, ils seraient contraints de reprendre tout le fil de l'histoire et, au final, je risquerais d'échouer dans la chambre capitonnée d'un asile de fous. Quant à

Delik, il avait déjà plus d'un crime à son actif... Comme nous tous.

Leclerc a attendu que j'appose ma signature sur le document. Reprenant les feuillets, il a remarqué :

— Avec ce qui est arrivé au bonhomme qui vous a créé tous ces ennuis aux États-Unis, vous devez vous sentir vengé, non ?

Ils avaient continué à suivre l'affaire Robson, donc. Évidemment : c'était des flics, et tout ce qui me concernait les concernait.

— Je me suis créé tous ces ennuis moi-même, ai-je expliqué. Quoi que je puisse ressentir envers cet individu, j'ai aussi de la pitié pour lui.

— Ah oui ? Vous êtes plus généreux que je ne le serais, si j'étais dans votre peau.

Généreux ? Je ne me voyais pas ainsi, non. J'avais simplement conscience qu'une autre force commandait toute cette succession d'événements.

Avant de s'en aller, Leclerc a observé :

— Vous avez l'air de reprendre le dessus, en tout cas.

Le dessus de quoi ?

Pourtant, la remarque de Leclerc avait du vrai. Le lendemain, les médecins m'ont délivré un bon de sortie. La veille, en épluchant le bottin téléphonique, j'avais fait une grande découverte : il existait un hôtel à une étoile dans le VIᵉ arrondissement ! Quand j'ai téléphoné, on m'a répondu aimablement. Ils avaient une chambre, oui. À soixante-dix euros la nuit, « mais, puisque vous nous dites que vous comptez rester trois semaines ou un mois, nous pouvons vous proposer un tarif de soixante euros ».

Je me suis livré à un rapide calcul. Quatre cent vingt euros par semaine, plus cent cinquante de dépenses diverses : j'avais de quoi tenir un mois et demi, à peu près.

Et après ?

Après, on verra.

L'hôtel était situé rue du Dragon. En sortant du taxi avec ma valise, j'ai observé les alentours. Partout des magasins de chaussures. Des femmes coûteusement habillées marchant le long de trottoirs impeccables. Beaucoup de touristes. Des hommes d'affaires en costume bien coupé. Des restaurants huppés. Tout sentait l'argent. L'hôtel était agréable, dans le genre un peu vieillot, le personnel discret et poli, la chambre propre, le lit de bonne qualité, et une haute fenêtre laissait entrer des flots de lumière. Et j'avais une bonne quinzaine de cinémas à quelques minutes de marche. Sauf que je ne me sentais pas encore d'attaque pour reprendre mes vaga-bondages citadins. Les effets de mon intoxication respira-toire se faisaient encore sentir. J'ai pu aller jusqu'à Odéon, j'ai trouvé une petite librairie rue Monsieur-le-Prince qui vendait des livres d'occasion en anglais et où j'ai acheté qua-tre romans, mais j'ai eu du mal à regagner l'hôtel.

Dans ma chambre, je me suis laissé tomber sur le lit, les poumons brûlants. L'hôpital m'avait donné trois petites bonbonnes d'oxygène munies d'une valve en plastique. L'infirmière m'avait montré comment prendre quatre ou cinq bouffées lorsque j'aurais du mal à respirer. À la fin de cette première journée rue du Dragon, une des bonbonnes était presque vide. Cette nuit-là, j'ai mal dormi, et pas seu-lement à cause de mes difficultés respiratoires : je devais revoir Margit le lendemain, à l'heure dite.

J'avais raté notre rendez-vous précédent, puisque je me trouvais hospitalisé, et je supposais qu'elle comprendrait qu'il s'agissait d'un cas de force majeure. Mais si elle pouvait excuser cette défaillance, elle ne me pardonnerait pas une seconde absence, surtout en sachant que je résidais mainte-nant si près de la rue Linné.

Je suis resté couché toute la journée, récupérant peu à peu. Quand j'ai quitté l'hôtel, un miracle m'attendait : un taxi arrêté à la station du boulevard Saint-Germain. En pleine heure de pointe. Dix minutes plus tard, je traversais lentement le Jardin des Plantes en surveillant ma respiration. Mes poumons continuaient à me faire le même effet que si j'avais fumé trois paquets de cigarettes quotidiens au cours des trente dernières années, mais ils fonctionnaient mieux que la veille. Les jeunes feuilles sur les arbres, le grand ciel bleu, une certaine douceur dans l'air, tout annonçait l'arrivée de l'été. En fait, la belle saison devait avoir commencé des semaines plus tôt : j'avais été trop préoccupé pour y prêter attention.

Je me suis retrouvé devant la porte à cinq heures moins cinq. J'ai attendu cinq heures pile pour composer le code et pénétrer dans ce silence pesant qui, je le savais maintenant, n'avait rien de normal. Dans sa loge, le concierge était immobile. J'ai gravi les escaliers déserts. Pas un son, jusqu'à ce que je frappe chez elle. Elle a ouvert immédiatement.

— Tu aurais dû être là il y a trois jours.

— J'ai été retardé par un incendie, ai-je lancé en faisant quelques pas dans l'appartement.

Elle m'a suivi.

— Vraiment ?

Je l'ai saisie violemment par le bras et le lui ai tordu dans le dos.

— Ne te fous pas de moi ! Tu sais très bien ce qui s'est passé.

— Tu essaies de me faire mal, Harry ? – Elle a tenté de se dégager. – C'est impossible, je te le rappelle. La douleur n'a aucun effet sur moi.

Je l'ai lâchée.

— Eh bien sur moi, si. J'ai même failli mourir.

— Mais tu t'es vite rétabli, puisque tu es déjà capable de me malmener.

— C'est moi qui te malmène ? Alors que tu m'espionnes, que tu me suis partout, que…

— Tu n'as aucune preuve.

— … tu m'enfermes dans un immeuble en flammes. C'est toi qui m'avais dit que je serais forcé de t'appeler à l'aide, non ? Et comme par hasard, je me suis retrouvé dans une situation où je n'ai pas eu le choix.

339

Elle a souri tout en allumant une cigarette.

— Tu n'as aucune preuve, là non plus.

— La police m'a dit que c'est une femme qui a prévenu les pompiers.

— Peut-être, oui. Et peut-être que tu aurais dû te donner la peine de faire d'autres copies de ça.

Elle a sorti un CD argenté de la poche de son peignoir.

— Tu l'as volé dans ma chambre…

— Ce n'est qu'un disque comme il en existe des millions et des millions, Harry. Sans étiquette, sans rien écrit dessus. Comment es-tu si certain qu'il t'appartienne ?

— Tu savais… Tu savais que ma seule raison de revenir dans cet abominable bureau serait de récupérer ce CD, parce que c'était l'unique copie qui me restait, parce que…

— Parce que la police avait confisqué ton ordinateur portable ?

— Tu vois ! Qui te l'a dit ? Ça prouve bien que tu m'as suivi, que tu…

— Il n'empêche, tu n'as pas de preuve concrète. Tu présumes que j'ai allumé un feu près du système d'aération, que j'ai jeté dessus du soufre, et que j'ai ensuite déposé le sac aux trois quarts vide au cybercafé de ta rue dans le but d'incriminer ce salopard de Delik.

— Arrête ! Tu es en train de me rendre… fou.

Elle s'est approchée de moi en dénouant la ceinture de son peignoir. Elle ne portait rien au-dessous.

— Mais j'aime ça, te rendre fou. – Elle a posé sa main sur mon jean. – C'est tellement facile…

J'ai voulu reculer, mais elle m'a attrapé par la ceinture, attirant mon bas-ventre contre le sien.

— Si tu penses que je vais baiser avec toi…

— Je le pense, oui, a-t-elle murmuré tout en dégrafant les boutons de ma braguette.

— Je… Je n'ai pas envie.

D'une main experte, elle a exposé à l'air libre mon membre érigé.

— Menteur... Et ne me raconte pas d'histoires à propos de tes poumons enfumés.

Elle m'a attrapé par la nuque. Tout en me dépouillant de mon pantalon, elle a enfoncé sa langue loin dans ma bouche. Je l'ai poussée sur le lit et je l'ai pénétrée aussitôt. Ses cris, sa violence tandis qu'elle me tirait les cheveux et me mordait l'épaule, ont ajouté à mon égarement. Je l'ai pilonnée sans merci, avec une fébrilité chargée de colère. Je n'ai pas tardé à jouir. Elle aussi. Aussitôt après, j'ai eu l'impression que la pièce tournait autour de moi, et que j'avais définitivement franchi la frontière qui me séparait de la démence. En me redressant, j'ai touché mon cou. Du sang coulait sous mes doigts.

— Tu te rends compte ? a-t-elle lancé d'un ton amusé tout en s'emparant de son paquet de cigarettes. Tu viens de baiser une morte qui te fait saigner.

J'ai renfilé mon jean sans répondre.

— Quoi, tu t'en vas déjà ?

— Qu'est-ce que tu veux de moi ?

Elle a pouffé.

— Ce que je « veux de toi » ? Qu'est-ce que tu peux être mélo, des fois, Harry. Tu sais parfaitement ce que je veux : ce rendez-vous ici, tous les trois jours. Rien de plus, rien de moins. Tu viens à l'heure, tu pars à l'heure. On fait l'amour ou on « baise », si tu préfères. On boit un peu de whisky, on bavarde un moment. Je me fiche de ce que tu peux faire ou de qui tu peux fréquenter entre-temps. Va où tu veux, couche avec qui tu veux, mais ne t'avise pas de manquer une seule de nos rencontres. En échange de ta constance, de ta fidélité, je te promets...

— Quoi ? ai-je aboyé. Qu'est-ce que tu me promets ? La vie éternelle ?

— Oh non, tu mourras. Comme tout le monde. Ça, c'est complètement hors de mon pouvoir. Mais ce que je peux te promettre, c'est que tu auras, pour le restant de ta vie, quelqu'un qui surveillera tes arrières et qui te facilitera le chemin. C'est beaucoup, et c'est peu. Comme je te l'ai déjà dit, je ne suis pas en mesure d'agir sur la réalité pour t'apporter la gloire et la richesse. Faire en sorte que ton roman soit publié, par exemple.

— Tu l'as lu ?

— Eh bien, j'avais ce CD avec moi, non ?

— Mais il n'y a pas d'ordinateur, ici.

— J'ai accès à toutes les machines que je veux, à condition que leur propriétaire ne s'en serve pas quand j'en ai besoin. Oui, je l'ai lu. Il est clair que tu as du talent, Harry. Beaucoup, même. Le style, la facilité à créer une ambiance, la maîtrise des personnages et de leur complexité, tout ça est là, tout ça est excellent. Le problème, en tout cas à mes yeux, c'est que tu n'arrives pas à te contenter de raconter une histoire. Il faut que tu fasses étalage de ton intelligence, il faut que tu nous fasses partager tes profondes réflexions, et ta tendance à faire poétique quand c'est vraiment inutile.

— Hein ? « Faire » poétique ?

— Ne te braque pas, d'accord ? Mais oui. Ton récit est encombré d'envolées lyriques qui tombent à côté, tu as une manie de tout vouloir expliquer dans des tirades inutiles. C'est terriblement... pompeux, souvent.

— Tout le monde se prend pour un foutu critique littéraire, je vois.

— Tu veux parler de l'inspecteur Coutard ?

— Ah ! Donc tu étais dans ma chambre d'hôpital quand il m'a sorti que...

— Qu'il avait fait traduire le premier chapitre de ton livre ? Tu n'as aucune preuve que j'étais là. Disons que j'ai de l'intuition.

— Est-ce que tu peux me rendre mon CD ?

— Mais comment donc ! – Elle l'a jeté négligemment sur le lit. – Franchement, si j'étais toi, je reprendrais la narration en la débarrassant de toutes ces digressions, de tout ce...

— Je ne veux plus entendre parler de ça.

— À ta guise.

J'ai ramassé le CD.

— Je ne remettrai plus les pieds ici.

Avec un soupir excédé, elle s'est assise en refermant son peignoir et en reprenant une cigarette.

— Harry ? Pourquoi créer toutes ces difficultés, quand je demande si peu et que j'ai tant à donner ?

— Parce que tu veux m'avoir sous ta coupe...

— « Sous ma coupe » ? Trois heures, deux fois par semaine ! Tu ne penses pas que tu exagères ? Réfléchis à ta situation, Harry. Pas de travail, aucune perspective... Et quoi ? Deux mille huit cents euros économisés grâce à un boulot dégradant ? Bon, ça te paiera quelques semaines dans cet hôtel bas de gamme de la rue du Dragon. Et après ?

Je me suis passé la main sur le visage. En pensant : « Elle est partout. Elle sait tout. »

— Je ne reviendrai plus. Point final.

— Idiot.

— Je me fiche de ce que tu peux me faire.

— Au contraire. Et c'est pour ça que tu reviendras.

— Je ne suis pas impressionné.

— Tu le seras.

— Tu peux me torturer, m'enfoncer encore plus, me tuer, même !

— Tu t'égares, Harry.

— Si, si, je vois très bien que...

Je n'ai pas pu terminer ma phrase. Brusquement, une quinte de toux m'a plié en deux. Ma bouche a été envahie de glaires. Pendant un moment, j'ai eu l'impression de me noyer. Margit s'est levée et m'a guidé jusqu'à la salle de bains. Elle m'a soutenu pendant que je crachais une mélasse noirâtre dans le lavabo. Ensuite, elle m'a conduit dans la cuisine, elle a ouvert un placard et en a sorti une petite bonbonne d'oxygène. Exactement le même modèle que celui de l'hôpital. J'ai pris la bonbonne, j'ai ouvert la vanne et, serrant la valve entre mes dents, j'ai aspiré deux fois, de toutes les forces qui me restaient. Le soulagement a été immédiat. Une troisième bouffée et mon souffle est redevenu presque normal.

— Laisse-moi deviner. Tu as dérobé cet oxygène à l'hosto pendant que je me remettais de tes prouesses de pyromane ?

— Possible. – Je me suis levé en calant la bonbonne sous mon bras. – Tu ferais mieux de la laisser ici, pour la prochaine fois.

— Il n'y aura pas de prochaine fois.

— Mais si.

— N'y compte pas.

— Tu reviendras dans trois jours, Harry. Parce qu'il le faut. Et, s'il te plaît, réfléchis bien avant de te décider à mettre un terme à tes obligations mineures.

— « Obligations » ? Je ne te dois rien, tu comprends ? Rien !

— Tu m'as appelée quand tu étais sur le point de mourir. Et tu es resté en vie.

— C'est un pompier qui m'a sauvé, pas toi ! Je ne veux plus te revoir, jamais.

— Ne m'oblige pas à recourir à la contrainte, Harry.

— Fais ce que tu veux.

Je suis sorti en claquant la porte. Une demi-heure plus tard, j'étais de retour dans ma chambre, prostré sous les couvertures que j'avais tirées par-dessus ma tête, la poubelle en plastique de la salle de bains au pied de mon lit pour le cas où je serais pris d'un nouvel accès de toux expectorante. Mais ce que je redoutais le plus, désormais, c'était de voir le plafond s'écrouler sur moi, ou d'être attaqué par une armée de puces venimeuses, ou de cracher carrément mes poumons... À moins que son pouvoir ne s'étende pas jusque-là ? Touchant mon cou, j'ai senti la plaie encore humide qu'avaient laissée ses dents. « Tu viens de baiser une morte qui te fait saigner. » J'ai plaqué l'oreiller sur mon visage. Ce devait être un cauchemar, un cauchemar qui ne voulait pas s'arrêter. J'ai tenté d'imaginer une vie entière de cinq à sept en échange d'une garantie surréaliste : avoir un ange gardien dans mon camp... « Tu n'as aucune preuve. » L'incrédulité première avait fondu comme neige au soleil, remplacée par une certitude toujours plus angoissante, que l'incendie et mon dernier rendez-vous avec Margit avaient encore renforcée : tout cela était réel, très réel, trop réel. Sauf que je m'en fichais, désormais. Elle pouvait prendre ma vie, même. Pour ce qu'elle valait...

Je suis resté calfeutré dans mon refuge jusqu'au début de l'après-midi. C'est la faim qui m'a poussé dehors. Après m'être restauré, j'ai fait halte dans un café Internet. Un seul e-mail m'attendait, un message de Doug, qui détaillait le suicide de Robson. Il décrivait également le marasme dans lequel était tombée Susan, qui non seulement avait été officiellement licenciée mais faisait maintenant l'objet d'une enquête du FBI, au cas où elle aurait été associée aux activités « extra-universitaires » de son amant. « Elle est en pleine dépression, visiblement, indiquait Doug. Quant à Megan... Je crois qu'il serait important pour elle que tu viennes la voir quelques jours. Je m'inquiète pour ta fille, sincèrement. Et j'ai l'impression que, cette fois, Susan réagira positivement, si tu lui soumets l'idée. »

J'ai lancé une rapide recherche sur les sites d'actualité. Le suicide de Robson continuait à occuper une large part des informations, et la fureur vengeresse des médias n'épargnait pas Susan, non plus. Tous ces ragots immondes, après ce que j'avais moi-même traversé... Il ne m'était que trop facile d'imaginer ce que notre innocente fille devait entendre chaque jour, au lycée, à propos du comportement indigne de ses parents. Revenu à ma messagerie, j'ai composé un bref e-mail destiné à Susan, dans lequel je lui manifestais ma sympathie et lui rappelais ma proposition d'entrer en contact avec Megan, si celle-ci le désirait. Je n'aspirais qu'à leur parler, à l'une et à l'autre. Je terminais en lui donnant le numéro de téléphone de mon hôtel et celui de ma chambre.

Le lendemain, j'ai vérifié mes messages à plusieurs reprises. Pas de réponse. Le reste du temps, je suis resté retranché dans ma chambre, à lire, à somnoler et à tousser. Rien de

Susan le jour suivant, non plus. J'ai décidé d'aller me changer les idées au cinéma et d'aller voir *Complot de famille*, l'ultime œuvre d'Alfred Hitchcock. Ensuite, j'ai réussi à marcher une vingtaine de minutes le long de la Seine, puis je suis rentré à l'hôtel, sans tenir compte de mon rendez-vous forcé avec Margit.

J'attendais une catastrophe. Elle est venue le soir suivant, vers minuit. Le téléphone a sonné sur ma table de chevet. C'était Susan. Sa voix était presque inaudible, hachée, torturée :

— Megan a été renversée par une voiture... Il ne s'est pas arrêté... Jambe cassée, pelvis fracturé, et ils ne savent pas si... le cerveau a été atteint... mais comme elle ne réagit pas aux...

Elle a sangloté un moment, incapable de continuer. Quand elle a réussi à s'exprimer de nouveau, elle a dit que Megan avait été transportée en ambulance à l'hôpital universitaire de Cleveland, le meilleur service de neurologie de l'Ohio.

— C'est de là que j'appelle. Je ne sais pas comment elle... Je ne sais pas si...

Les dents serrées, je lui ai dit que je prendrais le premier avion le lendemain. J'ai raccroché. J'ai titubé jusqu'à la cuvette des toilettes. Pris de spasmes violents, je me suis vidé jusqu'à la bile. Et puis j'ai pleuré.

« Ne m'oblige pas à recourir à la contrainte, Harry. – Fais ce que tu veux ! »

Elle m'avait pris au mot.

Je suis sorti, marchant comme un automate. Près des Halles, j'ai trouvé un cybercafé ouvert vingt-quatre heures sur vingt-quatre. En surfant sur le net, j'ai trouvé un vol pour Chicago qui quittait Paris à neuf heures, avec une correspondance pour Cleveland à deux heures, heure locale. Comme je n'avais pas de carte de crédit, il m'était impossible de faire la réservation en ligne. Revenu à l'hôtel, j'ai demandé au réceptionniste de nuit de me commander un taxi pour Roissy à cinq heures et demie. C'était un Polonais, du nom de Tadeusz, qui s'est montré plus que compréhensif lorsque je lui ai expliqué ma situation en quelques mots. Il m'a offert de garder la chambre sans frais, le temps de ce voyage urgent (« Ce n'est pas encore la haute saison, pour nous »). Mais il n'a pas dissimulé sa surprise lorsque je lui ai affirmé que je serais de retour à Paris dans les quarante-huit heures.

— Comme vous voudrez, monsieur. De toute façon, au cas où nous aurions vraiment besoin de la chambre nous pourrions garder vos bagages dans la remise, si jamais l'état de votre fille ne s'améliorait pas…

Ma fille n'ira mieux que si je me présente au 13 de la rue Linné à cinq heures, dans deux jours.

Je suis arrivé à l'aéroport à six heures. J'ai payé en liquide un billet Paris-Cleveland via Chicago, avec retour le soir même. En zone d'embarquement, j'ai appelé Susan sur son portable. Il était maintenant une heure du matin passée, là-bas. Elle semblait au bout du rouleau, près de craquer.

— Megan est toujours dans le coma, m'a-t-elle appris dans un murmure. L'échographie montre une commotion cérébrale mais le neurologue ne peut pas se prononcer sur la gravité… Il dit que le fait qu'elle ne réponde à aucun stimulus est très inquiétant. Les prochaines vingt-quatre heures seront décisives.

— Je serai à Cleveland à trois heures de l'après-midi. Essaie de te reposer un peu, d'ici là.

— Je ne veux pas me reposer ! Je veux que ma fille vive !

Je me suis senti nauséeux, impuissant, et au bord du gouffre. Susan ne m'avait donné presque aucun détail sur ce qui s'était passé, mais je ne pouvais m'empêcher de penser, avec le peu de rationalité qui me restait, que Margit avait organisé une réplique macabre, presque identique, de l'accident qui avait coûté la vie à sa propre fille et à son mari. Dans un cas comme dans l'autre, un avenir effrayant s'ouvrait devant moi. Si Megan mourait… On ne surmonte jamais la perte d'un enfant. Jamais.

Au décollage, mon diaphragme a été la proie d'une étrange contraction qui m'a rappelé encore une fois la mise en garde du spécialiste de l'hôpital sur les risques mortels que j'encourrais en cas de changement brutal de pression. Dix minutes plus tard, à l'approche de l'altitude de croisière, une douleur sidérante s'est déclenchée dans ma poitrine. J'ai entendu la passagère assise à côté de moi dire à son voisin d'une voix paniquée : « Mon Dieu, il fait une crise cardiaque ! » Elle a appuyé sur le bouton d'appel. Deux hôtesses sont arrivées aussitôt et se sont penchées sur moi, l'air inquiet.

— Vous ne vous sentez pas bien, monsieur ?

J'ai tenté d'expliquer ma condition, l'état de mes poumons. Haletant, je leur ai demandé de prendre une bonbonne d'oxygène dans le sac que j'avais rangé au-dessus de ma tête. En hâte, j'ai aspiré trois bouffées. La souffrance s'est dissipée mais je n'arrivais pas à recouvrer mon calme, trop oppressé par l'angoisse que m'inspirait le sort de Megan. Après avoir disparu quelques minutes, l'une des hôtesses est réapparue devant moi.

— Vous pouvez me suivre ? Je crois que nous vous avons trouvé une place un peu plus confortable pour le reste du voyage.

Je lui ai emboîté le pas jusqu'à l'atmosphère nettement moins confinée de la classe business, et à un siège transformé en un lit confortable. Aux toilettes, j'ai enfilé le pyjama de vol qui se trouvait dans la trousse que l'hôtesse m'avait donnée et j'ai avalé un somnifère. Revenu à ma place, j'ai sombré dans un sommeil de six heures, le premier digne de ce nom depuis des jours. En me réveillant trente minutes avant l'atterrissage, j'ai eu l'impression que je serais en mesure de surmonter l'épreuve d'un nouveau changement de pression, et peut-être même celle des prochaines vingt-quatre heures.

En réalité, il m'a fallu encore recourir à la bouteille d'oxygène deux minutes avant que nous touchions le sol. Même chose lors du vol entre Chicago et Cleveland. À mon arrivée à Cleveland, l'inhalateur était vide. Et j'étais à bout de souffle quand je suis arrivé à l'hôpital universitaire, une demi-heure plus tard.

Le service neurologique occupait deux étages d'un bâtiment tout neuf. L'infirmière qui est venue me chercher à la réception m'a annoncé que j'avais bien choisi l'heure de ma visite, puisque l'interne de service était en train de faire la tournée des malades.

— Mais je dois vous prévenir que votre fille se trouve dans une unité d'urgence. Parfois, les gens prennent peur en voyant tous les appareils. Si vous sentez soudain que vous ne pouvez plus supporter de voir votre fille dans cet état, dites-le-moi et nous vous ferons tout de suite sortir.

Le lit de Megan était au fond de la salle, ce qui m'a obligé à passer devant une longue succession de patients, tous inconscients et hérissés de tubes, de transfusions, de fils les reliant à des moniteurs. En la découvrant dans la même position, j'ai eu l'impression de recevoir un coup de poing à l'estomac. Le plus terrible était de me dire que seul cet appareillage compliqué – y compris le respirateur artificiel et son inquiétant chuintement – maintenait encore ma fille chérie en vie. Ses longs cheveux blonds avaient été enfermés dans un bonnet chirurgical, mais son visage, bien que tuméfié par endroits, demeurait angélique. Assise à son chevet, Susan paraissait plus épuisée que je ne l'avais jamais vue. Voûtée, le regard fixe, les ongles rongés jusqu'au sang, elle était en train d'écouter un homme en blouse blanche qui lui parlait calmement. M'approchant derrière elle, je lui ai passé un bras autour des épaules mais elle a aussitôt réagi et s'est levée d'un bond sans me saluer, une réaction que le médecin n'a pas manqué de noter.

— C'est le père de Megan, a-t-elle déclaré d'une voix morne.

Je me suis présenté en serrant la main de l'interne. Âgé d'une trentaine d'années, il était pondéré, attentionné, avec juste ce qu'il fallait de réserve professionnelle.

— J'expliquais juste à votre... euh, femme, que Megan a subi une commotion cérébrale sérieuse, pour parler simplement. Des contusions considérables sur le tronc cérébral sont visibles à l'échographie. Elles peuvent très bien se résorber, je vous rassure tout de suite. Ce qui nous inquiète, c'est son absence de réaction aux stimuli. Est-ce parce qu'elle doit d'abord surmonter la commotion pour sortir de son état comateux, ou est-ce qu'il y a eu des lésions neurologiques plus graves ? Il est encore trop tôt pour se prononcer. Je dois vous prévenir qu'il est possible qu'elle demeure inconsciente pendant un certain temps.

— Est-ce que... Est-ce qu'elle risque de mourir ?

— Tous les autres signes vitaux sont positifs. Son cœur est très résistant, le cerveau reçoit tout l'oxygène dont il a besoin, donc, pour l'instant, nous gardons espoir. Ce qu'il faut comprendre, en revanche, et encore une fois je suis obligé de le souligner afin que vous y soyez préparé, c'est qu'il y a un réel risque que son état végétatif se poursuive... indéfiniment. C'est l'hypothèse la plus extrême, évidemment, mais je dois la mentionner. – J'ai baissé la tête au moment où les larmes jaillissaient, incontrôlables. Le médecin m'a effleuré l'épaule. – Il ne faut pas perdre espoir, surtout pas. Le cerveau est un organe qui recèle encore tant de mystères... Et il est capable de surmonter des traumatismes extrêmes. Seul le temps nous dira...

Il nous a laissés. Tous les deux debout devant la fille que nous avions conçue ensemble, sans rien à nous dire. Comme Susan recommençait à pleurer en silence, j'ai tenté de lui prendre la main, mais elle m'a repoussé en sifflant à voix basse :

— Je ne veux pas... je n'ai pas besoin de ta compassion.

— D'accord, ai-je concédé tout bas. Et d'une tasse de café ?

— Tu viens d'arriver ici et tu penses à aller prendre un café. Passe un moment avec ta fille !

— Je ne peux pas... supporter de la voir comme ça.

— Eh bien, il faudra que tu t'habitues ! Elle ne sortira pas de cet état. J'ai appelé Fred – c'était son frère médecin –, hier. Il m'a mise en relation avec un de ses amis, un neurologue de San Francisco très connu. Je lui ai envoyé tout ce que je savais de la situation de Megan par e-mail, et... il a été beaucoup plus direct que cet interne. D'après lui, ce genre de commotion du tronc cérébral se termine par une guérison complète dans seulement quinze pour cent des cas. Et il y a moins de cinquante chances sur cent qu'elle retrouve jamais une vie normale.

— Quinze pour cent, ce n'est pas rien.

— Mais c'est pratiquement rien ! Et je n'arrête pas de me dire que si je l'avais conduite à l'école, hier... Sauf que je devais aller voir mon avocat qui fait tout ce qu'il peut pour m'éviter la prison.

— Ne me dis pas que le FBI pense que tu as quoi que ce soit à voir avec les sales activités de Robson.

— Je vois que tu te tiens bien informé de toute cette horreur. Et tu en retires une intense satisfaction, bien entendu.

— Pas du tout. Et ne nous disputons pas en présence de Megan, s'il te plaît.

— Pourquoi pas ? Elle ne peut pas nous entendre. Et même si elle pouvait, qu'est-ce qu'elle en penserait ? Que c'est merveilleux d'avoir des parents aussi égoïstes et tarés l'un que l'autre ?

— Elle a terriblement souffert de tout ce qui s'est passé au cours de la dernière année, mais ça ne veut pas dire qu'elle nous déteste. Et si nous arrivons à compenser tout ce qu'elle...

— Non, je n'écouterai pas une seconde de plus tes platitudes et ton optimisme de merde ! Elle ne guérira pas, Harry, tu ne comprends pas ? Nous l'avons perdue. Et elle était innocente, elle n'a rien fait de mal, alors que nous...

Ses pleurs se sont transformés en sanglots désordonnés, puis en une plainte aiguë tandis qu'elle agrippait à deux mains les barreaux du lit de Megan. L'infirmière de garde est arrivée vers nous au pas de charge. Elle a passé un bras autour des épaules de Susan et l'a entraînée vers la sortie. Je me suis cramponné à la chaise, moi aussi, redoutant de céder au désespoir. Non, j'allais réparer, faire tout ce qui était en mon pouvoir pour sortir notre fille de là. À n'importe quel prix.

L'infirmière est revenue peu après.

— Votre femme est en consultation. Le docteur va certainement décider une admission pour épuisement nerveux. Nous lui trouverons une chambre. Elle est à bout de forces, la pauvre. Si vous désirez la voir une fois qu'elle sera installée...

— Je crois que je suis la dernière personne qu'elle veuille voir, pour l'instant.

Elle m'a dévisagé un moment, puis :

— Est-ce que je peux faire quelque chose pour vous ?

— Si vous vouliez bien m'apporter un verre d'eau... Je vais passer un moment ici, d'accord ?

Pendant les deux heures suivantes, je suis resté assis auprès de ma fille, tenant sa main toute chaude entre les miennes, écoutant les bips modulés de l'électrocardiogramme, parfois plongé dans une somnolence hébétée par le battement régulier du ventilateur artificiel. Tête basse, je me suis mis à chuchoter :

— D'accord, Margit. Je serai là demain. Je ne manquerai plus jamais un seul rendez-vous. Tu me tiens, aussi longtemps que tu voudras. Mais épargne ma fille, par pitié. Rends-nous Megan comme elle était avant, c'est tout ce que je te demande...

Brusquement sorti de cette transe, j'ai regardé notre fille. Elle restait immobile, les yeux clos. À cinq heures et demie, je me suis forcé à quitter l'inconfortable chaise en fer. Me penchant sur Megan, j'ai posé un baiser sur sa joue et murmuré un au revoir. Après avoir trouvé l'infirmière de garde à son bureau, je lui ai expliqué que je devais repartir pour l'étranger et je l'ai priée de dire à Susan que je la contacterais par téléphone le lendemain.

Un taxi jusqu'à l'aéroport, une heure de vol pour Chicago, deux en transit, sept et demie au-dessus de l'Atlantique, une nuit à tousser et à expectorer et à vider mon inhalateur d'oxygène, et la même sensation de noyade au moment de l'atterrissage. Une fois dans le terminal, je me suis enfermé dans les toilettes pour cracher des caillots de glaires rougeâtres. Ensuite, je me suis lavé la figure et je me suis présenté au contrôle des passeports, une épreuve que je redoutais pour le cas où les flics du Xe auraient informé leurs collègues des frontières que j'étais un Américain dont la France pouvait aisément se passer.

Le policier a scanné mon passeport et jeté un coup d'œil à son écran.

— Vous revenez déjà nous voir ?

— Je me plais beaucoup, ici.

— Vous travaillez en France ?

— Je suis écrivain, donc je travaille partout. Mais non, je n'occupe aucun emploi en France.

— Et combien de temps allez-vous rester parmi nous, cette fois ?

— Quelques semaines, pas plus, ai-je menti.

Un coup de tampon… J'étais de retour, avec un nouveau visa pour trois mois.

Tadeusz, le réceptionniste de l'hôtel de la rue du Dragon, était de service à mon arrivée. Il m'a tendu ma clé en souriant.

— Est-ce que votre fille va mieux ?

— Pas encore.

— Mais ça se présente bien ?

— Non.

— Ah, je sais pas quoi dire, sauf… que je suis désolé.

— Merci, vraiment.

— La chambre est prête, si vous voulez vous reposer.

— Pouvez-vous m'appeler à quatre heures et demie, au cas où je ne me réveillerais pas tout seul ?

J'ai dormi d'un sommeil sans rêve. À quatre heures et demie, j'étais sorti de l'hôtel et devant la porte cochère de la rue Linné à cinq heures précises. J'ai pénétré dans le monde parallèle que j'avais appris à connaître. J'ai grimpé les marches. Elle a ouvert la porte dès mon premier coup de sonnette. Mon poing l'a atteinte juste sur la bouche.

— Espèce de salope ! Me punir en essayant de tuer ma fille !

Elle a encaissé le coup, se contentant de porter la main à son menton.

— Tu n'as pas de preuve.

— Arrête de répéter ça ! ai-je hurlé en la giflant d'un revers brutal.

Cette fois, elle est tombée sur le lit mais elle s'est redressée aussitôt. Avec un sourire narquois.

— Tu as encore oublié, Harry. Je ne connais plus la douleur. Au contraire de toi. Ta vie est une souffrance perpétuelle. Et tu sais ce que tu viens de me démontrer ? Que tu es pareil à tous les hommes que j'ai connus. Dès que tu te sens dépassé par la situation, tu deviens violent. Même si, en t'attaquant à une femme, tu ne fais que révéler ta lamentable impuissance. Mais vas-y, ne te gêne pas. Frappe encore, Harry. Arrache ce peignoir et viole-moi, pendant que tu y es. Si ça te fait du bien...

— Tout ce qui peut me faire du bien, c'est de voir ma fille sortir du coma et connaître un rétablissement sans séquelles.

— C'est beaucoup demander, Harry

— Il faut que tu m'aides ! Il le faut !

— Non, il faut que je l'aide, elle. Mais ça ne peut arriver que si tu respectes les règles du jeu. Trois heures deux fois par semaine, ici. Si tu acceptes aujourd'hui mais que tu ne reviennes pas la prochaine fois, ta fille mourra. En revanche...

— Je promets ! Je serai là, deux fois par semaine.

Silence. Elle s'est relevée.

— C'est entendu, alors. Tu peux t'en aller, maintenant. Nous recommencerons à zéro à notre prochain rendez-vous, comme si rien ne s'était passé. Mais au cas où tu t'aviserais encore de me frapper, je...

— Je ne le ferai plus jamais.

— Je le note, Harry. Allez, va.

— Il faut que je sache une chose, avant. Ces rendez-vous, c'est... pour toujours ?

— Bien entendu. À la prochaine...

Avant de rentrer à l'hôtel, je me suis arrêté à une cabine téléphonique pour appeler Susan. Elle était ulcérée que je sois reparti si vite.

— Ça te ressemble tellement de t'esquiver en plein milieu d'une crise...

— Je n'avais pas le choix. J'avais un entretien pour un travail à plein temps, aujourd'hui. Tu vas avoir besoin de cet argent pour tenir...

— N'essaie pas de rejeter le blâme sur moi.

— Mais pourquoi tu crois toujours que je suis contre toi alors que j'essaie seulement de...

— ... me rappeler que je suis au chômage, et qu'il ne me reste qu'à prier pour que l'assurance accepte de payer les frais hospitaliers de Megan. Tu sais combien ça coûte, une journée dans le service où elle est ?

— Est-ce qu'il y a une amélioration de son état ? Est-ce qu'on peut espérer que...

— Pas pour l'instant.

— Tu as pu te reposer un peu ?

— Oui. Un peu.

— Tu veux bien m'appeler dès qu'il y aura du nouveau ? Me tenir au courant ?

— D'accord.

Elle a coupé la communication.

Un jour s'est écoulé. Je suis retourné à l'hôpital pour la consultation prévue avec le spécialiste au moment de ma sortie. Après avoir examiné la radio de mes poumons, il est devenu blanc de rage contenue.

— Qu'est-ce que vous avez fait ? Vous avez pris l'avion, ou quoi ?

— Écoutez, ma fille a eu un accident, c'est très sérieux et j'ai été obligé de...

— De chercher à vous tuer ? Je vous avais mis en garde contre les risques que vous couriez dans un environnement pressurisé. Mais vous vous en êtes moqué, et ce faisant vous avez retardé votre guérison. Vous crachez du sang, n'est-ce pas ? Remontez dans un avion, une seule fois, et vos poumons seront irrémédiablement atteints. Je vous interdis de quitter le plancher des vaches avant au moins six mois. C'est compris ?

Une fois de retour dans ma chambre d'hôtel, j'ai compté l'argent qui me restait après mon voyage. Un peu plus de mille huit cents euros.

N'y pense pas ! Prends les choses comme elles viennent. Qu'est-ce que tu peux faire d'autre ?

J'ai essayé de lire, de ne pas penser sans cesse à Megan. Vers dix heures du soir, j'ai décidé de me mettre au lit. Trois heures plus tard, la sonnerie du téléphone m'a extirpé en sursaut de mon demi-sommeil.

— Vous avez un appel, a annoncé le réceptionniste de nuit.

Il y a eu quelques déclics sur la ligne, puis une voix lointaine. Celle de Susan. Dont les premiers mots ont été :

— Elle a ouvert les yeux !

21

CE MÊME SOIR, MEGAN A RECOMMENCÉ À PARLER. Le lendemain, elle a pu être alimentée à la cuillère. Le jour suivant, elle a tenu à se lever de son lit pour aller aux toilettes, apprenant vite à se servir de ses béquilles, bien qu'elle ait eu une jambe et un bras plâtrés. Et le matin d'après, la police a mis la main sur le responsable de l'accident. Une triste histoire, à vrai dire : c'était une quadragénaire récemment divorcée, avocate dans un cabinet réputé de Cleveland, qui avait un « problème avec l'alcool », pour reprendre l'euphémisme consacré. Le jour en question, elle avait petit-déjeuné à la vodka dans sa chambre d'hôtel d'Eaton, où elle était en déplacement. Cinq minutes après avoir pris sa voiture en état d'ébriété avancée, elle avait renversé Megan. En proie à la panique, elle avait continué à rouler jusqu'à la frontière avec le Kentucky et s'était réfugiée dans un motel où la police avait retrouvé sa trace. Comme elle avait des assurances en béton, l'avocat engagé par Susan a menacé de rendre l'affaire publique si ses employeurs et elle-même ne proposaient pas rapidement un règlement à l'amiable.

— C'est allé très vite, m'a raconté Susan lors de l'une de nos conversations téléphoniques quotidiennes. Notre gars est un vrai requin, quand il veut. Et il sait ce qu'il fait. Conclusion, Megan va recevoir un chèque d'un demi-million de dollars. Du coup, ses études supérieures sont couvertes, et ça nous donne de quoi souffler avant que je retrouve un travail.

— Le principal, c'est qu'elle ne souffre d'aucune séquelle physique, ai-je répondu. Sur le plan psychologique, en revanche...

— Ça viendra s'ajouter à toute la merde que ses parents ont déjà accumulée sur elle. Et au fait que sa salope de mère n'a pu décrocher un emploi d'enseignante qu'en couchant avec un pédophile.

— Je crois vraiment que tu devrais arrêter de te sentir responsable de ce qui est arrivé à Megan.

— Mais je ne peux pas. Je ne « peux » pas !

— Bon, si ça peut t'aider, je me sens coupable, moi aussi.

— Tu joues encore au bon Samaritain... Histoire de renforcer mon sentiment de culpabilité, comme toujours.

— Tu es réellement persuadée que je suis venimeux à ce point ? Tu ne vois pas que je suis désolé pour tout ce qui est arrivé, du fond du cœur ?

Elle s'est tue un moment. Je l'ai entendue pleurer doucement.

— Pardon, pardon, a-t-elle fini par murmurer. J'ai tout gâché, tout...

— Susan, notre fille est en vie, bien portante ! C'est tout ce qui compte, pour l'instant. Et je voudrais pouvoir lui parler, tu le sais.

— Je lui ai dit que tu as fait le voyage pour la voir, quand elle était inconsciente. Ça lui a fait plaisir, je pense. Ce que je ne comprends pas, c'est pourquoi tu t'es cru obligé de repartir pour Paris comme si tu avais le diable aux trousses.

Pourquoi ? Parce que la morte qui a placé Megan sous les roues de cette voiture exigeait de moi sa « gratification » bihebdomadaire. Si je m'étais dérobé, notre fille serait toujours dans le coma. Ou pire.

— Comme je te l'ai déjà dit, j'avais un entretien pour un travail et...

— Tu aurais pu leur expliquer que ta fille était gravement blessée.

— Je leur ai dit et ils ont été très compréhensifs, mais c'était un poste à pourvoir immédiatement. Je suis fauché, Susan. Et toi-même... Enfin, je ne pouvais pas rater cette opportunité.

— C'est ça, jette encore du sel sur la plaie, rappelle-moi que je suis incapable de gagner ma vie, rappelle-moi que tout est ma faute, que...

— Susan, arrête, maintenant.

— Mais il faut que tu m'écoutes. Il faut que tu entendes la vérité, que je te dise que...

« La vérité, c'est que ce genre de chamailleries stériles est l'une des raisons pour lesquelles j'en suis venu à détester notre vie commune », ai-je pensé.

— La vérité, c'est que je ne vais pas pouvoir prendre l'avion pendant six mois.

— Hein ? a-t-elle crié sur un ton indigné.

Je lui ai raconté que je m'étais retrouvé dans un incendie alors que je travaillais comme veilleur de nuit – « Comme "quoi" ? » s'est-elle étranglée –, et que le pneumologue qui me suivait m'avait interdit les voyages aériens, jusqu'à nouvel ordre.

— Donc, tu voudrais que je te félicite d'avoir risqué ta vie en venant au chevet de ta fille ?

— Tu sais quoi, Susan ? Je me fiche de ce que tu penses. La vérité, c'est que je crachais du sang, à mon retour. Le spécialiste ne veut pas que je reprenne l'avion avant Noël prochain. Je suis le premier puni, car ça me rend dingue de ne pas voir Megan. Mais vas-y, libre à toi de me prendre pour une ordure. Tu l'as toujours fait, et ça ne changera jamais.

Cette fois, c'est moi qui lui ai raccroché au nez.

Quelques heures plus tard, tandis que j'étais étendu près d'elle sur son lit, Margit a observé :

— J'ai bien aimé comment tu as rabattu son caquet à Susan, aujourd'hui. Tu étais beaucoup moins sûr de toi avec elle, auparavant.

— Ah ? Tu sais ça aussi ? La manière dont je me comportais avec elle, « auparavant » ?

— Je connais tout de ta vie, Harry. C'est pour ça que je n'ai pas douté une seconde que tu tiendrais ta parole et que tu viendrais, aujourd'hui.

— Quelle parole ? Quand on est contraint et forcé, il n'y a aucun mérite à…

— Si tu veux continuer à te persuader que tu es tombé dans une sorte de piège, je ne vais pas t'en dissuader. Mais tu passeras ta vie à enrager contre ce soi-disant mauvais tour que je t'aurais joué. Pourtant, si tu voyais un peu plus loin que le bout de ton nez, tu mesurerais tous les bénéfices que notre accord peut te procurer. À propos, puisque tu n'auras plus un rond dans quinze jours environ, il faut que nous te trouvions le travail dont tu as parlé à Susan.

— Quoi ? C'est impossible.

— C'est ce que tu dis.

Trois jours plus tard, alors que nous sirotions notre habituel whisky postcoïtal, Margit m'a annoncé de but en blanc :

— Dimanche, tu vas devoir retourner au salon de Lorraine L'Herbert.

— Jamais de la vie.

— Pourquoi ?

— Parce que ni Madame ni son factotum n'accepteront jamais de me rouvrir leur porte.

— Mon pauvre Harry ! Toujours à croire que les gens t'accordent une importance quelconque. Non, la L'Herbert ne te voue pas un ressentiment éternel pour être venu quémander des informations à mon sujet. Comme la vraie nombriliste qu'elle est, elle ne passe pas beaucoup de temps à se demander ce que les autres font ou pensent, sauf si ça la concerne directement, bien sûr. Ta petite scène sur son palier s'est évanouie de sa mémoire depuis longtemps, crois-moi. Ce qui compte le plus, pour elle et son mac, ce sont les vingt euros de ton admission. Alors, tu vas les appeler demain, et te débrouiller pour être reçu dimanche soir Là, tu te feras présenter à un certain Lawrence Coursen, le directeur de l'American Institute à Paris. C'est un assidu de leurs petites sauteries, depuis des années. Il vient pour draguer, parce qu'il est marié à une richissime emmerdeuse qui pèse dans les deux cents kilos et lui mène une vie d'enfer quand elle ne s'empiffre pas. Je sais qu'il est à la recherche de quelqu'un pour enseigner les « études cinématographiques », comme vous dites. Tu n'auras qu'à attirer son attention et à te montrer charmant.

— Ça, c'est exclu.

— Mais si, Harry, tu peux être très charmant.

J'en suis resté coi : c'était la première fois que Margit me faisait un compliment. J'ai suivi ses consignes, comme toujours. Henry Montgomery, l'« assistant » de Mme L'Herbert, n'a pas bronché lorsque j'ai donné mon nom au téléphone. Il s'est contenté de me communiquer le nouveau code et de me demander de venir avec vingt-cinq euros – « Eh oui ! tout augmente. » – dans une enveloppe. Le dimanche soir, il ne m'a fallu qu'une vingtaine de minutes pour me rendre à pied de mon hôtel à la rue Soufflot. À mon arrivée, la réception battait déjà son plein. Sans avoir l'air de me reconnaître, Montgomery s'est emparé de mon enveloppe et a jeté un coup d'œil discret sur mon nom, que j'avais écrit en lettres d'imprimerie comme convenu. Il m'a conduit à Lorraine L'Herbert, qui, selon son habitude, se tenait au pied de l'un de ses nus, entourée d'un cercle de courtisans. Il a chuchoté quelques mots à son oreille. Aussitôt, elle a adopté un grand sourire accueillant.

— Harry ! Quel plaisir de vous revoir. Cela faisait... combien de temps ?

— Quelques mois, je dirais.

— Et vous êtes toujours là. Paris vous a envoûté, alors ?

— Oh oui.

— Vous êtes… peintre, c'est bien ça ?

— Non. Enseignant. En cinéma. Et je me demandais si Lawrence Coursen était chez vous ce soir, par hasard ?

— Ah, ah ! On cherche un job, je vois !

— C'est exact.

— La franchise américaine… ! J'adore ! Larry, Larry ! – Elle a fait de grands gestes à l'intention d'un homme entre deux âges, vêtu d'un costume en lin blanc cassé qui n'était pas de la première fraîcheur. Il est venu à nous. – Larry, il « faut » que vous rencontriez Harry Ricks. C'est un professeur exceptionnel, qui enseigne… quoi, déjà ?

— Le cinéma.

— Non, sérieusement ? Où ça ?

— Eh bien, j'ai longtemps été au…

La conversation s'est engagée. Lorraine L'Herbert s'est esquivée. Pendant une bonne demi-heure, Coursen et moi avons parlé cinéma – c'était un cinéphile passionné, lui aussi –, mais aussi de l'institut qu'il dirigeait. Comme il m'a posé au passage plusieurs questions sur mes « sensibilités pédagogiques » et sur le format des cours que j'avais donnés dans le passé, j'ai compris qu'il me faisait passer une sorte d'entretien d'embauche informel.

— Et aujourd'hui ? m'a-t-il interrogé. Qu'est-ce que vous faites exactement à Paris ?

— J'essaie de terminer un roman.

— Vous avez déjà été publié ?

— Des travaux universitaires à la pelle, et des articles ici et là, mais pas de livres, non.

— Vraiment ? Dans quelles publications ? – Je lui ai cité quelques titres. – Et vous avez un logement, ici ?

— J'en avais un. Mais je suis entre deux locations, et je vis à l'hôtel, pour l'instant.

— Vous auriez son téléphone avec vous ? – Je l'ai écrit sur la carte de visite qu'il me tendait. – Il est très possible que je vous contacte d'ici peu. – Ses yeux se sont mis à errer autour de la pièce, jusqu'à s'arrêter sur une fille qui ne devait pas avoir plus de vingt ans. Elle lui a adressé un petit signe de la main. – Ravi d'avoir fait votre connaissance, Harry.

Une fois que Coursen a eu quitté le salon en compagnie de sa très jeune amie, j'ai dérivé peu à peu jusqu'au balcon. Il était désert, sans doute à cause de la bruine qui avait commencé à tomber. Mon regard s'est posé sur l'endroit exact où Margit m'était apparue la première fois. Et si je n'étais pas venu à cette soirée ? Si je n'avais pas flirté avec elle ? Si je ne m'étais pas laissé entraîner par cette attirance charnelle, impétueuse ? Si je n'avais pas pris son numéro de téléphone ? Tout cela n'était arrivé que pour une seule raison : je me sentais seul, triste, rejeté, perdu. Et parce que j'avais sincèrement désiré la revoir.

« Je suis entrée dans ta vie parce que tu avais besoin de moi, Harry. » Oui, je ne pouvais pas le nier. Et désormais nous étions ensemble. À perpétuité.

Je suis revenu à l'intérieur. Debout près du buffet, Lorraine était en grande conversation avec une Japonaise gainée de cuir noir de la tête aux pieds. Elle s'est interrompue en me voyant approcher.

— Je voulais vous remercier à nouveau pour votre hospitalité, lui ai-je dit.

— Vous partez déjà, trésor ? – J'ai hoché la tête. – Ça s'est bien passé, avec Coursen ?

— Oui. C'était très aimable à vous de faire les présentations. On verra ce que ça donne.

— Je vous ai vu sur le balcon, à l'instant. Toujours en quête de votre Hongroise ?

— Non, mais… Je ne pensais pas que vous vous souviendriez de ma visite.

— Ah, mon petit, vous débarquez en cherchant comme un fou une femme qui est venue ici il y a plus de vingt ans, et une seule fois, qui plus est… C'est difficile à oublier, non ? Mais attendez que je vous raconte quelque chose d'amusant.

Après votre départ, j'ai interrogé Henry à propos de cette... Kádár, c'est ça ? Et il se trouve qu'il se rappelait plutôt bien son passage ici. Ce qui s'est passé, dans son souvenir, c'est que son mari s'est mis à parler avec une autre femme, et que ça a dégénéré en une scène sur le balcon... mémorable, justement. Moi, j'étais occupée ailleurs, mais d'après Henry votre Hongroise a carrément essayé de jeter sa rivale trois étages plus bas ! Henry a dû s'interposer et il m'a dit qu'il n'avait jamais assisté à une crise de jalousie aussi violente. Et le plus impressionnant, ç'a été qu'elle n'a pas élevé une seule fois le ton, elle a juste murmuré qu'elle allait l'envoyer se fracasser le crâne sur le trottoir ! Un signe que la dame avait une case en moins, si vous voulez mon avis. Une bonne engueulade, rien de plus sain, OK. Je me suis dit que vous aviez de la chance de vous être trompé. Ce genre de cinglées, moins on les fréquente, mieux on se porte. Parce que, quand elles vous attrapent dans leurs griffes, vous...

— Il faut vraiment que j'y aille, l'ai-je coupée.

— N'ayez crainte. Tout ça restera entre vous et moi. Je n'en dirai pas un mot à Larry Coursen, évidemment. Je ne voudrais pas que ça nuise à vos perspectives professionnelles... Et revenez nous voir, hein ? Je compte sur vous !

Lorraine L'Herbert a certainement tenu sa langue au sujet de ma recherche concernant une femme folle de jalousie dans les années quatre-vingt, car la secrétaire de Coursen m'a laissé un message à l'hôtel dès le lendemain. J'étais invité à me présenter à son bureau le jour suivant, à quinze heures.

L'American Institute occupait un grand hôtel particulier de Neuilly réaménagé afin d'accueillir plusieurs salles de cours, des bureaux administratifs et un grand auditorium. Coursen s'est montré aimable et très efficace. Il avait récupéré tout mon cursus universitaire, recherché sur Google les contributions et les articles que je lui avais mentionnés. Et, comme il fallait s'y attendre, il n'ignorait rien du scandale qui avait mis fin à ma carrière à Eaton.

— Je préférerais tout de même avoir votre version des faits, m'a-t-il dit.

Je lui en ai donné un résumé aussi honnête que possible, en ajoutant que, même si Robson avait délibérément jeté de l'huile sur le feu, je continuais à être rongé de remords à propos de la mort tragique de Shelley. Quand j'ai terminé mon récit, Coursen a réfléchi un instant, puis :

— J'apprécie votre franchise, Harry. Ce n'est pas très courant, de nos jours, et c'est plutôt agréable. Je dois vous dire que j'ai passé un coup de fil à l'un de vos anciens collègues, Douglas Stanley, c'est son nom ? Il n'a pas tari d'éloges sur vos capacités professionnelles. Il m'a également affirmé que votre aventure avec cette étudiante n'aurait jamais atteint ces proportions, sans les manœuvres de Robson. À propos du doyen... Quelle fin, non ? Parfois, on est obligé de se demander s'il n'existe pas une sorte de force surnaturelle qui intervient au dernier moment pour rétablir la justice, quand les hommes sont incapables de la faire triompher...

— C'est... C'est une façon de voir les choses, oui.

— Mais bon, assez philosophé ! Nous sommes en France, Dieu merci, pas aux États-Unis, donc je ne vois pas beaucoup de gens susceptibles de pousser des cris d'orfraie si je vous propose un poste dans notre établissement. Soit dit entre nous, je suis de tout cœur avec vous. J'enseignais à l'université du Connecticut quand ma deuxième femme m'a surpris au lit avec l'une de mes étudiantes. Adulte et deux cents pour cent consentante, je précise. Sur le coup, ç'a été un drame mais ç'a été la chance de ma vie, aussi, puisque je suis venu à Paris. Nous sommes tous les deux des transfuges, Harry.

Mon contrat initial était trimestriel. Je devais assurer deux cours, « Introduction au film » et « Les grandes figures de la mise en scène américaine ». En tout, douze heures par semaine en échange d'un forfait de huit mille euros pour les trois mois. Coursen s'engageait également à m'obtenir l'indispensable carte de séjour qui me permettrait d'exercer légalement un emploi en France. Si tout se passait bien durant cette période probatoire, le contrat serait reconduit. J'ai accepté sur-le-champ, à une seule condition : qu'aucun cours n'ait lieu entre dix-sept et vingt heures.

— Aucun problème, a répondu Coursen. Mais si je ne suis pas indiscret, qui est la maîtresse de votre cœur ? Elle doit être mariée, à en juger par la tranche horaire...

— Elle... euh, c'est un peu compliqué.

— C'est toujours compliqué, cher ami ! C'est ce qui rend la chose encore plus excitante.

À notre rendez-vous du lendemain, Margit s'est montrée très satisfaite :

— Tu t'es superbement débrouillé, pendant l'entretien. Pas de faux-fuyants, pas d'autojustification, pas de tentative de reporter la faute sur les autres. Bien joué. Félicitations. Mais laisse-moi te dire que je ne suis pas très impressionnée par ton nouveau boss. Il me paraît louche. Et tant qu'on y est, je te conseille de ne pas te laisser convaincre par les divagations de l'autre vieille tante, Henry Montgomery. Moi, folle de jalousie ? Ce que la L'Herbert a omis de te préciser, c'est que j'ai surpris la fille en train de tailler une pipe à Zoltan sur le balcon. Comme tu le sais, je suis plus que libérale, en ce qui concerne la vie sexuelle de chacun. Mais m'humilier en public de cette façon ? Alors oui, je lui ai fait à moitié passer la balustrade. Mais je la tenais ferme- ment, crois-moi. Je n'avais aucune intention de finir en pri- son à cause d'une salope pareille. Mais bon, je m'égare... Encore bravo, Harry. Et ne t'inquiète pas pour ta période d'essai : Coursen te prolongera ton contrat, en temps voulu.

— Si tu le dis...

— Je le dis.

— Et moi, je voudrais que tu me rendes encore un ser- vice. Il faut que tu aides Susan à retrouver son poste.

— Je vais voir ce que je peux faire. En attendant, elle a encore reçu de bonnes nouvelles, sur le front financier :

même si l'essentiel de ses biens revient à ses enfants, Robson a modifié son testament, peu avant sa mort, et il a nommé ton ex-femme bénéficiaire de sa retraite de doyen, en cas de décès anticipé. Ce n'est pas un pactole, certes, mais cela lui assurera un revenu mensuel de mille cinq cents dollars. Puisque les frais universitaires de votre fille seront couverts, ça lui laisse de quoi s'en tirer.

Susan m'a elle-même communiqué cette nouvelle lorsque je lui ai téléphoné plus tard dans la soirée :

— C'est à peu près la seule chose correcte que cet ignoble individu ait faite de toute sa vie. Et ça ne pouvait pas mieux tomber, je dois l'avouer.

— Je suis content pour toi.

— Bénéficier de la retraite d'un pédophile qui s'est suicidé en prison... Et devoir accepter, parce que je suis complètement démunie. Ça doit te paraître ironique, non ? Hilarant, même. Une fois de plus, ça montre que je suis tombée plus bas que terre.

— Tu as tout à fait raison d'accepter cet argent, Susan.

— Eh bien... Enfin, au moins un point positif : le FBI a admis que je ne tenais pas ses livres de comptes pendant qu'il vendait ses photos pourries sur Internet. Ils m'ont annoncé aujourd'hui qu'ils abandonnaient les poursuites contre moi.

— Encore une bonne nouvelle, alors... Moi aussi, j'en ai...

Je l'ai mise au courant de l'offre de l'American Institute.

— Tu as de la chance. Ça me manque tant, d'enseigner...

— Et moi, c'est ma fille qui me manque beaucoup.

— Elle a passé presque toute la matinée sur une chaise, elle bavarde avec les infirmières, c'est incroyable... Les médecins me disent qu'ils n'en reviennent pas, qu'elle soit sortie du coma comme ça, sans aucune lésion au cerveau.

— Il faut croire que les miracles existent. Nous avons beaucoup de chance. Susan, il faut que je lui parle. C'est vital pour moi.

— J'ai évoqué la question avec elle, hier. Elle est encore très en colère contre toi. Je reconnais que je n'ai pas facilité les choses, sur ce plan. Je l'ai montée contre toi, après... après ce que tu sais. Je voulais me venger, j'avoue. C'est horrible. Je regrette, je n'arrête pas de le regretter. Et je vais faire tout ce que je peux pour réparer...

Au cours de notre rencontre suivante, Margit a remarqué entre deux bouffées de cigarette :

— Quel bel acte de contrition ton ex nous a offert... La culpabilité, c'est formidable, ça peut tout effacer, tout aplanir. Remettre les pendules à zéro.

— C'est toi qui t'es mêlée de cette histoire de testament, de retraite ?

— Peut-être.

— Et le FBI ?

— Peut-être.

— Tu aimes bien me laisser dans le doute, c'est ça ?

— Mais considère un peu tout ce que tu reçois en échange. Plus de tensions affectives, un boulot en or, des excuses de la part de ceux qui t'ont maltraité... Et, tiens, ajoute mes talents d'agent immobilier ! Il y a un studio à louer rue des Écoles, dans un immeuble en pierre de taille superbement entretenu. Vingt-six mètres carrés, rénové avec goût et six cents euros de loyer mensuel. Un prix pareil, dans ce quartier-là, c'est presque... miraculeux. Pense à tous ces cinémas, pense à...

— ... la proximité de la rue Linné ?

— Mais oui. À cinq minutes à pied.

— Je vivrais quasiment sur ton paillasson...

— C'est déjà le cas, Harry. Tu le sais. Et tu sais aussi que je suis avec toi, même quand tu ne le voudrais pas... Enfin, pour en revenir aux choses sérieuses, il faut que tu ailles à l'agence immobilière dès demain matin. Dis-leur que tu es professeur à l'Institut américain de Paris, ils vont adorer ça. S'ils commencent à chouiner que tu n'as pas de compte en banque, ni de carte de crédit, tu réponds que tu viens tout juste d'arriver des États-Unis et que tu as rendez-vous à la banque prochainement. Coursen se portera garant, et il veillera aussi à ce qu'une avance de deux mille euros te soit versée. Cela suffira à te mettre en piste. Ensuite, il faudra que...

— Je crois que je me débrouillerai tout seul, à partir de là.

— Quoi ? Tu me trouves trop maternelle ?

— Sans commentaire.

— Je veux seulement que tu prennes un nouveau départ. Quant à ce studio, il est fantastique. Tu ne trouveras jamais rien d'approchant, à moins de...

— D'accord, Margit. Je ne suis pas complètement idiot. Je serai à l'agence demain matin, à neuf heures.

À dix, j'avais signé le bail. Elle n'avait pas exagéré : ce n'était pas grand, mais confortable et stylé. Quant à Coursen, il a réussi à convaincre son service comptable de me verser deux mille euros d'avance. Trois jours plus tard, j'ai emménagé dans mes nouveaux quartiers. Après la saleté et le côté minable de ma chambre de la rue de Paradis, mon petit studio n'a semblé immaculé, et tellement tranquille, et avec ce qui me restait de l'avance sur salaire, j'ai acheté des draps, du linge de toilette et une petite chaîne stéréo. Et j'ai commencé à me sentir chez moi.

Et puis mes cours ont commencé. Mes étudiants m'ont plu, et apparemment ç'a été réciproque. Très vite, j'ai retrouvé cette émotion très particulière qui vous étreint lorsque vous vous présentez devant un auditoire attentif et que vous vous mettez à discourir à propos de films qui vous passionnent. Le trimestre est passé comme un éclair. Je téléphonais à Susan tous les deux jours. Un mois après l'accident, Megan était de retour à l'école, mais elle refusait toujours de m'adresser la parole.

— Elle ne me parle pas beaucoup non plus, si ça peut te consoler, m'a expliqué Susan. Elle est très renfermée, boudeuse, irritable. Notre médecin dit que c'est normal, qu'elle est déprimée et que c'est un contrecoup du traumatisme qu'elle a subi. Mais elle parle avec le psychothérapeute du lycée, au moins. Il faut être patient. Elle finira par sortir de sa coquille.

Tout s'est mis en place, peu à peu. Mon contrat à l'American Institute a été renouvelé pour deux ans. Au cours d'une réception à l'école, j'ai fait la connaissance du rédacteur en chef d'un hebdomadaire destiné aux expatriés anglophones qui recherchait un critique de cinéma. La pige était modeste – cent cinquante euros l'article –, mais il a apprécié mes papiers et ces rentrées d'argent supplémentaire ont été les bienvenues. J'ai commencé à m'habiller un peu mieux. J'ai fait l'acquisition d'un téléviseur, d'un lecteur DVD, d'un nouvel ordinateur et d'un téléphone portable. Je continuais à hanter la Cinémathèque, et toutes les petites salles du Quartier latin. Je profitais plusieurs fois par semaine de la salle de gym à l'institut.

Au téléphone, nous nous montrions polis et compréhensifs, Susan et moi. La colère toujours latente entre nous se dissipait petit à petit. Nous n'étions plus ennemis, seulement deux combattants épuisés qui avaient compris qu'il était plus facile d'être courtois l'un envers l'autre et qui étaient tombés d'accord pour n'avoir qu'un seul sujet de conversation : leur fille.

Les jours ont passé. Toujours plus vite. J'ai enseigné pendant tout l'été. J'étais séduit par le charme des rues de Paris presque vides en août. Je me suis accordé le plaisir d'un long week-end sur une plage de Collioure. En dehors de mon travail, j'avais toujours quelque chose à « faire » : un film à voir, une exposition, un concert, toujours plus de livres. Je ne m'ennuyais pas, mais je tuais le temps.

Un après-midi, au Centre Pompidou, je me suis arrêté longuement devant l'un des tableaux monochromes d'Yves Klein. Je l'avais déjà vu dans des livres d'art, mais de me retrouver en sa présence, si je puis dire, a été comme une révélation. Rien qu'une toile peinte d'un bleu intense, comme on en voit parfois dans un ciel d'hiver dégagé, peu avant le crépuscule. L'obscurité était perceptible dans les contours... Mais plus je me suis absorbé dans sa contemplation, plus j'ai perçu la subtilité des textures et des nuances, au point que ce grand carré de bleu a fini par me plonger dans un état proche de l'hypnose. Bientôt, la matérialité de la toile et des coups de pinceau s'est dissipée, me laissant face à un vide abyssal, un néant, d'une profondeur qui m'attirait, me projetait dans un univers sans limites... d'où on ne revient pas. Soudain, quelqu'un m'a bousculé et je suis revenu brutalement sur la terre ferme, un peu vacillant, un peu chagrin. Et beaucoup plus tard, quand j'ai rejoint mon lit et que j'ai éteint la lumière, le bleu infini de Klein est revenu me hanter, et je n'ai pu m'empêcher de penser : « Tel est le vide dans lequel tu vis, désormais. »

J'avais rangé dans un tiroir de mon nouveau studio le CD que Margit m'avait rendu. Un soir de début septembre, je l'ai sorti de son exil. Tout un long samedi silencieux, j'ai relu les six cents pages de mon roman inachevé. Quand je suis arrivé à la dernière ligne, j'ai éjecté le disque, je suis allé le remettre à sa place et j'ai pris la résolution de ne plus y toucher. Soudain, je me suis entendu lui parler à voix haute. « D'accord, tu as raison, tu as toujours raison. C'est surfait, c'est insupportable de prétention et de pédanterie, il n'y a pas de ligne directrice, il n'y a rien qui donne envie de continuer, il n'y a rien... » Je savais qu'elle pouvait m'entendre. Non, je savais qu'elle m'écoutait. Et qu'elle m'observait. Sans cesse.

— Alors tu as renoncé à ton roman, finalement ? m'a-t-elle dit le lendemain, vers six heures.

— Pourquoi me poser la question, puisque tu connais la réponse ?

— Bah ! C'était juste pour engager la conversation.

— Non, c'était pour me rappeler encore une fois que je n'échapperai jamais à ta surveillance.

— Depuis le temps, j'aurais cru que tu te serais habitué à ce que...

— Non ! Je n'accepterai jamais ça, jamais. Comment pourrais-je, en sachant que tu me suis en permanence pour être sûre que…

— Qu'il ne t'arrivera rien de mal ?

— Tant que je me plierai à tes conditions.

— Il n'y en a qu'une. Venir ici, deux fois par semaine, de cinq à huit heures.

— Et dans le futur, si je veux aller voir ma fille, disons.. quatre jours ?

— Non. Trois. Ou alors, fais-la venir à Paris. Quand elle sera prête, bien sûr.

— Ce n'est pas… négociable ?

— Non. C'est l'accord que nous avons passé, toi et moi. Quelques contraintes, mais toute cette liberté… Comme je te l'ai déjà dit, tu peux faire tout ce qui te passe par la tête, en dehors de nos rendez-vous.

— Vraiment ? Alors que tu m'espionnes en permanence ? Que tu me surveilles sans cesse ?

— Qu'est-ce qu'il y a de mal à ça ?

Je n'ai pas répliqué. J'ai choisi le silence. Trois soirs plus tard, cependant, j'ai commencé à écrire. Ce livre. Je voulais que tout soit couché noir sur blanc, avant que… Avant qu'il ne m'arrive quelque chose d'irrémédiable, peut-être. Et aussi pour me convaincre que je ne vivais pas dans un fantasme qui m'avait piégé à jamais. Mais qui voudra croire à la véracité de cette histoire ? Vous ? Alors que ce n'est qu'une « histoire ». La mienne. Et, comme toutes les histoires, elle n'a aucune réalité, au sens strict du mot. C'est ma version de la vérité. Ce qui la rend à la fois totalement véridique, et complètement… inexacte.

À quel moment quitte-t-on un monde bien défini pour se retrouver dans un autre ? Je n'en ai pas la moindre idée. Mais je m'emploie à répondre à cette question deux fois par semaine.

Récemment, j'ai demandé à Margit :

— Puisque tu vas vieillir encore, qu'est-ce qui va se passer ? Tu vas mourir une deuxième fois ?

— Je n'en ai pas la moindre idée.

— Et moi, quand je vais mourir ? Est-ce que je vais te rejoindre dans cette... perpétuité spectrale ?

— Je n'en ai pas la moindre idée non plus, mais j'aime bien ta formule. Est-ce que tu vas t'en servir dans ton prochain livre ?

Je l'ai regardée bien en face.

— Oui.

— Intéressant. Même si personne ne te croira.

— Je n'écris pas pour qu'on me lise.

— N'importe quoi ! Tous les écrivains ne veulent qu'une seule chose, qu'on les lise. Que leur petite histoire tombe dans le domaine public. Cela dit, fais-moi confiance : ce livre-là ne sera jamais publié.

— C'est une menace ?

— C'est la réalité. Telle que je la vois, bien entendu.

— Tu vas donc t'assurer que mon livre ne voie jamais le jour ?

— J'ai dit ça ?

— Tu l'as sous-entendu.

— Pas vraiment, non. Je te le répète : en dehors de nos moments ensemble...

... je vis ma vie ?

Est-ce qu'on peut « vivre sa vie » dans l'ombre d'une présence incessante ? Est-ce qu'on peut prendre la moindre décision lorsqu'il a été convenu que « quelqu'un » soit là, en permanence, prêt à vous empêcher d'aller dans le mauvais sens...

Il y a quelques semaines, je traversais la rue des Écoles sans regarder, essayant d'arrêter un taxi, alors qu'un motard arrivait. Au moment où il allait me percuter, il a soudain heurté le trottoir dans un fracas de métal froissé. Il s'est relevé, choqué mais indemne. Aux deux policiers qui ont pris sa déclaration, il a raconté qu'il n'avait même pas essayé de m'éviter, que sa moto avait soudain été envoyée de côté, sans qu'il puisse rien y faire. « Comme si on m'avait poussé », leur a-t-il dit.

— Avez-vous vu quelqu'un le pousser ? m'a demandé un des policiers. – J'ai secoué la tête.

Le lendemain, chez Margit, j'ai attendu le moment propice pour lâcher :

— Merci de m'avoir sauvé la vie, hier.

— Ta mère ne t'a jamais dit qu'il fallait regarder à droite puis à gauche, avant de traverser ?

— S'il m'avait renversé, ç'aurait été une leçon, je le reconnais.

— S'il t'avait renversé, tu serais mort, à l'heure qu'il est. Le fait que cela ne se soit pas produit, c'est ça, la leçon.

— Comme c'est merveilleux d'avoir une bonne fée...

— Merci pour ta gratitude, Harry. Toujours en train d'écrire ?

— Quoi, tu ne lis pas par-dessus mon épaule ?

— Tu n'as aucune preuve. Cela dit, je m'inquiète pour toi. Tu travailles très tard, chaque nuit...

— Je n'ai pas besoin de dormir beaucoup.

— Nuance : ce n'est pas parce que tu dors peu que tu n'as pas besoin de sommeil.

Comment dormir, tout en sachant que mes moindres gestes sont épiés, sans interruption...

— Je ne suis pas insomniaque, si c'est ce que tu veux dire.

— Très bien. Mais tu devrais recommencer à prendre tes somnifères, je crois.

— Ils n'ont plus d'effet sur moi, franchement.

— Consulte un médecin. Il te prescrira quelque chose de plus fort.

— Pas besoin, merci.

— Tu es en colère, Harry. Contre ça. Contre « nous ».

— Tout va très bien pour moi.

— Tu vas t'y faire, crois-moi. Parce que tu n'as pas le choix.

Une partie de moi refusait de l'entendre, pourtant. Comment, « pas le choix » ? Bien sûr que si ! Le lendemain soir, je suis allé traîner aux Halles. Dans un club de jazz de la rue des Lombards, j'ai conversé avec une jeune femme américaine séduisante, pleine de vie. Rachel, la quarantaine, célibataire, en virée à Paris pour quelques jours avant de reprendre son travail de conseillère fiscale à Boston. Vers deux heures du matin, et avec plus que quelques verres partagés, elle a posé sa main sur la mienne et m'a proposé de la raccompagner à son hôtel tout proche.

La fin de la nuit a été agréable. Romantique, comme on dit chez nous. J'avais un cours très tôt dans la matinée. Avant de me laisser partir, elle m'a enlacé et m'a dit :

— Quelle chance j'ai eu de te rencontrer. Si tu es libre ce soir...

— Ce soir, oui.

Elle m'a donné un baiser, et un sourire.

J'ai passé le reste de la journée sur un nuage où se mêlaient fatigue et exaltation. Rachel m'avait conquis. Qu'il était agréable de désirer et d'être désiré à nouveau. À sept heures, comme prévu, j'ai débarqué à son hôtel, une bouteille de champagne à la main. Quand j'ai demandé au réceptionniste de l'appeler dans sa chambre, il a pris un air grave.

— Vous êtes M. Ricks ?

— Harry Ricks, oui.

— Malheureusement, notre cliente est partie plus tôt que prévu, monsieur. Un décès dans sa famille. Elle m'a demandé de vous remettre ceci.

Une enveloppe. À l'intérieur, une feuille à en-tête de l'hôtel. Quelques mots :

« Harry,

« J'ai appris que ma mère venait de mourir peu après que tu es parti. C'est tellement soudain, je suis bouleversée. Cette nuit avec toi a été un enchantement. Si tu passes par Boston, appelle-moi au... »

Un numéro de téléphone suivait. Hors de moi, j'ai chiffonné la feuille dans ma main, dérisoire boulette de papier que j'ai déposée sur le comptoir. À côté de la bouteille de champagne, que j'ai invité l'employé à garder pour lui.

« Si tu passes par Boston... »

Rachel. Si seulement je disposais de plus de trois jours. Si seulement je pouvais te dire pourquoi je ne peux pas « passer à Boston plus de quarante-huit heures ». Si seulement...

Dès que j'ai revu Margit, la question a jailli de mes lèvres :

— C'est toi qui as tué sa mère, non ?

— Elle avait quatre-vingts ans, Harry. Un accident cardiaque...

— Conclusion ? Si je rencontre une autre femme, tu vas. .

— J'espère qu'elle ne perdra pas sa mère aussi brutalement.

— À moins qu'elle ne passe sous un bus, non ? Tu aimes les accidents de la circulation. Ton moyen préféré pour... remettre les pendules à l'heure.

— Tu n'as pas de preuve.

— Tu dis ça tout le temps.

— On se revoit dans trois jours, Harry. Entre-temps, tu auras peut-être une bonne surprise, qui sait ?

Il était minuit passé, le même soir, quand le téléphone a sonné.

— Papa ?

J'ai failli lâcher le combiné, tant je tremblais.

— Megan...

— Je me suis dit que... Bon, je voulais juste te dire bonjour. Ou bonsoir ?

Nous nous sommes parlé pendant vingt minutes, au moins. Sans aucune allusion à ce qui s'était passé au cours des dix derniers mois. Elle s'est montrée réservée, mais jamais hostile. Flottante. Elle m'a confié qu'elle ne dormait pas très bien, qu'il y avait des « trucs qui coinçaient ».

— Mais le psy que je vois à l'école, il dit pareil. Il dit que nous avons tous des « trucs qui coincent ».

— Il a raison. Nous en sommes tous au même point.

— Bon, je dois y aller. Mais je te rappellerai la semaine prochaine, peut-être.

— Ce serait… merveilleux.

— Cool. Alors à plus, pap.

Je suis resté un long moment devant le téléphone désormais silencieux. Luttant contre les larmes, et contre une tristesse infinie. Au bout de quelques minutes, une idée atroce s'est infiltrée en moi : est-ce qu'elle avait manigancé ce coup de fil, également ? Était-ce la « bonne surprise » qu'elle m'avait promise ?

« Tu n'as pas de preuve. »

Mais des indices, j'en avais.

Et l'inspecteur Coutard aussi : il avait mon ordinateur portable, toujours au commissariat central du Xe arrondissement. Une semaine avant Noël, il m'a téléphoné à l'Institut américain pour me prier de venir le reprendre. Je me suis présenté à son bureau plus tard dans l'après-midi. Il portait la même veste de sport avachie que lors de notre première rencontre. Son bureau était toujours envahi de paperasse, son cendrier continuait à déborder de mégots et il avait son éternelle cigarette vissée aux lèvres.

— Comment avez-vous appris que j'enseignais à l'American Institute ? lui ai-je demandé.

— Je suis flic, non ? Et je sais aussi que vous avez maintenant une carte de séjour, et une adresse dans le Ve. Je suis content de voir que vous avez grimpé dans l'échelle sociale. Tout va bien pour vous, on dirait.

— On dirait, oui.

— Eh bien, nous n'avons plus besoin de ça, m'a-t-il déclaré en montrant mon ordinateur posé au bord de sa table. Sezer et ses complices sont toujours sous les verrous. Ils seront jugés pour le meurtre d'Omar et pour tout le reste en février. Il ne fait aucun doute qu'ils seront reconnus coupables. Les

377

preuves sont accablantes. – « Elles le sont toujours, quand elle se charge d'en trouver »… – Enfin, voilà, vous pouvez vous remettre à votre roman, maintenant, a-t-il ajouté en tapotant le dessus de mon ordinateur.

— J'y ai renoncé.

— Pourquoi ?

— Vous savez très bien pourquoi. Ça ne valait rien.

— Je n'ai jamais dit ça.

— Je n'ai pas dit que c'est ce que vous aviez dit.

— Mais vous n'allez quand même pas abandonner l'écriture de manière définitive ?

— Non. Je travaille à autre chose.

— Un autre roman ?

— Non. Ce ne sera pas une œuvre de fiction… même si tout le monde va penser le contraire.

Il a réfléchi un instant.

— Et votre « amie » ? La femme du Ve ? Vous la fréquentez toujours ?

— Tous les trois jours, sans faute.

Il a levé les sourcils, secoué la tête. Prenant une nouvelle cigarette, il l'a allumée et a tiré dessus pendant une bonne minute tout en me considérant d'un œil froidement professionnel. Finalement, d'un ton presque perplexe :

— Elle vous hante…

Je plaide coupable.

Achevé d'imprimer sur les presses de

BUSSIÈRE

GROUPE CPI

à Saint-Amand-Montrond (Cher)
en avril 2007

N° d'édition : 48134. N° d'impression : 071204/4.
Dépôt légal : mai 2007.

Imprimé en France